Gaspés

Bas-Saint-Lau
Îles-de-la-Madeleine

4e édition

Gabriel Audet

Auteur
Gabriel Audet

Éditrice
Stéphane G.-Marceau

Directrice de production
Pascale Couture

Correcteur
Pierre Daveluy

Directeur artistique
Patrick Farei (Atoll)

Metteures en pages
Caroline Béliveau
Julie Brodeur
Alexandra Gilbert
Élyse Leconte

Cartographes
Patrick Thivierge
Yanik Landreville
Isabelle Lalonde

Infographiste
Stéphanie Routhier

Illustratrices
Lorette Pierson
Marie-Annick Viatour
Myriam Gagné

Photographes
Page couverture
Megapress Images
T. Philiptchenko
Pages intérieures
Megapress Images/
P. Brunet
E. Dugas
Claude Hervé-Bazin

Distribution

Canada : Distribution Ulysse, 4176, St-Denis, Montréal (Québec) H2W 2M5, ☎(514) 843-9882, poste 2232, ☎800-748-9171, fax : (514) 843-9448, www.guidesulysse.com, info@ulysse.ca

États-Unis : Distribooks, 8120 N. Ridgeway, Skokie, IL 60076-2911, ☎(847) 676-1596, fax : (847) 676-1195

Belgique-Luxembourg : Vander, 321, avenue des Volontaires, B-1150 Bruxelles, ☎(02) 762 98 04, fax : (02) 762 06 62

France : Inter Forum, 3, allée de la Seine, 94854 Ivry-sur-Seine Cedex, ☎01 49 59 10 10, fax : 01 49 59 10 72

Espagne : Altaïr, Balmes 69, E-08007 Barcelona, ☎(3) 323-3062, fax : (3) 451-2559

Italie : Centro cartografico Del Riccio, Via di Soffiano 164/A, 50143 Firenze, ☎(055) 71 33 33, fax : (055) 71 63 50

Suisse : Diffusion Payot SA, p.a. OLF S.A., Case postale 1061, CH-1701 Fribourg, ☎(26) 467 51 11, fax : (26) 467 54 66

Pour tout autre pays, contactez Distribution Ulysse (Montréal).
Données de catalogage avant publication (Canada). (Voir p 7)

Bibliothèque nationale du Québec
Dépôt légal - Deuxième trimestre 2000
ISBN 2-89464-274-1

«Dieu, ayant fini de créer les Provinces maritimes et la Gaspésie, se frotta les mains, et c'est ainsi que les îles de la Madeleine prirent forme.»

Légende locale

SOMMAIRE

LISTE DES CARTES

SYMBOLES DES CARTES

Information touristique (bureau permanent)
Information touristique (bureau saisonnier)
Traversier (ferry)
Traversier (navette)
Aéroport
Hôpital
Plage
Terrain de camping
Port ou marina
Montagne

♿	Accès aux personnes à mobilité réduite
≡	Air conditionné
🐕	Animaux de compagnie
⊛	Baignoire à remous
⊙	Centre de conditionnement physique
(bateau)	Coup de cœur Ulysse pour les qualités particulières d'un établissement
ℂ	Cuisinette
ℑ	Foyer
pc	Pension complète
½p	Petit déjeuner et dîner
pdj	Petit déjeuner inclus dans le prix de la chambre
≈	Piscine
ℝ	Réfrigérateur
✪	Relais santé
ℜ	Restaurant
bc	Salle de bain commune
bp	Salle de bain privée (installations sanitaires complètes dans la chambre)
⌂	Sauna
⇄	Télécopieur
☎	Téléphone
tv	Téléviseur
tlj	Tous les jours
⊗	Ventilateur

Classification des attraits

★	Intéressant
★★	Vaut le détour
★★★	À ne pas manquer

Classification de l'hébergement

Les tarifs mentionnés dans ce guide s'appliquent, sauf indication contraire, à une chambre standard pour deux personnes en haute saison.

Classification des restaurants

Les tarifs mentionnés dans ce guide s'appliquent, sauf indication contraire, à un dîner pour une personne, excluant le service et les boissons.

$	moins de 10$
$$	de 10$ à 20$
$$$	de 20$ à 30$
$$$$	plus de 30$

Tous les prix mentionnés dans ce guide sont en dollars canadiens.

ÉCRIVEZ-NOUS

Tous les moyens possibles ont été pris pour que les renseignements contenus dans ce guide soient exacts au moment de mettre sous presse. Toutefois, des erreurs peuvent toujours se glisser, des omissions sont toujours possibles, des adresses peuvent disparaître, etc.; la responsabilité de l'éditeur ou des auteurs ne pourrait s'engager en cas de perte ou de dommage qui serait causé par une erreur ou une omission.

Nous apprécions au plus haut point vos commentaires, précisions et suggestions, qui permettent l'amélioration constante de nos publications. Il nous fera plaisir d'offrir un de nos guides aux auteurs des meilleures contributions. Écrivez-nous à l'adresse qui suit, et indiquez le titre qu'il vous plairait de recevoir (voir la liste à la fin du présent ouvrage).

Les Guides de voyage Ulysse
4176, rue Saint-Denis
Montréal (Québec)
Canada H2W 2M5
www.guidesulysse.com
texte@ulysse.ca

CATALOGAGE

Données de catalogage avant publication (Canada)

Audet, Gabriel, 1966-

Gaspésie, Bas-Saint-Laurent, Îles-de-la-Madeleine

4e éd.
(Guide de voyage Ulysse)
Comprend un index.

ISBN 2-89464-274-1

1. Gaspésie (Québec) - Guides. 2. Bas-Saint-Laurent (Québec) - Guides. 3. Îles-de-la-Madeleine (Québec) - Guides. I. Titre. II. Collection

FC2945.G3A3 2000 917.14'7044 C00-940783-9 F1054.G3A3 2000

REMERCIEMENTS

«Les Guides de voyage Ulysse reconnaissent l'aide financière du gouvernement du Canada par l'entremise du Programme d'Aide au Développement de l'Industrie de l'Édition (PADIÉ) pour ses activités d'édition.»

Les Guides de voyage Ulysse tiennent également à remercier la SODEC pour son soutien financier.

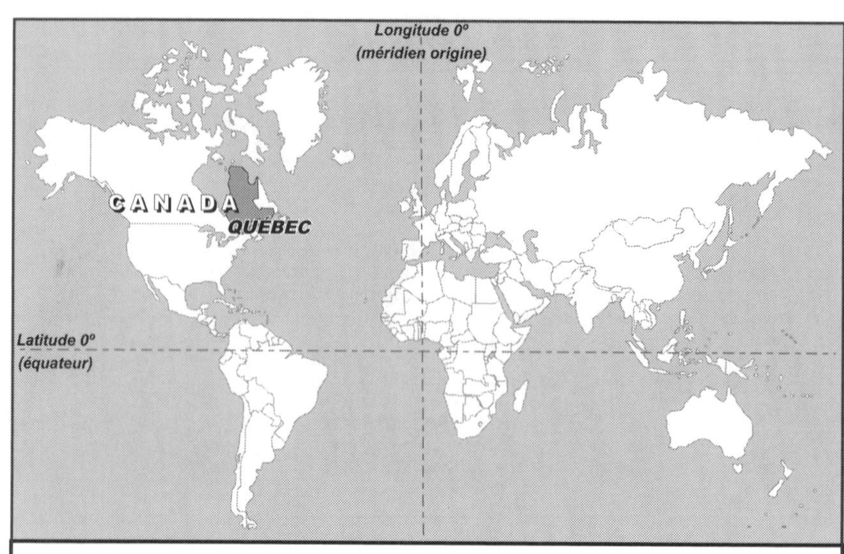

Situation géographique dans le monde

Le Québec	Légende
Capitale : Québec	1. Le Bas-Saint-Laurent
Population : 7 407 000 hab.	2. La Gaspésie
Monnaie : dollar canadien	3. Les Îles-de-la-Madeleine
Superficie : 1 550 000 km²	

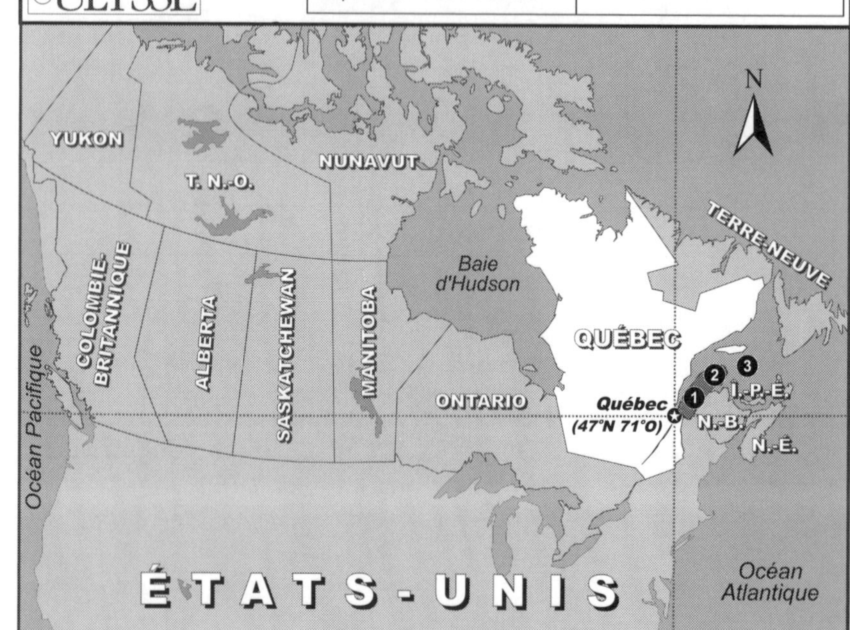

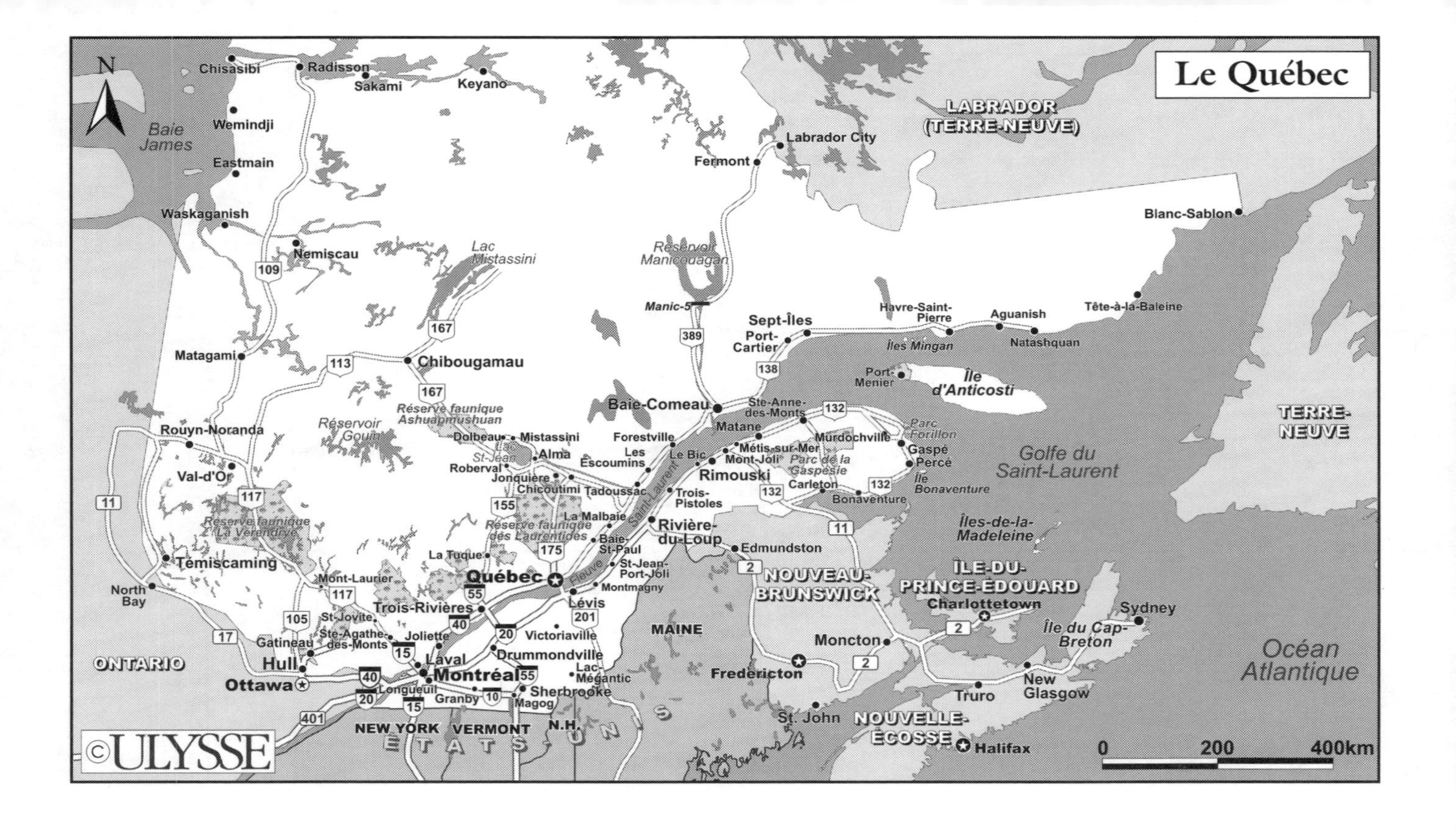
Le Québec
N
LABRADOR
(TERRE-NEUVE)
TERRE-NEUVE
Baie James
Chisasibi
Radisson
Sakami
Keyano
Wemindji
Eastmain
Waskaganish
Nemiscau
Lac Mistassini
Matagami
Chibougamau
Labrador City
Fermont
Blanc-Sablon
Réservoir Manicouagan
Manic-5
Tête-à-la-Baleine
Sept-Îles
Port-Cartier
Havre-Saint-Pierre
Aguanish
Natashquan
Îles Mingan
Port-Menier
Île d'Anticosti
Baie-Comeau
Ste-Anne-des-Monts
Matane
Murdochville
Parc Forillon
Gaspé
Percé
Île Bonaventure
Golfe du Saint-Laurent
Réserve faunique Ashuapmushuan
Réservoir Gouin
Rouyn-Noranda
Val-d'Or
Dolbeau
Mistassini
Lac St-Jean
Alma
Roberval
Jonquière
Chicoutimi
Tadoussac
Forestville
Les Escoumins
Le Bic
Métis-sur-Mer
Mont-Joli
Rimouski
Parc de la Gaspésie
Carleton
Bonaventure
Trois-Pistoles
Réserve faunique La Vérendrye
Réserve faunique des Laurentides
La Malbaie
Rivière-du-Loup
Edmundston
Îles-de-la-Madeleine
Baie-St-Paul
St-Jean-Port-Joli
Montmagny
La Tuque
Témiscaming
Mont-Laurier
Québec
Fleuve Saint-Laurent
Lévis
North Bay
Trois-Rivières
St-Jovite
Ste-Agathe-des-Monts
Joliette
Victoriaville
Gatineau
Hull
Ottawa
Laval
Montréal
Drummondville
Lac-Mégantic
Longueuil
Granby
Magog
Sherbrooke
ONTARIO
MAINE
NOUVEAU-BRUNSWICK
ÎLE-DU-PRINCE-ÉDOUARD
Charlottetown
Sydney
Île du Cap-Breton
Moncton
Fredericton
Truro
New Glasgow
Océan Atlantique
St. John
NOUVELLE-ÉCOSSE
Halifax
NEW YORK
VERMONT
N.H.
ÉTATS-UNIS
0
200
400km
©ULYSSE
109
113
167
389
138
132
11
117
155
175
55
2
17
105
40
20
15
201
10
401

Portrait

Les régions du Bas-Saint-Laurent, de la Gaspésie et des Îles-de-la-Madeleine comptent de nombreux villages pittoresques où flottent l'air marin et les embruns chargés d'effluves salins.

Elles attirent depuis déjà bien des décennies des touristes américains, canadiens et européens, lesquels viennent profiter de l'omniprésence de la mer pour s'adonner à leur sport nautique favori, suivre un traitement curatif ou encore s'enivrer de décors charmants qui procurent un dépaysement certain. Partout, on peut pêcher aux quais et sillonner les routes secondaires tout en écoutant l'accent si pittoresque de l'est du Québec. Quand le soleil se met de la partie, les visiteurs aiment bien flâner sur les jetées ou le long des plages au sable doré.

En faisant escale de village en village, on peut apprécier la bonne chère et déguster les spécialités de l'endroit tout en visitant un phare centenaire ou un musée très original, ou encore en regardant un coucher de soleil sur la mer qu'il faut à tout prix immortaliser sur pellicule. Que vous soyez à la recherche de l'inédit, de détente ou de nature sauvage, vous y trouverez toujours votre compte.

Le territoire que couvrent le Bas-Saint-Laurent, la Gaspésie et les Îles-de-la-Madeleine occupe une superficie plus grande que la Suisse. Il est situé au sud-est du Québec. L'estuaire du Saint-Laurent forme sa limite nord.

La population de ces trois régions, qui représente 5% de celle du Québec, se regroupe sur un littoral de 960 km ainsi qu'à l'intérieur des terres, dans la vallée de la Matapédia et dans le Témiscouata. Les quelque 326 000 habitants sont répartis dans 204 municipalités et deux réserves amérindiennes.

C'est une des contrées les plus francophones du Québec, puisque plus de 310 000 habitants parlent français (95,3%). On y dénombre environ 14 000 anglophones (4,3%), qui habitent principalement les Îles-de-la-Madeleine, la Baie-des-Chaleurs et la région de Gaspé. Les autres groupes représentent 1 400 personnes. C'est également l'une des contrées les plus rurales du Québec, puisque seulement 40% de ses habitants vivent en zone urbanisée.

L'économie est surtout axée sur l'exploitation des ressources primaires. L'activité économique est aussi conditionnée par les saisons, ce qui signifie trop souvent une productivité très faible. L'habitat est aussi très dispersé, car seulement six municipalités comptent plus de 5 000 habitants : Rimouski, Trois-Pistoles, Rivière-du-Loup, Matane, Mont-Joli et Gaspé.

Les problèmes économiques de ces régions restent encore entiers et presque insolubles. Entre 1988 et 1991, 12 000 habitants, principalement des jeunes, sont partis : c'est 3,75% de la population, et presque l'équivalent de la population entière des Îles-de-la-Madeleine. Le taux de chômage est partout élevé. Le Bas-Saint-Laurent a le taux de chômage le moins élevé des trois régions, soit 15%.

Géographie

Gaspésie

La péninsule gaspésienne couvre 21 000 km² et est peuplée de quelque 150 000 habitants. Sa superficie correspond approximativement à celle de la Belgique (plus de la moitié de celle de la Suisse), qui, quant à elle, compte 10 millions d'habitants. Plus que jamais, on s'aperçoit que le Québec est un pays de grands espaces.

On fait généralement commencer la péninsule gaspésienne à Sainte-Flavie, à l'endroit où la route 132 se divise en deux pour former une boucle de 825 km. La péninsule est bordée au nord par l'estuaire du Saint-Laurent et au sud par la baie des Chaleurs. À l'est, ses finistères viennent se jeter dans le golfe du Saint-Laurent.

La Gaspésie est un immense plateau, résultat de deux soulèvements montagneux, l'un taconien, dans sa partie septentrionale, l'autre acadien, dans sa partie méridionale. La division suit un axe partant du parc national Forillon et allant jusqu'au lac Matapédia en passant au sud des Chic-Chocs (mots micmacs signifiant «rochers escarpés»). Ces montagnes, avec les monts McGerrigle, constituent les points les plus élevés de la péninsule (et du Québec méridional). Les Chic-Chocs culminent, avec le mont Jacques-Cartier, à 1 325 m.

La physionomie côtière est variée. Le long de l'estuaire, de Sainte-

Flavie au cap Gaspé, la côte décrit une immense courbe. Dans sa deuxième partie (mont Saint-Pierre), le rebord du plateau gaspésien tombe abruptement dans la mer, ce qui donne au paysage une impression de puissance.

Perpendiculaire aux axes des plissements montagneux, la côte du golfe du Saint-Laurent est très découpée. C'est d'ailleurs dans le parc natinal Forillon qu'on peut le mieux apercevoir les couches de sédiments basculés par la force des mouvements tectoniques. La déformation est aussi remarquable à Percé, où les calcaires ont été soulevés à la verticale, tel qu'en témoigne le rocher Percé.

Au sud de la péninsule, une étroite plaine côtière, composée en plusieurs endroits de formations de grès rouge, longe les sinuosités de la rive nord de la baie des Chaleurs. Même si ces formations géologiques comptent parmi les plus jeunes de la péninsule, les grès étaient en place bien avant l'apparition des dinosaures. C'est d'ailleurs dans le fond de la baie, à l'endroit où existait, il y a quelque 370 millions d'années, une lagune peu profonde, qu'on a découvert des fossiles de vertébrés représentant la transition entre les poissons et les animaux terrestres.

L'arrière-pays gaspésien est une succession de monts arrondis par l'érosion. Des rivières (Matapédia, Grande-Cascapédia, Bonaventure, Grand-Pabos) découpent le plateau du nord au sud pour venir se jeter dans la baie des Chaleurs.

Terre de vieilles roches

À la différence du peuplement, le milieu physique (montagnes, mer et littoral) prend sa source très loin dans le passé. En fait, il faut retracer les événements à l'origine des plus beaux paysages gaspésiens à près d'un demimilliard d'années.

À cette époque, plus précisément dans les ères géologiques du cambrien et de l'ordovicien, une mer occupait le territoire actuel de l'est du Québec, en marge du Bouclier canadien. À la suite de l'érosion de ce vieux socle rocheux, des sédiments se déposèrent lentement au fond de la mer.

D'épaisses couches de grès et de calcaire se formèrent dans les eaux peu profondes en bordure des terres émergées du Bouclier canadien, tandis que des couches de sable et de boue s'accumulèrent plus au large. Une longue période de «rapprochement continental» allait ensuite bouleverser la morphologie de la région.

Il y a 450 millions d'années, le rapprochement de l'Amérique du Nord et de l'Europe créa les premiers massifs montagneux des Appalaches. Le puissant mouvement des plaques continentales souleva les sédiments marins en pliant et en tordant les couches pour venir les déposer en bordure du continent nord-américain.

Ce mouvement laissa une chaîne aux plissements à peu près rectilignes, appelée «chaîne taconienne». La partie plus au sud était encore submergée dans ce qui restait de mer, coincée entre la chaîne nouvellement formée, l'Europe et l'Afrique.

À l'ère dévonienne, il y a environ 400 millions d'années, un deuxième mouvement de rehaussement, celui-là causé par la poussée du continent africain et de la partie méridionale de l'Europe, vint empiler d'autres couches de sédiments sur la première chaîne. La mer disparut, et son fond fut également soulevé et plié. Les mouvements se terminèrent plusieurs millions d'années plus tard, après avoir façonné la chaîne acadienne, qui couvre la majeure partie du sud de la péninsule gaspésienne.

Vers la fin du dévonien, des intrusions de laves granitiques ponctuèrent la chaîne taconienne pour former le massif des monts McGerrigle, dans le parc de la Gaspésie.

À partir du début du carbonifère, il y a 360 millions d'années, une longue période d'érosion modela le paysage en abaissant le relief et en arrondissant les massifs montagneux. Certains sédiments se déposèrent sur la frange méridionale de la Gaspésie pour constituer l'assise de grès rouge des terres arables longeant la baie des Chaleurs. Cette période vit l'apparition et la disparition des dinosaures.

Plus près de nous, les glaciations des derniers millions d'années accélérèrent le phénomène d'érosion. Les glaciers laissèrent une impressionnante carte de visite. Sous plusieurs centaines de mètres de neige et de glace, le terrain fut raclé, et des vallées glaciaires en forme de *U* furent creusées, effaçant presque toute trace des époques précédentes.

À leur retrait, la morphologie de la région était à peu près celle que l'on connaît aujourd'hui : un vaste plateau peu élevé, culminant aux monts McGerrigle, dont le rebord nord tombe abruptement dans l'estuaire en plusieurs endroits.

Depuis, l'eau a repris le premier rôle dans la transformation du paysage. Des rivières se sont mises à couler dans les vallées, entaillant plus profondément encore le plateau gaspésien. La mer remodèle sans cesse le littoral en grugeant les falaises et en construisant des flèches et des barres de sable (les fameuses «barres à choir», ou barachois). À la suite des assauts des vagues, la première arche du roché Percé s'effondra au XIXe siècle. Ce serait une véritable tragédie régionale si la deuxième subissait le même sort.

Bas-Saint-Laurent

Le Bas-Saint-Laurent revêt la forme d'une longue bande de terre coincée entre la frontière américaine et l'estuaire du fleuve Saint-Laurent, reliant le centre du Québec à la Gaspésie et aux Provinces maritimes. Formée presque entièrement des vestiges d'un ancien soulèvement alpin, la région aligne ses monts fortement érodés sur un axe sud-ouest nord-est. Elle est ponctuée de lacs qui suivent pour la plupart le sens de l'alignement.

Les abords de l'estuaire présentent une physionomie variée. Dans la région, on utilise toujours le terme «fleuve», même s'il a près de 30 km de largeur en certains endroits. Le paysage se compose de pentes douces (vis-à-vis de L'Isle-Verte, de Rivière-du-Loup et de Rimouski), de falaises abruptes (le parc du Bic, Trois-Pistoles) et d'îles longeant la côte.

Îles-de-la-Madeleine

Il y a 300 millions d'années, à l'ère carbonifère, le golfe du Saint-Laurent constituait le fond d'une mer intérieure. D'épaisses couches de sel et de gypse s'y déposèrent, entrecoupées de sédiments sableux de couleur verdâtre, le tout formant des grès marins. Après que la mer se fut asséchée, un désert en prit la place. Le grès et le sel furent alors enfouis sous d'épaisses couches de sable.

Plus tard, à la suite du retrait des glaciers qui recouvrirent le continent pendant plus d'un million d'années, les dépôts de sel (aussi appelées «évaporites»), plus légers que les roches environnantes, s'élevèrent en dôme et firent immerger les îles

Hâtez-vous de visiter les îles, car elles sont condamnées à disparaître en raison de l'érosion marine... dans trois ou quatre mille ans!

au milieu du golfe du Saint-Laurent. Les grès marins mis à découvert donnèrent naissance à des massifs de collines au centre des îles. Les sables sédimentés de l'ancien désert formèrent les grès rouges des falaises du pourtour des îles.

Fou de Bassan

Depuis l'émergence de l'archipel, la mer s'acharne à détruire les rivages friables de grès rouge. En se détachant de la falaise, le grès est lavé par la mer de son oxyde de fer, ce qui lui enlève sa couleur. Les courants marins de surface, tournant dans le sens des aiguilles d'une montre autour de l'archipel, transportent alors le grès, devenu un beau sable blond, et le déposent aux endroits plus calmes pour façonner les cordons de dunes qui relient les îles.

Le paysage des Îles-de-la-Madeleine est très dynamique. D'une part, les îles sont rongées par l'assaut des vagues. Ainsi, à l'heure actuelle, les îles sont particulièrement attaquées sur leur côté ouest (falaises de la Belle Anse, à L'Étang-du-Nord). D'autre part, elles prennent de l'ampleur grâce aux dépôts de sable qui permettent aux flèches de sable de Sandy Hook et de la pointe de l'Est de s'allonger plus profondément dans le golfe. On note quatre paysages distincts, soit les collines de grès vert du centre, recouvertes d'un sol riche et mince; les versants, plus profonds (dérivés de roche sédimentaire et parfois de gypse); le plateau de grès rouge du pourtour, recouvert de sols grossiers; et la plaine littorale, formée de sable remanié et comportant des sols secs et généralement pauvres.

Cormoran

Faune

Gaspésie

La faune est mise en valeur dans le parc national Forillon, dans le parc de la Gaspésie et dans la quinzaine de réserves situées à l'intérieur des terres. La Gaspésie est très réputée pour la grande variété et l'observation d'oiseaux et de mammifères marins.

Le printemps est la meilleure saison pour visiter la Gaspésie si l'on est un amateur d'ornithologie. Plus de 30 sites d'observation sont décrits dans l'*Itinéraire ornithologique* de la Gaspésie, publié par le Club des ornithologues de la Gaspésie. On peut se le procurer en écrivant à C.P. 245, Percé (Québec) G0C 2L0. Les fous de Bassan de l'île Bonaventure y sont traités en détail, de même que les oiseaux du parc national Forillon et du parc de la Gaspésie.

On traite même des oiseaux observables lors des traversées vers la rive nord du fleuve Saint-Laurent. Les sites les plus connus sont la baie des Capucins, Paspébiac, la baie de Port-Daniel, New Richmond et Carleton. Parmi les quelque 300 espèces d'oiseaux observables figurent fréquemment le huard (à gorge rousse, à collier), la grèbe jougris, le fou de Bassan, le grand cormoran, le cormoran à aigrettes, le butor d'Amérique, le grand héron, le bihoreau à couronne noire, la bernache du Canada, la sarcelle à ailes vertes, le canard (noir, colvert,

Colverts

pilet), la sarcelle à ailes bleues, le morillon à collier, l'eider à duvet, le canard kakawi, la macreuse (à bec jaune, à front blanc, à ailes blanches), le garrot (à œil d'or, de Barrow), le bec-scie à poitrine rousse, le busard Saint-Martin, l'épervier brun, l'autour des palombes, la buse (à queue rousse, pattue) et la crécelle d'Amérique, pour n'en nommer que quelques-uns.

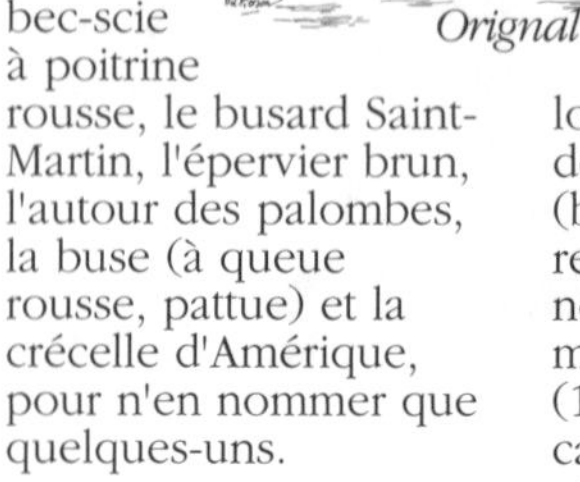
Orignal

En ce qui concerne les mammifères marins, on trouve différentes espèces de baleines (rorqual bleu, rorqual commun et petit rorqual). Le phoque (gris ou commun) est sans conteste l'animal fétiche de bien des gens. On peut observer ces animaux depuis le rivage dans la pointe ou sur la côte, ou encore participer à une excursion en mer.

L'intérieur des terres regorge de mammifères tels que l'orignal, le chevreuil, le coyote et le très populaire caribou.

Bas-Saint-Laurent

Dans le Bas-Saint-Laurent, on peut observer particulièrement la faune ailée. On y a recensé plus de 320 espèces d'oiseaux. Vous trouverez de nombreux sites d'observation, que ce soit dans les centres d'interprétation ou encore le long des sentiers. Il y a des oiseaux de proie (buses, busards, crécerelles, harfangs des neiges, hiboux des marais), des canards (15 espèces, dont le canard noir, la sarcelle et le colvert), des oiseaux plongeurs (morillons, guillemots, eiders,

Caribou

macreuses), des oiseaux champêtres et forestiers (moucherolles, bruants des neiges, piouis

et huards à collier) et des oiseaux marins (godes, goélands, mouettes). Notez que mai et juin sont les meilleurs mois pour observer les oiseaux marins.

Castor

Évidemment, qui peut oublier le phoque gris et le phoque commun, ainsi que les nombreux cétacés, entre autres la baleine à bosse (rappelez-vous *La Grenouille et la baleine*, ce film québécois qui a remporté un franc succès en Europe), le rorqual et le béluga.

Dans la famille des poissons, on remarque surtout le saumon, l'esturgeon et le capelan, et, parmi les animaux peuplant les forêts, figurent le cerf de Virginie, le castor et le lièvre.

Îles-de-la-Madeleine

En raison de leur situation au milieu du golfe du Saint-Laurent, les îles recèlent surtout une faune ailée. On y trouve toutefois également des mammifères dont les phoques gris et communs sont sûrement les plus connus, en plus des campagnols, des rats, des souris et de quelques renards.

Sur mer et sur terre au bord des falaises, des milliers d'oiseaux s'offrent aux regards des ornitholo-

Le pluvier siffleur

Le pluvier siffleur est une espèce menacée d'extinction. Au Canada, on ne le retrouve que dans l'Est. Il se rencontrait jadis sur la côte de la baie des Chaleurs, en Gaspésie, mais il ne niche plus maintenant qu'aux îles de la Madeleine.

Si vous désirez l'apercevoir, vous devrez être très observateur car son dos et sa tête se confondent avec le sable sec.

De nombreux facteurs peuvent nuire à la reproduction du pluvier. La seule présence de l'homme peut le forcer à quitter son nid suffisamment longtemps pour rendre impossible la couvaison de ses œufs.

En raison d'un excellent camouflage, les visiteurs peuvent parfois piétiner ses œufs et ses oisillons. Certaines zones de nidification sont d'ailleurs indiquées; il faut respecter les règles. Si vous découvrez des oisillons ou un nid avec des œufs, éloignez-vous rapidement.

gues amateurs. Les îles comptent près de 240 espèces d'oiseaux répertoriés, dont le harfang des neiges, le grand cormoran, le pluvier siffleur, la marmette de Brünnich, le goéland argenté, le grand héron, le grand chevalier à tête jaune, le pluvier à collier, le guillemot noir, le tourne-pierre roux, le petit pingouin et le macareux moine ne sont que quelques exemples. Les espèces sont migratrices, résidantes, hibernantes ou de passage. Il est à noter que 20% des espèces sont marines.

Les ornithologues apprécient la diversité et surtout l'observation des espèces rares, comme le pluvier siffleur, ainsi que le spectacle de certaines colonies d'oiseaux. L'île aux Oiseaux, l'île Brion, la réserve nationale de faune de la Pointe-de-l'Est, l'île

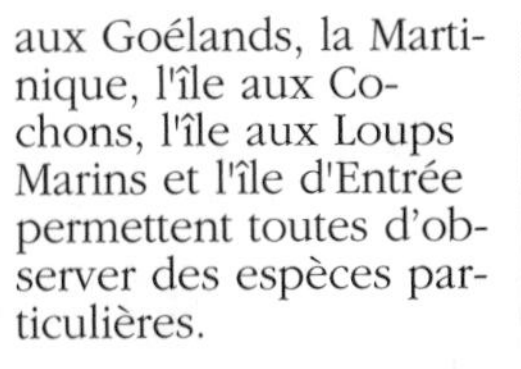

aux Goélands, la Martinique, l'île aux Cochons, l'île aux Loups Marins et l'île d'Entrée permettent toutes d'observer des espèces particulières.

Une excursion en mer offre l'occasion d'apercevoir les oiseaux et de les photographier. La traversée de Souris (Île-du-Prince-Édouard) à Cap-aux-Meules peut également vous familiariser avec certaines espèces avant même votre arrivée. Les puffins, les pétrels, les fulmars boréaux et les labbes vous accueillent déjà; puis, en explorant les grottes et les falaises, vous verrez sûrement des marmettes de Brünnich, des grands cormorans, des guillemots ou des macareux moines.

Enfin, en vous promenant sur les dunes, vous courez la chance de tomber sur un minuscule bécasseau, un pluvier siffleur ou un pluvier semi-palmé.

On peut également se rendre à la réserve ornithologique située à la sortie de la Grosse Île vers East Cape. Cet excellent site d'observation comporte un marais salant.

Pluvier siffleur

Le sable et le foin de dune des îles de la Madeleine

Il est fortement déconseillé, et même interdit, de circuler sur les dunes avec des véhicules à trois ou quatre roues motrices. On essaie, à l'heure actuelle, de faire adopter une loi qui interdirait l'usage de ces véhicules sur la plage et les dunes. Le foin de dune est une plante très fragile et sensible à l'action de l'homme; lorsqu'il est déraciné par des véhicules, il fait place à l'érosion.

Il faut toujours garder à l'esprit que le sable couvre 30% de la superficie des îles. Les éléments entrant dans la fabrication d'une dune sont précisement le sable, le vent et... la végétation. Ainsi, le foin de dune forme, à l'aide de ses racines profondes de plusieurs mètres, le véritable squelette de la dune.

Ses rhizomes ou tiges souterraines forment un genre de treillis qui retient le sable et l'humidité. Il protège ainsi les dunes des vents.

Le foin de dune peut supporter sans problème une accumulation de sable annuelle de 20 cm, mais il reste très fragile au piétinement. Une fois la plante ammophile écrasée, la circulation de la sève de la tige aux racines devient impossible. Les racines meurent et n'offrent plus aucune résistance aux vents. Le taux de récupération au piétinement est très faible.

Flore

Gaspésie

Une forêt boréale couvre la plus grande partie de l'intérieur gaspésien. Elle se compose de sapins, d'épinettes et de bouleaux.

Une zone alpine, où la toundra est semblable à celle des régions arctiques, sert d'habitat aux caribous sur le mont Jacques-Cartier. La même végétation peut être observée au mont Albert.

Le parc national Forillon constitue un autre lieu privilégié pour admirer la flore. On y trouve des plantes rares et une végétation spécialement adaptée au milieu. D'autres plantes sont mises en valeur dans la quinzaine de réserves situées à l'intérieur des terres. Enfin, les Jardins de Métis séduiront tous les botanistes en herbe.

On observe une flore toute particulière dans les barachois, ces milieux très changeants où les plantes doivent s'adapter aux marées et à la salinité des terres. Parmi les espèces particulières observables sur ces bandes de sable figurent la mertensie (une plante bleuâtre), le glaux maritime, le corail (salicorne), le seigle de mer (élyme des sables), le pois de mer (gesse maritime), la sabline faux-péplus et le fucus.

Bas-Saint-Laurent

La forêt du Bas-Saint-Laurent est de type boréal à dominance coniférienne. Cependant, plusieurs écosystèmes cohabitent de façon fort complexe dans cette région. Mentionnons, par ordre d'importance, la sapinière à bouleau blanc (bouleau blanc, sapin baumier, sorbier, épinette blanche), la sapinière à bouleau jaune (épinette rouge, bouleau jaune, cèdre), l'érablière à bouleau jaune (érable à sucre, bouleau jaune) et la sapinière à épinettes blanches (sapins baumiers) qui couvrent à elles seules la quasi-totalité des espaces inhabités du Bas-Saint-Laurent.

À la suite d'une coupe systématique, certaines espèces comme le pin rouge ont presque disparu. Au parc du Bic, certaines espèces arctiques-alpines sont des vestiges de ce qu'était la végétation originelle.

Îles-de-la-Madeleine

Les îles, jadis très boisées, ne possèdent plus aujourd'hui que 18% de territoire sous couvert forestier. Le bois servait autrefois à la fabrication des bateaux et à la construction de maisons pour la survie des Madelinots. Les nouveaux arbres sont rabougris et peu nombreux à cause des vents qui soufflent constamment sur l'archipel. La végétation maritime des sables, des lagunes et des marécages couvre 40% de la superficie totale des îles. On y trouve une flore de sols acides et secs, mais la sécheresse est atténuée par l'humidité du climat.

La végétation se divise en fait en cinq catégories complexes : végétation maritime, végétation de bas-marais, pessière à sphaignes, pessière à kalmias et sapinière à épinettes blanches. La végétation maritime et la sapinière à épinettes blanches occupent, à elles seules, plus des deux

tiers de l'archipel. Quand on ajoute la pessière à kalmias, on obtient 94% du couvert végétal.

Ouvert depuis le mois de mai 1992, «La bouillée de bois», un sentier forestier d'interprétation, est situé au camping La Martinique à L'Étang-du-Nord. Il vous permettra de vous initier à la flore des îles. Vous pourrez y voir des sphaignes, des lichens et des kalmias. On comprend mieux, en voyant les arbres rabougris, la rudesse du climat de cette région ainsi que la fragilité de la flore locale.

Le Club vacances «Les Îles» organise des excursions près de la plage de la Grande Échouerie, dans la réserve nationale de faune de la Pointe-de-l'Est (voir p 200). Pendant ces excursions, vous aurez l'occasion d'observer des plantes rares telles que la sarracénie pourpre, une plante carnivore. Ses feuilles poilues, vertes et pourpres, en trompette, emprisonnent les insectes, qui se noient alors dans l'eau de pluie accumulée dans leur cornet. Si vous avez de la chance, vous verrez peut-être des phoques curieux sortir leur tête de l'eau.

Un site très bien conservé est la réserve écologique de l'Île-Brion, qui protège des habitats naturels tels que marais et dunes. Elle est cependant très difficile d'accès. Vous pouvez, si vous assumez votre propre transport, obtenir une permission d'accostage. Vos activités doivent cependant se limiter à l'observaiton et à la découverte du milieu. Pour plus de détails, contactez l'ATR *(☎418-986-2245)*.

Par ailleurs, plusieurs petits fruits poussent en abondance sur les îles. Ils peuvent être cueillis en saison. Les myrtilles (bleuets), les fraises et framboises sauvages, les groseilles, les canneberges et les mûres sont les petits fruits les plus communs. On trouve également une grande variété de champignons, entre autres les girolles.

Histoire

Gaspésie

Il y a plusieurs millénaires déjà, le sol de la Gaspésie a été foulé par l'homme. Du côté nord de la péninsule, on a en effet découvert des traces d'établissement qui datent de bien avant l'ère chrétienne.

À l'époque des grandes découvertes, la Gaspésie était surtout habitée par les Micmacs, l'une des nations de langue algonquine. Aux XVe et XVIe siècles, les Micmacs avaient migré vers le nord en provenance de la Nouvelle-Écosse et du Nouveau-Brunswick. Une fois installés en Gaspésie, ils y rencontrèrent les Étchemins le long de la rivière Saint-Jean, les Montagnais de passage en été, du côté nord, et les Kwedechs, nation iroquoise dont la Gaspésie était un des territoires de chasse. Avant l'arrivée des premiers Européens, les Micmacs étaient en guerre contre les Kwedechs.

Ces peuples vivaient d'une économie de subsistance basée sur la chasse et surtout la pêche. Aux Micmacs, la mer fournissait la plus grande part de leur nourriture. En été, les groupes familiaux s'installaient au bord de la mer, près des embouchures des rivières poissonneuses. En hiver, les hommes s'enfonçaient dans les terres pour chasser le caribou et les autres gros mammifères.

En 1534, deux navires français, commandés par le Malouin Jacques Cartier, entreprirent la traversée de l'Atlantique. François Ier avait donné pour mission à Cartier de reconnaître les terres nouvellement fréquentées qui se trouvaient de l'autre côté de l'océan. En mai, il repéra Terre-Neuve. Un peu plus tard, après avoir longé les côtes méridionales du golfe du Saint-Laurent, Cartier pénétra dans la baie des Chaleurs en temps de canicule (d'où son nom).

Berceau micmac

À quelques reprises, Cartier prit pied dans la baie pour échanger des cadeaux avec les Micmacs. Il débarqua ensuite dans la baie de Gaspé, occupée à ce moment par les Kwedechs. Le 24 juillet 1534, Cartier y fit ériger une croix portant l'écusson de France pour marquer la prise de possession de ces terres au nom du roi. Cet acte marqua le début de la présence française dans le nord de l'Amérique et mérita à Cartier le titre officiel de «découvreur de la Nouvelle-France».

La colonisation du territoire par les Européens ne suivit pas immédiatement le voyage de Cartier. La France s'était alors embourbée dans des conflits avec l'Espagne ainsi que dans les guerres de religion. La période allant jusqu'à la fin du XVIe siècle vit la disparition des Kwedechs de la vallée du Saint-Laurent.

Pendant ce temps, les premiers pêcheurs normands, bretons, basques et rochelais commencèrent l'exploitation des bancs de morues de la côte gaspésienne. Au début du

XVIIe siècle, on y comptait cinq postes de pêche estivale importants. Matane constituait l'un des postes de traite des fourrures de la toute jeune colonie (Québec) qui avait été établie plus à l'ouest par Champlain, sur les rives du Saint-Laurent. Le commerce des nations autochtones était désormais orienté vers la vente de fourrures aux Français. En même temps, des tentatives d'évangélisation furent menées par les Français.

Les premiers essais de colonisation permanente débutèrent au milieu du XVIIe siècle. On y retrouvait alors les Nicolas Denys, Pierre Denys et Denis Riverin, qui se firent octroyer les premières seigneuries. On installa principalement à Percé et à Mont-Louis des postes de pêche et de traite permanents, et l'on songea à développer une industrie de la pêche dont les exportations alimenteraient aussi bien la Nouvelle-France que les vieux pays.

Le développement des pêcheries par les Français en Gaspésie fut entravé d'obstacles multiples. On se heurta au sous-financement des entreprises, celles-ci ne devenant profitables qu'après quelques années d'investissements massifs. Il était difficile d'attirer les colons dans un climat aussi rude, et l'on souffrait particulièrement des incursions anglaises.

Les guerres successives contre l'Angleterre se répercutaient en Amérique, et les Anglais lançaient des expéditions contre les postes français de la côte à partir de leurs riches colonies de la Nouvelle-Angleterre. En Gaspésie, les expéditions de Kirke, en 1628, et la destruction de Percé, en 1689, furent dévastatrices.

En raison du manque d'intérêt chronique de la France pour ses colonies d'Amérique du Nord (un projet de construction d'un fort à Gaspé n'eut jamais de suite malgré la situation stratégique de l'endroit à l'embouchure du Saint-Laurent) et des difficultés qu'elle éprouvait alors en Europe du fait de la guerre de Sept Ans, les Anglais réussirent à chasser définitivement de l'Amérique du Nord leur grande rivale.

En 1758, à la suite de la chute de Louisbourg, ils purent ravager une fois de plus la côte gaspésienne. En 1759, les troupes du général Wolfe prirent Québec. Coupée de la métropole (Paris), Montréal se trouvait en détresse, si bien que, l'année suivante, une flottille de bâtiments apportant vivres et munitions appareilla de Bordeaux pour porter secours à la colonie. Partie tardivement, elle fut toutefois devancée par les vaisseaux anglais. Les Français se réfugièrent alors dans l'embouchure de la Ristigouche, au fond de la baie des Chaleurs. Ils y rencontrèrent de nombreux Acadiens en fuite. Les Anglais les débusquèrent et, après quelques jours de combats, coulèrent les principaux vaisseaux. C'est dans le fond de la Ristigouche que s'enlisèrent les derniers efforts coloniaux de la France en Amérique du Nord. Montréal capitula la même année (1760).

Après la Conquête, le golfe du Saint-Laurent ayant été pacifié, l'industrie de la pêche put enfin se développer. De nouveaux établissements furent fondés, et les anciennes seigneuries furent vendues à des marchands, pour la plupart britanniques, dans le but de faire office d'installations pour la pêche. La morue constituait alors l'essentiel des prises. On la prenait à la ligne dans de petites embarcations. On était en mer de juin à septembre, et l'on ne s'éloignait jamais de la côte. En hiver, les activités cessaient.

Des industries tributaires se greffèrent autour de la pêche à la morue. Ainsi, on retrouvait sur la côte de petits chantiers fabriquant des embarcations et des entrepôts de salage du poisson. La pêche à la morue se doublait de la pêche à la baleine, dans la baie de Gaspé, et de la pêche au saumon, pratiquée par les Micmacs dans les rivières se jetant dans la baie des Chaleurs. Dans l'ensemble, les conditions de vie des pêcheurs étaient très rudes.

En 1767, venu de Jersey, dans l'archipel des îles Anglo-Normandes, Charles Robin s'installa sur le banc de Paspébiac pour exploiter la morue du golfe. Bien que florissantes, les affaires furent momentanément ralenties à cause des raids américains lors de la guerre d'Indépendance. Cependant, dès les années 1780, Robin exerça un quasi-monopole. Les chargements de morue salée étaient acheminés vers Québec, les États-Unis et l'Europe.

À cette époque, la Gaspésie devait vivre presque exclusivement de ses propres ressources. En 1763, elle avait été rattachée politiquement à la *Province of Quebec*; en pratique, elle en restait pourtant coupée à cause des voies de communication malaisées. On parvenait difficilement à remonter l'estuaire du fleuve Saint-Laurent. Par voie de terre, on était isolé par l'arrière-pays, où seules des routes de canot et des sentiers de portage étaient praticables.

Toutefois, face à la menace américaine toujours présente, le gouvernement décida de relier militairement Québec à Halifax par route, en coupant à travers les terres vierges gaspésiennes. Terminé en 1832, le chemin Kempt raccorda la région de Métis, sur le bord de l'estuaire, à la baie des Chaleurs en passant par la vallée de la Matapédia. Ce chemin servit de prélude au développement de la région.

À la fin du Régime français, la Gaspésie ne comptait que quelques centaines d'habitants. À la suite des hostilités, la côte de la baie des Chaleurs se peupla d'Acadiens chassés de leurs terres en 1755 et réfugiés à Restigouche. Plusieurs s'établirent à Tracadièche, rebaptisée *Carleton*. Dans les années 1780, ils virent l'arrivée des loyalistes, ces Anglo-Américains restés fidèles à la couronne d'Angleterre après l'indépendance des 13 colonies américaines.

Aux Acadiens, aux loyalistes et aux Micmacs déjà sur place (leur nombre était alors réduit à quelques centaines), s'ajoutèrent des Québécois, venant pour la plupart de la ville de Québec et du Bas-Saint-Laurent, et aussi quelques immigrants écossais, irlandais ou anglo-normands. Tous cherchaient à profiter du développement des pêcheries. La Gaspésie elle-même isolée, ces différentes communautés étaient à son image et ne se côtoyaient que très peu. Aussi était-il rare de voir des anglophones parler français. Vers 1850, toutes ces communautés réunies ne totalisaient pas 20 000 habitants, et près de la moitié de leurs membres étaient d'expression anglaise. Elles étaient concentrées autour de la baie des Chaleurs. À cette époque, l'intérieur et le côté nord de la Gaspésie restaient pratiquement inhabités.

Dès la fin du XIXe siècle, le visage de la Gaspésie changea considérablement. Elle brisa enfin son isolement avec l'extérieur, l'arrivée des bateaux à vapeur permettant des liaisons plus rapides et plus sûres avec Québec et les autres régions du golfe. On améliora par ailleurs les installations portuaires.

À la fin du siècle, la construction de la route fut également achevée entre Sainte-Anne-des-Monts et Gaspé, de telle sorte que toute la péninsule fut ceinturée. De plus, on relia la côte à la baie des Chaleurs avec un chemin de fer traversant la vallée de la Matapédia; les trains pouvaient désormais se rendre jusqu'à Gaspé.

C'est aussi vers la fin du XIXe siècle que

l'industrie de la pêche à la morue se mit à décliner. Les entreprises fondées par les Jersiais Robin, LeBoutillier, Fruing et autres se trouvèrent en crise. Les méthodes demeuraient artisanales, et les goûts de la clientèle changeaient; on préférait en effet le poisson frais ou congelé, transporté par train depuis la Nouvelle-Écosse, au poisson séché de la Gaspésie. En même temps, l'industrie commença à se diversifier avec, entre autres, la pêche au homard et au hareng. On pêchait de plus en plus vers le nord, jusqu'à la Côte-Nord du golfe.

Plusieurs Gaspésiens se tournèrent alors vers l'intérieur. L'agriculture était jusqu'ici restée une activité marginale, car le climat rude et l'éloignement des marchés avaient restreint son développement. En raison des pressions démographiques du Québec, où les familles étaient très nombreuses, on entreprit la colonisation de zones agricoles telles que la vallée de la Matapédia.

Les terres cultivables restaient congrues, seule une frange littorale le long de la baie des Chaleurs, la vallée de la Matapédia et les régions de Métis et de Matane étant économiquement exploitables. À ce moment-là, on cultivait surtout la terre pour subvenir à ses besoins, faute de marché.

Pendant près de 200 ans, la Gaspésie vécut en paix. Cependant, lors de la Deuxième Guerre mondiale, le golfe du Saint-Laurent fut sillonné par des sous-marins allemands venus couler les navires marchands à destination de l'Angleterre. Les pertes des Alliés se chiffrèrent à quelques dizaines de bateaux. Aucun sous-marin allemand ne fut coulé.

Au tournant du XXe siècle, on vit apparaître une nouvelle industrie : l'exploitation forestière. Jusqu'alors, la forêt avait fourni la matière première pour les petits chantiers navals locaux, mais on implanta à partir de cette époque une industrie du bois de sciage. Le bois coupé en hiver dans l'arrière-pays était transporté au printemps par drave, sur les cours d'eau, vers les scieries localisées sur la côte. La firme Price, l'une des deux entreprises à l'origine de la multinationale Abitibi-Price, s'installa alors dans la région de Métis, mais une grande partie du bois était transformée dans les scieries du Nouveau-Brunswick ou des États-Unis.

La Gaspésie subit durement la crise des années trente, qui força l'industrie de la pêche à se restructurer. La morue séchée fit place aux produits frais et congelés, et l'on assista à l'avènement des entrepôts réfrigérés et des embarcations motorisées. L'industrie du bois de sciage perdit ses marchés, et plusieurs scieries durent fermer leurs portes.

Pour garder la population sur place et employer les chômeurs, on fonda des villages agricoles à l'intérieur des terres. Cependant, les sols étant pour la plupart peu propices à la culture, les gens tiraient souvent plus de revenus de la coupe.

Depuis le début du peuplement européen jusqu'aux grands bouleversements sociaux des années soixante (Révolution tranquille), la démographie fut galopante. Il n'était pas rare, comme partout chez les francophones du Québec, de compter plus de 10 enfants par famille. Bien que la diversification de l'économie locale fût élargie, la création de nouveaux emplois ne suffisait pas à garder le surplus de main-d'œuvre, et un courant d'émigration commença à s'effectuer à la fin du XIXe siècle. Il se poursuit encore aujourd'hui.

En même temps, la proportion d'anglophones dans la péninsule subit une lente décroissance. La population de langue anglaise ne pouvait plus compter sur le flot d'immigrants de la fin du XVIIIe siècle. De plus, son taux de croissance naturelle était moins élevé que chez les francophones, et les jeunes, plus mobiles, avaient tendance à se déplacer vers l'ouest du Canada.

Durant tout le XIXe siècle, et jusqu'en 1960, la société gaspésienne, à l'instar du reste de la société québécoise, attacha beaucoup d'importance à la religion. L'Église catholique n'y était pas seulement cantonnée à son rôle spirituel, mais gérait aussi les écoles et les hôpitaux. Elle avait une forte emprise sur l'organisation sociale, et même sur la conscience populaire. Face à son isolement, la population des villages gaspésiens avait un sens marqué de la communauté, encadrée par les prêtres de paroisse.

Dans les années trente, le clergé encouragea tout spécialement la colonisation, et il prônait plus que jamais les grandes familles. Dans la plupart des villages gaspésiens, on peut aujourd'hui encore remarquer l'importance accordée par les paroissiens à leur église, souvent le plus beau monument.

Depuis les années soixante, à la suite de l'amélioration des communications avec l'extérieur (avion, télévision, radio, réseau routier) et d'une plus grande implication du gouvernement québécois, qui s'est substitué à l'Église dans plusieurs secteurs, la société gaspésienne s'est rapprochée du reste du Québec. Aujourd'hui, la population de la péninsule ne dépasse pas 150 000 habitants, dont la grande majorité est d'expression française.

Faute d'emplois suffisants, certaines régions se vident cependant. Puis, paradoxalement, à défaut de villes d'importance et d'un marché trop étroit, il y est difficile d'y implanter de nouvelles industries. Depuis les années cinquante, seule est venue s'ajouter l'exploitation minière, avec l'ouverture de la mine de cuivre de Murdochville. La Gaspésie reste donc à peu près restreinte aux activités liées aux ressources naturelles.

Des interventions au niveau économique et social furent proposées par l'État dès 1960 dans le but de restructurer la société gaspésienne et d'enrayer le chômage. Cependant, elles ne furent pas toujours couronnées de succès, et les efforts de planification et de rationalisation ont souvent entraîné la fermeture de villages entiers. On centralisa l'administration régionale à Rimouski, hors des limites gaspésiennes et, plus récemment, on construisit une usine de pâtes et papier à Matane, qui fut fermée après seulement quelques mois de fonctionnement, à défaut de marché.

Depuis le milieu du XXe siècle, le tourisme a commencé à prendre une place de plus en plus importante dans la vie gaspésienne. Durant la période estivale, le «tour de la Gaspésie» est de plus en plus populaire chez les Québécois, et les Européens commencent à découvrir, depuis quelques années, les charmes et les beautés des paysages gaspésiens.

Bas-Saint-Laurent

En 1991, on fit des découvertes archéologiques très intéressantes dans le Bas-Saint-Laurent. Celles-ci permettent d'affirmer une présence fort ancienne des Micmacs à Rimouski et révèlent que des pêcheurs basques fréquentaient l'endroit dès le XVIe siècle.

Les sous-régions qui composent ce vaste territoire ont été habitées par divers groupes culturels à des époques différentes, et longtemps sans contact les uns par rapport aux autres. Il nous a paru important de relater quelques moments historiques majeurs de la région au moment de traiter des villes.

Îles-de-la-Madeleine

Avant la colonisation, les îles étaient fréquentées par les Amérindiens des terres avoisinantes qui s'y rendaient surtout pour la pêche.

Il est probable que les premiers Européens à fouler le sol des îles furent les Vikings, aux environs de l'an 1000. Ils furent suivis, au XVe siècle, de pêcheurs basques et bretons. Le 25 juin 1534, lors de son premier voyage en Amérique, Jacques Cartier fit une description de l'île aux Oiseaux et de l'île Brion. De retour en France, il publia son récit de voyage et provoqua la venue de nombreux pêcheurs basques, normands et bretons.

Bien qu'en 1608 Samuel de Champlain passât près des îles en allant fonder Québec, aucune tentative de colonisation ne fut tentée avant la deuxième moitié du XVIIe siècle. En effet, ce n'est qu'en 1663 que François Doublet reçut de la Compagnie de la Nouvelle-France le droit d'établir une colonie aux îles. Il s'y rendit donc avec deux navires et tout le nécessaire pour pêcher, cultiver la terre et construire des maisons. Outre les équipages, il avait 25 soldats engagés. À son arrivée sur les îles, il trouva une vingtaine de Basques qui s'y étaient déjà installés. Doublet retourna en France, laissant une vingtaine d'hommes sur les îles. À son retour, à l'été 1664, il ne trouva que ruines. Il se rendit donc à Percé, en Gaspésie, où on lui apprit que ses hommes avaient passé une partie de l'hiver à boire et à s'amuser, et que, une fois les provisions épuisées, ils avaient dépouillé les Basques pour ensuite se rendre à Québec. La colonisation fut donc un échec, mais le seigneur Doublet devait laisser aux îles le prénom de sa femme, Madeleine Fontaine.

Les îles passèrent ensuite de main en main sans qu'aucune colonisation sérieuse soit entreprise, sauf peut-être celle des frères Pascaud en 1742. Cependant, elle fut vite freinée par le début de la guerre de Sept Ans.

À la fin du XVIIe siècle et au début du XVIIIe siècle, l'Amérique du Nord fut le théâtre des guerres continuelles que se livraient la France et l'Angleterre. En 1715, à la suite du traité d'Utrecht, la colonie française d'Acadie (l'actuelle Nouvelle-Écosse) tomba définitivement aux mains des Anglais.

Au cours des années qui suivirent et malgré leur défaite, les quelques milliers de Français établis en Acadie virent plusieurs de leurs droits reconnus par l'Angleterre. Ils s'enrichirent en faisant du commerce avec l'île du Cap-Breton (ou île Royale), resté français, tout en continuant à se multiplier.

Bien que la plupart des Acadiens aient eu prêté serment de neutralité, la présence de colons francophones et catholiques sur leurs territoires frontières inquiéta les Anglais. De nouveau en guerre contre la France, les Anglais

La chasse aux vaches marines (morses)

Après la guerre de l'Indépendance américaine, la Grande-Bretagne reconnut aux États-Unis un droit de pêche sur tous les rivages du golfe. À cette époque a eu lieu la grande tuerie des «vaches marines» ou morses. La race est aujourd'hui éteinte aux Îles.

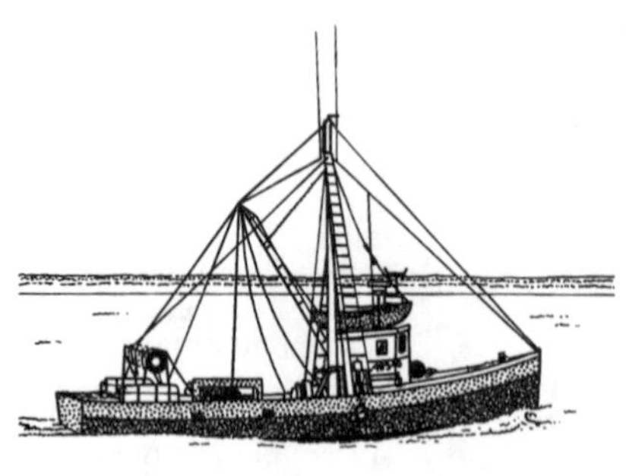

ridiculement bas. De plus, les Madelinots dépendaient des Américains pour leur approvisionnement en matériel de pêche.

décidèrent en 1755 de déporter les Acadiens. Ils furent chassés de leurs terres et envoyés, pour la plupart, dans les colonies anglaises. D'autres s'éparpillèrent un peu partout sur les côtes du golfe du Saint-Laurent. En 1759, la chute de Québec et la perte par la France en 1763 de nombre de ses colonies, dont toutes celles d'Amérique du Nord, allaient anéantir leurs espoirs de revoir un jour leur Acadie d'origine.

En 1761, des Acadiens se rendirent aux îles, venant de l'île du Cap-Breton, de la Gaspésie et de l'île Saint-Jean (île du Prince-Édouard). C'est à cette époque qu'on assiste au peuplement définitif de l'archipel. Ils s'établirent aux îles pour y chasser et pêcher.

En 1798, Sir Isaac Coffin devint seigneur des îles en récompense de ses services militaires. Ce dernier maltraita les Madelinots en les faisant travailler pour des salaires plus que modestes et en achetant leurs poissons à un prix

Ils devaient payer des redevances et n'avaient aucun moyen de reprendre possession de leurs terres. Découragées et affamées, bien des familles quittèrent alors les îles pour gagner Terre-Neuve, mais surtout le Labrador. Coffin mourut en 1839, léguant les îles à son neveu. Le conflit avec les Madelinots n'était alors pas encore réglé.

À la Confédération canadienne de 1867, les îles furent concédées au Québec et englobées dans le comté de Gaspé. Cependant, en 1895, elles devinrent un comté distinct au niveau provincial. Au niveau fédéral, elles furent autonomes jusqu'en 1948 et réintégrées au comté de Bonaventure au milieu des années soixante.

Après 25 ans de bataille légale, on commença à faire quelque chose pour améliorer la situation des Madelinots. En 1895, une loi spéciale fut votée : les occupants des lots pouvaient en devenir propriétaires. Cependant, la question des terres, face à la tenure seigneuriale, ne fut définitivement réglée que sous le gouvernement de Maurice Duplessis, en 1958, après 160 ans d'injustice.

Au tournant du XXe siècle, les Madelinots sont de plus en plus en contact avec le continent ou «Grande Terre» et se modernisent ainsi très rapidement. Ils perdent peu à peu leur insularité et souscrivent aux nouveaux courants d'idées. D'abord, en 1876, le traversier se rend à Pictou et à Gaspé. Puis, en 1911, la première station radiophonique est érigée. En 1912, ce sont les moteurs à essence qu'on installe sur les bateaux de pêche. Plus tard, en 1915, le téléphone fait son apparition. L'année 1917 voit surgir la première voiture sur les îles. Finalement, en 1928, on livre le premier courrier aérien en hiver. Tout ce progrès est couronné par l'arrivée de la télévision au début des années soixante.

Économie

Gaspésie

Échelonnées principalement le long du littoral, la majorité des localités comptent moins de 5 000 habitants. La Gaspésie étant une région éloignée et rurale, son activité économique repose sur l'extraction et la transformation des

Le BAEQ : histoire commune aux trois régions

Les inégalités sont particulièrement marquées dans l'est du Québec. On en prend conscience au début des années soixante, avec l'avènement de la Révolution tranquille. Le gouvernement va alors veiller à corriger ces disparités socio-économiques régionales.

L'État décide d'intervenir massivement. Défavorisé à cause de son éloignement des grands centres, l'Est du Québec (Îles-de-la-Madeleine, Gaspésie, Bas-Saint-Laurent) a vécu de la pêche, d'une agriculture plutôt pauvre et de l'exploitation forestière et minière, à quoi s'ajoutait un peu de tourisme. L'Est du Québec affichait le revenu par habitant le plus bas au Québec en 1960, tout en ayant le taux de chômage le plus élevé. L'infrastructure économique était alors déficiente. Alors que l'économie du Québec s'orientait vers les secteurs secondaires et tertiaires, l'économie du Bas-du-Fleuve restait tributaire du secteur primaire. L'agriculture souffrait du climat rude et de l'éloignement des marchés. La production industrielle ne représentait alors pas même 1% de celle du Québec. Un autre problème était et demeure celui de la répartition de la population. De longs chapelets de villages peu populeux et éloignés les uns des autres sont encore aujourd'hui très caractéristiques de l'Est du Québec. Cette contrée morcelée offre donc peu de cohésion économique.

Pour résoudre tous ces problèmes, le Bureau d'aménagement de l'Est du Québec (BAEQ) est mis sur pied en 1962, visant un concept d'aménagement planifié. En 1966, on assiste encore à un exode marqué des populations des trois régions, et le chômage y demeure le double de celui du Québec. L'aménagement pratiqué a souvent entraîné le déplacement forcé de plusieurs familles et la fermeture de nombreux villages de l'arrière-pays. Après la fermeture de 13 paroisses ont commencé, dès 1971, les Opérations Dignité, grandes manifestations visant à contrer les fermetures successives de villages et à permettre aux habitants de la région de prendre leur destin en main. En 1975, après maints efforts et études, le taux de chômage atteint toujours 16%. Le BAEQ ne semble pas avoir réglé les problèmes économiques de façon durable. Dès lors, il ne sera plus qu'un souvenir.

matières premières, soit les ressources naturelles : les forêts, les minerais ainsi que les poissons et fruits de mer. La santé économique dépend donc fortement des ressources disponibles ainsi que de la fluctuation des marchés d'exportation.

L'exploitation des ressources est souvent encore effectuée selon des méthodes traditionnelles et présente donc parfois des inefficacités. Cependant, ces dernières années, les entreprises de transformation tendent à se moderniser pour demeurer concurrentielles à l'échelle internationale.

La pêche fournit de l'emploi saisonnier à quelque 8 000 personnes. Bien que la demande ait augmenté, l'offre tend à plafonner, surtout parce que les méthodes de pêche sont demeurées traditionnelles. Les Gaspésiens disposent de quelque 4 000 bateaux, de petite taille pour la plupart, et l'activité se limite aux périodes d'abondance de poissons près de la côte.

Les techniques de transformation sont en outre peu poussées pour la plupart des espèces, et l'industrie crée beaucoup de résidus, ce qui constitue une perte économique et engendre des problèmes environnementaux. La commercialisation est très ponctuelle et peu structurée, ce qui explique la faiblesse du produit sur le marché.

La pêche fut le premier moteur économique de la région. Encore une fois, elle se fait sur les deux littoraux, mais surtout près de la pointe de la péninsule. Elle a donné jusqu'ici des rendements économiques plutôt médiocres. Rivière-au-Renard, dans le secteur de la pointe, est le plus important port de pêche en Gaspésie quant au volume et à la valeur des déchargements.

L'agriculture se fait également sur les deux littoraux, mais surtout du côté de la baie des Chaleurs. Les sols cultivables se trouvent principalement sur les basses terres situées le long du littoral et des vallées fluviales.

En 1990, la valeur de la production agricole s'élevait à 16,5 millions de dollars. Les deux productions dominantes sont les productions laitière et bovine. La région se consacre aussi à la culture de la pomme de terre, à l'aviculture, à l'élevage des moutons ainsi qu'à la culture de plantes ornementales.

L'agriculture occupe 4% de la main-d'œuvre régionale. En raison de son caractère très montagneux, la Gaspésie n'a jamais été et ne sera jamais un coin de pays agricole. Le potentiel cultivable de la Gaspésie n'est d'ailleurs utilisé qu'au tiers. Cependant, son caractère montagneux donne naissance à un réseau hydrographique formé de cours d'eau au débit rapide, ce qui fait le bonheur des pêcheurs à la ligne. Les rivières coulent vers le nord, l'est et le sud.

Le zonage agricole et les nouvelles mesures politiques en matière de protection de l'environnement ont freiné le développement industriel sauvage. Ces mesures ont favorisé l'industrie touristique régionale tout en préservant le milieu. Les activités récréo-touristiques occasionnent annuellement des retombées économiques de plus de 100 millions de dollars.

La forêt couvre 80% de la Gaspésie et fournit 5 000 emplois directs, soit 12% de la main-d'œuvre régionale. Elle se partage entre le domaine public, situé à l'intérieur des terres, et le domaine privé, situé le long du littoral. La forêt publique constitue 70% de tout le territoire et se compose à 90% de résineux (sapins, épinettes, pins gris).

La forêt privée comporte une proportion plus élevée de feuillus (bouleaux à papier, bouleaux jaunes, peupliers et érables), soit 40%. Le potentiel des résineux est exploité au maximum, mais les feuillus demeurent sous-utilisés. L'activité forestière a été grandement freinée par les incendies, les maladies et les épidémies d'insectes, qui détruisirent une grande partie de la ressource.

Le secteur minier est très peu exploité. On connaît d'ailleurs de façon très imprécise les ressources minières de la péninsule. La seule mine en activité est celle de Murdochville, et elle a dû, il y a quelques années, mettre à pied bon nombre de ses employés. Depuis, elle a réembauché ses employés mis à pied, de sorte qu'il n'y a pas eu de croissance dans ce secteur ces dernières années. En 1990, la production minière représentait 102 millions de dollars. Les principales ressources extraites sont le cuivre, le gravier, la pierre et le soufre.

Murdochville, la seule ville de l'intérieur gaspésien, est un centre minier exploitant un important filon de cuivre. Pour le reste, l'intérieur des terres demeure un coin parfait pour les chasseurs et les pêcheurs. Ils y trouvent, entre autres, de l'orignal et du chevreuil dans les vastes forêts, ainsi que de la truite et du saumon dans les nombreux lacs et rivières. Le saumon remonte d'ailleurs chaque année 17 rivières gaspésiennes pour y frayer. On peut l'observer en maint endroit.

Le recul du secteur secondaire, le déclin démographique et la diminution de l'importance relative de l'agriculture demeurent des problèmes insolubles. Le manque d'emplois est le problème numéro un des Gaspésiens. À la fin des années quatre-vingt, plus d'une personne sur deux en âge de travailler était inoccupée à travers toutes les municipalités régionales de comté (MRC) de la Gaspésie. Plus d'une personne sur 10 bénéficiait des prestations de l'assurance sociale. Ce taux atteint même une personne sur quatre dans la MRC Denis-Riverin (Sainte-Anne-des-Monts).

Le secteur tertiaire est composé de commerces et de services publics peu diversifiés qui sont surtout destinés à desservir la population locale et les touristes, ces derniers créant une activité économique supplémentaire durant la période estivale. On évalue à 694 200 le nombre de touristes ayant visité la région en 1995. L'emploi est ainsi fortement saisonnier. Il s'ensuit des difficultés à rentabiliser les immobilisations à cause, justement, du caractère saisonnier des activités touristiques.

Les activités du commerce se chiffraient à 600 millions de dollars en 1992. Mentionnons aussi la grande dépendance des gens, durant la période hivernale, envers les programmes d'assistance de l'État.

La région connaît des disparités importantes en ce qui a trait au revenu *per capita* par rapport au reste du Québec. La Gaspésie compte quelques-unes des municipalités régionales de comté les plus démunies au Québec. L'exode des jeunes et de la main-d'œuvre qualifiée vers les villes y est pour quelque chose; il entraîne le vieillissement de la population et affecte le dynamisme des communautés. En ajoutant à cela la faible densité de population, l'absence de villes populeuses et une croissance démographique minime (0,4%, de 1981 à 1985) et même parfois négative (MRC de la Côte-de-Gaspé), on comprend pourquoi il est difficile d'implanter une gamme de services sociaux dans la région. Ainsi, la Gaspésie manque de spécialistes dans le secteur de la santé et d'autres services.

L'éducation post-secondaire est assurée par le Cégep de Gaspé. L'Université du Québec à Rimouski offre, quant à elle, certains cours en divers endroits du territoire gaspésien.

Dans cette région durement frappée par les effets de la récession jusqu'en 1984, le taux de chômage élevé reste à l'état endémique. De 1986 à 1990, la Gaspésie a perdu 3 000 emplois. En 1990, le taux de chômage était à 20,3%, alors que le Québec affichait 10,2%, soit la moitié.

La Gaspésie possède en fait le plus haut taux de chômage au Québec, et le deuxième plus élevé dans le Canada tout entier! En 1991, elle héritait du plus faible taux d'emploi (33,2%) des 67 régions économiques du Canada. Autre record, rappelons que son taux d'activité (41,6%) demeure le plus faible au Canada.

Bas-Saint-Laurent

Comme les Îles-de-la-Madeleine et la Gaspésie, le Bas-Saint-Laurent souffre de l'éloignement des grands marchés, de l'exode de sa population et du chômage, qui tend toutefois à être moins élevé que celui des îles et de la Gaspésie.

Sur une période de 15 ans, de 1971 à 1986, l'emploi a connu une croissance très marquée dans le Bas-Saint-Laurent, le niveau annuel de l'emploi régional s'étant alors accru de 40%. Cependant, la crise du début des années quatre-vingt a durement frappé la région, qui a mis trois ans à s'en remettre. Aujourd'hui, son taux de chômage s'approche de celui de l'ensemble du Québec.

Le tourisme demeure une industrie importante. En 1995, on comptait 855 200 touristes.

Îles-de-la-Madeleine

L'économie des Îles-de-la-Madeleine a toujours été axée sur la pêche. Autrefois, la pêche et le fumage du hareng et du maquereau étaient des activités très lucratives, mais aujourd'hui, bien que ces activités se pratiquent encore, on ne fait plus le commerce de ces poissons. Le homard et les pétoncles sont maintenant les principaux produits de la pêche commercialisés à grande échelle.

Avec 30 000 visiteurs en 1996, le tourisme représente 25% de l'activité économique de l'archipel.

Les Îles-de-la-Madeleine connaissent une relance de l'activité agricole, mais celle-ci s'oriente toujours vers l'autosubsistance. Les activités des fermes sont d'ailleurs souvent complémentaires à celles de la forêt et de la pêche. Les îles importent du lait et des produits agricoles en quantité importantes, et beaucoup de denrées de l'Île-du-Prince-Édouard.

Les Îles-de-la-Madeleine connaissent les mêmes problèmes que tout l'est du Québec. Le manque d'emplois, le départ des jeunes, le décrochage scolaire des 12 à 17 ans et le taux de chômage très élevé demeurent des problèmes insolubles. En hiver, le taux de chômage dépasse parfois 60%.

Politique

Gaspésie

La Gaspésie envoie des représentants aux assemblées législatives depuis 1791, date du premier parlement élu. La région était alors représentée par un seul député. Au cours de la période allant jusqu'à la Confédération de 1867, les élus étaient souvent loin des préoccupations des pêcheurs gaspésiens; généralement étrangers à la région, ils se rapprochaient surtout des exigences des marchands et des entrepreneurs.

De la Confédération jusqu'au milieu du XXe siècle, se sont succédé des députés des deux grands partis, libéraux et conservateurs, tant à l'Assemblée législative de la province qu'à la Chambre des communes (au niveau fédéral). La région était sectionnée en trois circonscriptions électorales : Bonaventure, dans la Baie-des-Chaleurs; Matane (détachée de la circonscription de Rimouski au niveau provincial en 1890 et au niveau fédéral en 1917); et Gaspé (scindée en deux au milieu du XXe siècle).

Elles étaient représentatives des comtés ruraux québécois, en général moins peuplés que les circonscriptions urbaines. Honoré Mercier, premier ministre du Québec de 1887 à 1891, représentait la circonscription de Bonaventure.

Dans les années cinquante, au niveau provincial, l'Union nationale de Maurice Duplessis est fortement implantée en Gaspésie. Elle en sera cependant délogée par les libéraux. Leur représentant de Bonaventure, Gérard D. Lévesque, siègera de 1956 à 1994 à l'Assemblée nationale, ce qui constitua un record de longévité. Un autre Lévesque, également originaire de la Gaspésie, fit sa marque en politique; il s'agit de René Lévesque, qui dirigea le Parti québécois de 1971 à 1984, luttant pour obtenir l'indépendance du Québec. Il fut premier ministre du Québec de 1976 à 1984.

Au référendum de 1980, la Gaspésie vota comme l'ensemble du Québec, c'est-à-dire contre le projet de souveraineté-association prôné par le Parti québécois, alors au pouvoir. En 1992, à l'exception de Bonaventure, on vota contre le projet constitutionnel visé par l'accord de Charlottetown, lequel avait pour but de ramener le Québec dans le giron constitutionnel canadien.

Au référendum d'octobre 1995, les Gaspésiens ont voté «oui» à 58% au projet de souveraineté du Québec.

Aux élections fédérales de 1997, le comté de Bonaventure–Gaspé–Îles-de-la-Madeleine–Pabok fit élire à sa tête le bloquiste Yvan Bernier, tandis que celui de Matapédia-Matane fit réélire René Canuel, aussi du Bloc québécois.

Aux élections provinciales de 1998, le Parti québécois fut sans conteste le grand gagnant. Il fit réélire presque tous ses députés en Gaspésie : Guy Lelièvre (Gaspé), Matthias Rioux (Matane) et Danielle Doyer (Matapédia). Seul le comté de Bonaventure élit une libérale, Nathalie Normandeau.

Bas-Saint-Laurent

Les frontières délimitant le Bas-Saint-Laurent ont souvent été redéfinies. Le territoire a englobé pendant longtemps une partie de la côte et de la vallée de la Matapédia en Gaspésie. Nous traçons ici les grandes lignes de la vie politique bas-laurentienne à l'intérieur des limites actuelles de la région.

En 1791 débute le système parlementaire. À l'époque, le Bas-Saint-Laurent est représenté par le comté de Cornwallis. Il en est ainsi jusqu'en 1829, date à laquelle apparaissent les comtés de Kamouraska et de Rimouski. En 1853 apparaît le comté de Témiscouata; le comté de Rimouski est redéfini jusqu'aux limites des comtés de Bonaventure et de Gaspé. Ces deux circonscriptions fédérales demeuront inchangées jusqu'en 1914. Au niveau provincial cependant, le comté de Rimouski est scindé en 1890 : le comté de Matane naît alors.

De 1840 à 1890, on assistera à la naissance d'une véritable élite politique bas-laurentienne. Durant cette période, la députation est la chasse gardée de ceux dont l'occupation procure une indépendance financière (professions libérales, petits industriels). Ces tendances se maintiendront jusqu'au XXe siècle.

Aux dernières élections fédérales (1997), les bloquistes Suzanne Tremblay (Rimouski-Mitis) et Paul Crête (Kamouraska–Rivière-du-Loup–Témiscouata-Les-Basques) ont été élus. Dans Montmagny-L'Islet, ce fut un libéral, Réal Gauvin. Aux élections provinciales de 1998, le comté de Rivière-du-Loup fit réélire Mario Dumont, chef de l'Action démocratique du Québec. Le comté de Rimouski opta pour Solange Charest (Parti québécois), tandis que celui de Kamouraska-Témiscouata choisit Claude Béchard (Parti libéral).

Au référendum d'octobre 1995, les Bas-Laurentiens ont voté «oui» à 57% au projet de souveraineté du Québec.

Îles-de-la-Madeleine

Sur le plan politique, les Îles-de-la-Madeleine ont leur propre comté au provincial (Maxime Arseneau du Parti québécois) et sont reliées au comté de Bonaventure–Gaspé–Îles-de-la-Madeleine–Pabok (Yvan Bernier du Bloc québécois) au niveau fédéral.

De 1936 à 1976, elles n'ont connu que deux députés au niveau provincial : Hormidas Langlais (1936-1962) et Louis-Philippe Lacroix (1962-1976).

De 1949 à 1965, les Îles-de-la-Madeleine sont résolument d'allégeance libérale au niveau fédéral, et cette tendance se poursuivra lors de son annexion au comté de Bonaventure. Au niveau provincial, les Madelinots votent pour l'Union nationale de 1936 à 1962. Les libéraux seront au pouvoir de 1962 à 1976, date à laquelle Denise Leblanc, une péquiste, remporte les élections avec une faible majorité. À l'exemple de Jacques Parizeau, elle quitta son poste en 1985, s'opposant alors aux nouvelles tendances du Parti québécois.

Au référendum d'octobre 1995, les Madelinots ont voté «oui» à 58% au projet de souveraineté du Québec.

Culture

Gaspésie

La population de la péninsule est à 92% d'expression française. La Gaspésie est parsemée de villages dont la majorité comptent moins de 5 000 habitants, séparés de 15 à 20 km l'un de l'autre. En nombre peu important, y vivent des Écossais, des Norvégiens et des Belges. La proportion de personnes immigrées est quasi nulle (0,5%), soit 0,1% des immigrants du Québec. On trouve quelques petites communautés anglophones sur le territoire. Les deux réserves amérindiennes constituent le troisième groupe culturel en importance.

La tradition orale est très importante en Gaspésie. Ainsi, la création de légendes y fut très forte, à tel point, en fait, que nombre de lieux tirent très souvent leur nom de certaines légendes ou croyances populaires. La péninsule est aussi riche en contes, en dires et en chansons populaires.

Dans le domaine de la chanson, on pense souvent à Laurence Jalbert, connue depuis 1988 et originaire de Rivière-au-Renard. Nelson Minville, originaire de Grande-Vallée, s'est illustré au Festival international de la chanson de Granby. Kevin Parent, natif de Miguasha, s'est fait connaître par son disque *Pigeon d'argile*.

La Gaspésie a connu, depuis les 20 dernières années, une recrudescence de l'activité culturelle, surtout en raison de l'accès des artistes à des moyens nouveaux et aux contacts qui se font de plus en plus nombreux avec l'extérieur de la péninsule. Les Codecs (Comités de développement culturel), fondés en 1970, ont aussi grandement aidé les artistes. Depuis leur création dans une quinzaine de villages, on assiste à la mise sur pied de nombreux ateliers où l'on enseigne différentes disciplines artistiques telles que la sculpture, la poterie, la photographie, la musique, le chant et la danse.

Un très bon outil pour approfondir sa connaissance de la culture gaspésienne est la revue trimestrielle *Gaspésie*, publiée depuis 1963 par la Société d'histoire de la Gaspésie. C'est cette même société qui allait fonder, en 1977, le Musée de la Gaspésie à Gaspé (voir p 134).

Partout dans la péninsule, on s'acharne à mettre le patrimoine en valeur. Le manoir LeBoutillier (voir p 130) et le site historique du Banc-de-Paspébiac (voir p 157) n'en sont que quelques exemples.

Les accents de la Gaspésie

Il serait difficile de prétendre qu'il y a un accent spécifiquement gaspésien, car il y en a en fait plusieurs. À l'oreille du profane, le

Gaspésien moyen a tout simplement l'accent du «Bas-du-Fleuve», mais, pour quelqu'un de la région, il est facile d'identifier le village d'origine d'une personne simplement en l'écoutant parler.

Certains villages ont des accents très particuliers. Ainsi, les habitants de Paspébiac, de descendance basque, semblent parler beaucoup plus «à la française» que le Québécois moyen. Ils parlent aussi très vite, ce qui rend la compréhension parfois ardue.

Des villages parfois presque contigus ont des parlers souvent très différents. N'allez pas croire que les gens de Carleton et de Nouvelle ont le même accent, bien que ces municipalités soient à proximité; vous noterez que les gens de Nouvelle ont tendance à placer le mot «beaucoup» partout dans la conversation.

En faisant le «tour de la Gaspésie», il est amusant de remarquer et d'essayer de distinguer les différents parlers. Les nombreux quais s'avèrent propices si l'on veut épier les conversations entre Gaspésiens.

Bas-Saint-Laurent

La littérature régionale est peu abondante. On retient surtout la poésie, le feuilleton littéraire et la monographie de paroisse. Parmi les romanciers figurent Adrien Thério, Roger Fournier et Victor-Lévy Beaulieu (dont on peut visiter le centre d'interprétation à Trois-Pistoles). Ce dernier est également un dramaturge connu dont de nombreuses oeuvres ont été portées au petit écran; parmi ses écrits, on compte *Race de monde* (1969), *Jos Connaissant* (1970), *Les Grands-pères* (1971), *Satan Belhumeur* (1981), *L'Héritage* (1987) et *Bouscotte* (1998). Quant à Roger Fournier, il a publié *La marche des grands cocus* (1972) et *Les cornes sacrées* (1977).

Dans la littérature québécoise, certains auteurs situent l'action de leur roman dans le Bas-Saint-Laurent. Ainsi, Jacques Godbout, dans *L'Isle aux dragons*, se sert de l'île Verte comme toile de fond de son roman, et Anne Hébert fait de même avec Kamouraska dans son roman du même nom.

Du Bas-Saint-Laurent nous viennent des noms bien connus. Dans le domaine de la télévision, Pierre Nadeau fut annonceur à CJBR-Rimouski, ainsi que Bernard Derome, annonceur à Radio-Canada, qui y fit ses débuts. En 1990, la fermeture des stations de télévision de Radio-Canada dans l'est du Québec aura des impacts considérables dans la région.

Les manifestations théâtrales ont surtout lieu au théâtre Les Gens d'en Bas, situé au Bic. Dans le domaine des art visuels, on se souviendra du peintre A.Y. Jackson, membre célèbre du Groupe des Sept, qui s'est inspiré des paysages de la région pour créer plusieurs de ses œuvres. Côté musique, le Conservatoire de musique de Rimouski compte 20 professeurs et quelque 120 élèves. La région possède un nombre impressionnant de galeries d'art. Du point de vue architectural, vous trouverez de nombreux monuments historiques restaurés.

Îles-de-la-Madeleine

Longtemps isolés de la «Grande Terre», les Madelinots ont su conserver leur patrimoine folklorique. Ces insulaires ont développé une vie sociale intense bourrée de contes, de chansons, de légendes et de traditions. Il en est resté un peuple très sociable, se complaisant dans les réunions de familles et d'amis. On dit d'ailleurs d'eux qu'ils sont d'agréable compagnie.

Deux Madelinots sur trois sont originaires d'Acadie; l'autre est canadien-français de nom, assimilé ou anglophone protestant vivant à l'île d'Entrée ou à la Grosse Île. Aux artistes locaux, se greffent ceux qui soufflent le verre (François Turbide), qui façonnent l'argile (Géraldine Cyr, Bernard Langford), qui sculptent le bois et qui taillent l'albâtre, et enfin les peintres, les artisans du sable et ceux du corps (le Cirque Éloise).

Les îles accueillent bien sûr quelques artistes étrangers qui sont venus chercher une inspiration en ces lieux. C'est ainsi que sont nées l'aluchromie de Réal Arseneau, les œuvres photographiques de Kéro, de Mia et Klaus et de Georges Fischer *(Terre de sable)*, l'*Alegria* de René Dupéré ainsi que les productions de bien d'autres.

Des auteurs qui y vivent, bon nombre ont décrit les îles. Le Belge Paul Chantraine, madelinot depuis plus de 20 ans, a signé *La grande mouvée*; Frédéric Landry, l'historien, nous a donné *Capitaines des hauts-fonds* et *Laboureurs du golfe*; Georges Langford, *L'anse aux demoiselles*; Jean Lemieux, quelques romans, entre autres *La lune rouge*; sans oublier les recueils de poésie de Sylvain Rivière et sa création théâtrale *La Parlure*. En été, les manifestations culturelles ont lieu au Vieux Treuil de La Grave, à La Côte, Chez Gaspard, au Bar des Îles, au Bassinier et ailleurs. On peut y voir du théâtre ou y entendre du jazz, du classique, des chansonniers, bref un peu de tout. Même si beaucoup d'artistes étrangers s'y produisent, vous pourrez aussi y découvrir qui sont les Gabotteux, les cousins Poirier, les 4 jeudis, Okoume, les Marjolaine Arseneau, Brigitte Leblanc, Raymond Henry et Pierrette Arseneau. Pour en savoir plus, vous pouvez vous adresser à la Corporation culturelle des Îles-de-la-Madeleine *(☎418-986-4206)* ou encore consulter le *Répertoire des ressources culturelles*, publié par Arrimage *(☎418-986-4251)*.

Les accents des Îles-de-la-Madeleine

Le parler des îles tire son origine, comme son peuple, de l'Acadie. Les îles étant très isolées et relativement peu étalées, on s'attendrait à n'y retrouver qu'un seul accent. Il n'en est rien, car on y dénombre trois ou quatre accents différents, rattachés à différentes îles. Ainsi, les nuances des accents de Havre-Aubert et de Fatima sont très perceptibles. À Havre-Aubert, les *r* sont roulés, et les *d* sont prononcés avec un *j* devant. Par exemple, le mot «dune» se prononce *djune*. À Fatima, les *è* finaux sont prononcés comme un *a* ouvert et pesé. À Havre-aux-Maisons et à Grande-Entrée, les *r* sont remplacés par un *i* mouillé. De nos jours, les accents tendent toutefois à s'uniformiser.

Communications

Gaspésie

Le premier émetteur (100 watts) en Gaspésie fut installé à New Carlisle lors de la création de la station radiophonique CHNC en 1933. Trois ans plus tard, le futur premier ministre du Québec, René Lévesque, fut engagé comme annonceur. Au départ bilingue, la station devint unilingue française en 1946 et la station anglaise CKNB fut créée à Campbellton.

D'autres stations radiophoniques verront le jour ailleurs en Gaspésie, à Sainte-Anne-des-Monts entre autres. La radio fut pendant longtemps l'un des seuls moyens de communication, et l'évolution des autres médias fut toujours très lente. Il faut se rappeler que le chemin de fer ne rejoint Gaspé qu'en 1911 et que la route de ceinture ne fut terminée qu'en 1929.

À cette époque, Air Canada contourne la Gaspésie depuis Québec et Montréal pour aller desservir les Provinces maritimes et Terre-Neuve. Et pourtant il y a encore plus aberrant : le service intégral de langue française de Radio-Canada ne fut inauguré en Gaspésie qu'en 1984! Dans la vallée de la Matapédia, vous pouvez ajuster votre poste à CIKJ 98, au FM 93,9 ou à CFVM-AM 1220 (Amqui).

Bas-Saint-Laurent

Dans la région du Bas-Saint-Laurent, vous pourrez syntoniser quelques postes de radio. À La Pocatière, vous n'avez qu'un seul choix : CHOX 97,5. À Rimouski, par contre, vous jouirez d'une plus grande variété, alors que les stations radiophoniques CIKI 98,7, JBF 101,5 et CKMN 96,5 sur la bande FM, ainsi que CFLP 1000 et CJBR 900 sur la bande AM, se disputent les cotes d'écoute. La ville de Rivière-du-Loup offre quatre choix aux auditeurs, en l'occurrence CJFP 93,9 et 103,7 ainsi que CIBM 107,1 et 107,9. Ville-Dégelis n'offre qu'un choix musical, CFVD 95,5.

Îles-de-la-Madeleine

CFIM 92,7 est la station radiophonique communautaire régionale. En ondes depuis le 15 novembre 1981, cette station diffuse, entre autres, de l'information sur l'état des chemins et les heures d'ouverture des écoles les jours de tempête. En été, vous y entendrez surtout des chroniques culturelles. Seule station des îles, elle a un caractère madelinot du point de vue musical. Aussi, le dimanche matin, on peut écouter des émissions religieuses et des témoignages de missionnaires. Les bingos radiodiffusés sont fréquents. On y donne autant la vitesse des vents pour les véliplanchistes et les heures des marées pour les pêcheurs de coques que la liste des chalets à louer.

Tableau des distances (km)

Par le chemin le plus court

	Trois-Pistoles	Rivière-du-Loup	Rimouski	Québec	Percé	Montréal	Montmagny	Matane	Halifax (N.-É.)	Gaspé	Fredericton (N.-B.)	Chicoutimi	Charlottetown (Î.-P.-É.)	Carleton	Cap-aux-Meules	Baie-Comeau
Baie-Comeau																
Cap-aux-Meules																920
Carleton															802	275
Charlottetown (Î.-P.-É.)														609	190	727
Chicoutimi													1003	505	1194	311
Fredericton (N.-B.)												612	390	493	581	606
Gaspé											757	640	872	266	1068	357
Halifax (N.-É.)										958	473	1085	266	690	407	813
Matane									752	296	548	343	669	216	862	59
Montmagny								328	1003	625	525	281	914	527	1110	367
Montréal							303	627	1302	925	826	460	1218	828	1411	666
Percé						1020	718	373	877	77	682	694	798	190	985	435
Québec					793	253	77	405	1073	704	606	208	996	606	1183	444
Rimouski				310	445	535	235	93	927	390	457	249	847	256	1039	153
Rivière-du-Loup			104	202	604	426	127	199	882	500	411	197	799	410	993	238
Trois-Pistoles		41	62	248	507	473	171	156	881	455	410	183	800	320	993	200
Trois-Rivières	355	308	415	123	900	150	182	510	1183	808	707	327	1099	707	1291	550

Exemple : la distance entre Gaspé et Québec est de 704 km.

Renseignements généraux

Le présent chapitre s'adresse plus spécialement aux voyageurs européens afin de les aider à mieux planifier leur séjour en terre québécoise.

Formalités d'entrée

Généralités

Pour la plupart des citoyens des pays de l'Europe de l'Ouest, un passeport valide suffit, et aucun visa n'est requis pour un séjour de moins de trois mois au Canada. Il est possible de demander une prolongation de trois mois. Un billet de retour ainsi qu'une preuve de fonds suffisants pour couvrir le séjour peuvent être demandés.

Précaution : certains pays n'ayant pas de convention avec le Canada en ce qui concerne l'assurance maladie-accident, il est conseillé de se munir d'une telle couverture.

Pour entrer aux États-Unis, les citoyens canadiens, français, belges et suisses n'ont pas besoin de visa.

Prolongation sur place

Il faut adresser sa demande **par écrit** et **avant** l'expiration du visa (date généralement inscrite dans le passeport) à l'un des centres d'Immigration Canada. Votre passeport valide, un billet de retour, une preuve de fonds suffisants pour couvrir le séjour ainsi que 50$ pour les frais de dossier (non remboursables) vous seront demandés. Attention, dans certains cas (études, travail), la demande doit obligatoirement être faite **avant** l'arrivée au Canada.

Ambassades et consulats

En Europe

FRANCE
Ambassade du Canada
35, avenue Montaigne
75008 Paris
métro Franklin-Roosevelt
☎*03.44.43.29.00*
⇄*03.44.43.29.98*

BELGIQUE
Ambassade du Canada
avenue de Tervueren, 2
1040 Bruxelles
métro Mérode
☎ ***741 06 40***
⇄ ***741 06 09***

ESPAGNE
Ambassade du Canada
Edificio Goya
Calle Núñez de Balboa 35
28001 Madrid
☎ ***431.43.00***
⇄ ***431.23.67***

ITALIE
Ambassade du Canada
Via G.B. de Rossi 27
00161 Rome
☎ ***44.59.81***
⇄ ***44.59.87***

SUISSE
Ambassade du Canada
Kirchenfeldstrasse 88
C.P. 234
3000 Berne 6
☎ ***(031) 352 63 81***
⇄ ***(031) 352 73 15***

À Montréal

CONSULAT GÉNÉRAL DE FRANCE
1, Place Ville-Marie
bureau 2601, 26e étage
Montréal, H3B 4S3
☎ ***(514) 878-4381***
⇄ ***(514) 878-3981***

CONSULAT GÉNÉRAL DE BELGIQUE
999, boul. De Maisonneuve O.
bureau 1250
Montréal, H3A 3C8
☎ ***(514) 849-7394***
⇄ ***(514) 844-3170***

CONSULAT GÉNÉRAL D'ESPAGNE
1, Westmount Square
Montréal, H3Z 2P9
☎ ***(514) 935-5235***
⇄ ***(514) 935-4655***

CONSULAT GÉNÉRAL DE L'ITALIE
3489, rue Drummond
Montréal, H3G 1X6
☎ ***(514) 849-8351***
⇄ ***(514) 499-9471***

CONSULAT GÉNÉRAL DE SUISSE
1572, avenue Docteur-Penfield
Montréal, H3G 1C4
☎ ***(514) 932-7181***
⇄ ***(514) 932-9028***

Renseignements touristiques

Indicatif régional : ***418***

Il est utile de savoir que le Québec se divise en 20 régions touristiques. Ce sont surtout les Associations touristiques régionales qui s'occupent de diffuser l'information concernant leur région. Pour chacune des régions touristiques, un petit guide d'information pratique est publié.

Ces guides sont disponibles gratuitement auprès de ces associations ou des Délégations générales du Québec à l'étranger. Le présent guide décrit trois régions : la Gaspésie, le Bas-Saint-Laurent et les Îles-de-la-Madeleine. On fixe parfois des limites imprécises entre le Bas-Saint-Laurent et la Gaspésie. La Gaspésie commence parfois à Matane, parfois à Mont-Joli et parfois à Sainte-Flavie. Les régions administratives ont souvent varié aussi. Vu ces ambiguïtés, on se contentera de dire que le Bas-Saint-Laurent commence à La Pocatière et qu'il se termine à Sainte-Flavie, ville où débute le territoire couvert par la Gaspésie.

De plus, pour des raisons pratiques, nous inclurons dans le Bas-Saint-Laurent les municipalités comprises entre Montmagny et La Pocatière, qui font officiellement partie de la région touristique Chaudière-Appalaches.

Tourisme Québec
C.P. 979, Montréal
H3C 2W3

En Europe

France

Délégation générale du Québec
66, rue Pergolèse
75116 Paris
métro Porte Dauphine
☎ ***02.40.67.85.50***

Tourisme Québec
Centre de distribution Woehl
BP 25, 67161 Wissembourg
Cedex, France
ou :
Case postale 979
H3C 2W3
Montréal
⇄ ***(514) 864-3838***
www.tourisme.qc.ca

La Librairie du Québec
30 rue Gay Lussac
75005 Paris
☎*02.43.54.49.02*
⇄*02.43.54.39.15*
À Paris, on peut trouver un grand choix de livres sur le Québec et le Canada, ainsi que toute l'édition du Québec et du Canada francophone, dans tous les domaines, à La Librairie du Québec.

Belgique

Délégation générale du Québec
46, avenue des Arts
7e étage
1040 Bruxelles
métro Art-Loi
☎*512.00.36*

Agence Québec–Wallonie–Bruxelles pour la Jeunesse
13, boul. Adolphe-Max
B.P. 2
1000 Bruxelles
métro Rogier
☎*219.05.55*

Suisse

Welcome to Canada!
22, Freihofstrasse
8700 Künacht
☎*(01) 910 90 01*
⇄*(01) 910 38 24*

Italie

Délégation générale du Québec
Via XX Settembre 4
Interno 11
00187 Roma
☎*6-488-4183*
⇄*6-488-4205*

Bureau du Québec
Via San Clemente no 1
20122 Milan
☎*2-720-01985*
⇄*2-720-02105*

Au Québec

Pour de l'information sur les différentes régions touristiques, vous pouvez composer sans frais :

de Montréal et sa région
☎*(514) 873-2015*

du Québec, des États-Unis ou du Canada
☎*800-363-7777*

À Montréal

Infotouriste
1001, rue du Square-Dorchester, métro Peel
Pour de l'information détaillée avec nombreux documents (cartes routières, dépliants, répertoires de lieux d'hébergement) sur toutes les régions touristiques du Québec.

Québec

Maison du Tourisme de Québec
12, rue Sainte-Anne
Québec, G1R 3X2
Pour tout renseignement concernant les régions touristiques du Québec.

Sainte-Flavie

Association touristique de la Gaspésie
357, rte de la Mer
☎*(418) 775-2223*
☎*800-463-0323*
Pour tout renseignement concernant la Gaspésie.

Rivière-du-Loup

Association touristique du Bas-Saint-Laurent
189, rue Hôtel-de-ville
☎*(418) 867-3015*
☎*800-563-5268*
Pour tout renseignement concernant le Bas-Saint-Laurent.

Cap-aux-Meules

Bureau d'information touristique
128, chemin du Débarcadère
☎*(418) 986-2245*

Plusieurs municipalités des trois régions que couvre ce guide ont des bureaux de renseignements touristiques ouverts de la mi-juin à la fête du Travail (premier lundi de septembre), tous les jours, de 8h à 17h. Ils sont situés en bordure de la route 132 (sauf celui de Murdochville, qui se trouve le long de la route 198) et sont très bien indiqués.

Internet

Le Québec compte sur plusieurs intervenants dans Internet. Parmi ceux-ci, mentionnons **La Toile du Québec**. Ce site constitue un carrefour des produits et services québécois disponibles sur l'inforoute. De plus, le serveur américain spécialisé en tourisme, **City.net**, présente aussi une section sur le Canada et le Québec.

La Toile du Québec
www.toile.qc.ca

City.net
www.city. net/countries/ canada/quebec

Gaspésie

www.tourisme.gaspesie.qc.ca
Courriel :
infotourisme@gaspésie.qc.ca

Bas-Saint-Laurent

www.tourismebas-st-laurent.com
Courriel :
atrbsl@icrdl.net

Îles-de-la-Madeleine

www.ilesdelamadeleine.com
Courriel :
iles@cancom.net

Douane

Si vous apportez des cadeaux à des amis québécois ou canadiens, n'oubliez pas qu'il existe certaines restrictions.

Pour les fumeurs (l'âge minimum est de 18 ans), la quantité maximale est de 200 cigarettes, 50 cigares, 400 g de tabac ou 400 bâtonnets de tabac.

Pour les vins ou les alcools, le maximum est de 1,1 litre; en pratique, on tolère deux bouteilles par personne. Pour la bière, il est de 24 canettes ou bouteilles de 355 ml.

Plantes, végétations et nourriture : il existe des règles très strictes concernant l'importation de plantes, fleurs et autres végétaux; aussi est-il préférable, en raison de la sévérité de la réglementation, de ne pas apporter ce genre de cadeaux. Si toutefois cela s'avère «indispensable», il est vivement conseillé de s'adresser au service Douane-Agriculture de l'ambassade du Canada **avant** de partir.

Animaux : si vous décidez de voyager avec votre chien ou chat, il vous sera demandé un certificat de santé (document fourni par votre vétérinaire) ainsi qu'un certificat de vaccination contre la rage. Attention, cette vaccination devra avoir été faite **au moins** 30 jours **avant** votre départ et ne devra pas être plus ancienne qu'un an. Voir aussi la section «Animaux» (p 54).

Remboursement de taxes aux visiteurs : il est possible de se faire rembourser les taxes perçues sur ses achats (voir p 46).

Vos déplacements

En autocar

Avec la voiture, il s'agit du meilleur moyen de locomotion pour se déplacer. Bien répartis et peu chers, les autocars couvrent la majeure partie du Bas-Saint-Laurent et de la Gaspésie. Aucune ville ne possède de service de transport en commun municipal. Il n'existe pas d'entreprise d'État non plus.

Sur pratiquement toutes les lignes, il est interdit de fumer.

Les animaux ne sont pas admis.

En général, les enfants de cinq ans et moins sont transportés gratuitement.

Les personnes de 60 ans ou plus ont droit à d'importantes réductions.

Le RoutPass
Les différentes compagnies d'autocars proposent un RoutPass; il s'agit d'un billet unique qui vous permet de voyager à travers tout le Québec et la majeure partie de l'Ontario. Ce billet coûte 199$ et est valable pour 14 jours consécutifs entre le 1er mai et le 29 octobre. Il est possible de le prolonger pour un maximum de six jours au coût de 19,37$ par jour additionnel. Cette prolongation doit cependant être achetée en même temps que le RoutPass. Il en coûte un peu moins si vous l'achetez en prévente (du 1er mars au 22 avril). Vous pouvez vous la procurer auprès de la

plupart des agences de voyages du Québec. Une réduction de 50% est accordée aux enfants de moins de 12 ans. Le RoutPass est gratuit pour les enfants de moins de cinq ans.

Pour renseignements complémentaires et réservations :

Montréal
Station Centrale
505, boul. De Maisonneuve Est
☎***(514) 842-2281***

Québec
Gare du Palais
320, rue Abraham-Martin
☎***(418) 525-3000***

Quelques exemples de durée des trajets :

de Montréal

Québec :
2heures 45 min
Rimouski :
6heures 40 min
Gaspé :
15 heures

En train

Le train n'est pas toujours le moyen de transport le moins cher pour se déplacer. Cependant, il peut être intéressant pour les grandes distances, car il offre un bon confort. VIA Rail Canada est la société d'État responsable du transport de passagers.

Dans l'est et le centre du Québec

VIA Rail assure plusieurs liaisons vers l'est jusqu'au Nouveau-Brunswick et la Nouvelle-Écosse. Une liaison particulièrement intéressante est assurée par le transcontinental *Le Chaleur*. Celui-ci, au départ de Montréal, suit le fleuve et vous emmène jusqu'à Gaspé en passant, entre autres, par Carleton, New Carlisle et Percé.

Quelques exemples de durée moyenne des trajets :

de Montréal

Québec :
2 heures 50 min
Halifax :
20 heures
Rimouski :
7 heures
Carleton :
11 heures
Gaspé :
17 heures

VIA Rail suggère plusieurs types de rabais.

Jours hors pointe, hors saison touristique (jusqu'à 40% selon les destinations), sur les réservations à l'avance (5 jours).

Rabais pour étudiants (10% toute l'année ou 40% si réservation faite cinq jours à l'avance, sauf pendant la période des Fêtes).

Rabais pour personnes de 60 ans ou plus (10% applicable également les jours hors pointe).

Tarifs spéciaux pour enfants (de 2 à 11 ans c'est moitié prix; gratuit pour les moins de 2 ans accompagnés d'un adulte).

Par ailleurs, le Canrailpass vous donne la possibilité de voyager à travers tout le Canada au moyen d'un unique billet. Cette formule, bien que soumise à certaines conditions, peut s'avérer avantageuse; elle donne également droit à un tarif spécial pour la location d'une voiture. Pour les personnes qui désirent visiter l'Ouest canadien, ce forfait est conseillé.

Pour tout renseignement complémentaire :

VIA Rail
Relations avec la clientèle
C.P. 8116, succursale A
Montréal
H3C 3N3
☎***(514) 871-1331***

À Québec
☎***(418) 692-3940***

Express Conseil
Paris
☎***01.44.77.87.94***

En voiture

État des routes
☎***(514) 873-4121***

Le bon état général des routes et l'essence moins chère qu'en Europe font de la voiture un moyen idéal pour visiter en toute liberté les trois régions. Une très bonne carte routière du Québec est publiée par le ministère des Transports du Québec. Vous pouvez également vous procurer les cartes des régions du Québec publiées par la Carto-thèque. Elles sont vendues au Centre Infotouriste à Montréal (voir p 39).

Quelques conseils

Permis de conduire : en règle générale, les permis de conduire européens sont valides pour six mois à compter du jour d'arrivée au Canada.

En hiver : bien que les routes soient en général très bien dégagées, il faut tout de même considérer le danger que représentent les conditions climatiques. Il n'est pas rare de voir la route transformée en véritable patinoire par le verglas! Le vent peut également être de la partie, provoquant de la poudrerie et rendant ainsi la visibilité quasi nulle. Tous ces facteurs auxquels les Québécois sont bien habitués doivent vous faire redoubler de prudence. Aussi, puisque vous visitez des régions peu habitées, il est vivement conseillé d'apporter une couverture, un briquet ou des allumettes et quelques vivres en cas de panne.

Le code de la route : attention, il n'y a pas de priorité à droite. Ce sont les panneaux de signalisation qui indiquent à chacune des intersections la priorité. Ces panneaux marqués «Arrêt» sur fond rouge sont à respecter scrupuleusement! Il faut que vous marquiez l'arrêt complet même s'il vous semble n'y avoir aucun danger apparent.

Les feux de signalisation sont situés le plus souvent de l'autre côté de l'intersection. Repérz l'endroit où vous devez marquer l'arrêt.

Lorsqu'un autobus scolaire (de couleur jaune) stoppe (feux clignotants allumés), il est obligatoire de vous arrêter quel que soit le sens de votre direction. Le manquement à cette règle est considéré comme une faute grave.

Le port de la ceinture de sécurité est obligatoire.

Les autoroutes sont gratuites partout au Québec, et la vitesse y est limitée à 100 km/h. Sur les routes principales, la vitesse est de 90 km/h, et de 50 km/h dans les zones urbaines.

Les postes d'essence : le Canada étant un pays producteur de pétrole, l'essence est nettement moins chère qu'en Europe.

Location de voitures

De nombreux centres de location travaillent de concert avec les firmes les plus connues (Avis, Budget, Hertz et autres) et proposent des promotions avantageuses, souvent accompagnées de «petits bonis» (par exemple : réductions pour spectacles). Il est généralement plus avantageux de réserver à l'avance, soit au Québec, soit de l'étranger.

Un bon moyen d'économiser sur la location, et aussi de rencontrer des Québécois, est de faire «participer» des voyageurs à vos frais de location! Voir Allo-Stop, p 44.

Vérifiez si le contrat comprend le kilométrage illimité ou non et si l'assurance proposée vous couvre complètement (accident, dégâts matériels, frais d'hôpitaux, passagers, vols).

Il faut avoir un **minimum de 21 ans** et posséder son permis depuis **au moins un an** pour louer une voiture. Toutefois, si vous avez entre 21 et 25 ans, certaines firmes (Avis, Thrifty, Budget) imposeront une franchise collision de 500$ et parfois un supplément journalier. À partir de 25 ans, ces conditions ne s'appliquent plus.

Une carte de crédit est indispensable pour le dépôt de la garantie si vous ne voulez pas bloquer des sommes importantes d'argent.

Dans la majorité des cas, les voitures louées sont dotées d'une transmission automatique.

Les sièges de sécurité pour enfant sont en supplément dans la location.

Certaines cartes de crédit vous assurent automatiquement contre les collisions et le vol du véhicule; avant de louer un véhicule, vérifiez que votre carte offre ces deux protections.

Location d'autocaravanes

Bien que la location d'une autocaravane soit assez chère, ce type de véhicule est un moyen de transport très agréable pour découvrir la grande nature. Tout comme pour l'automobile, la solution du forfait est plus avantageuse. Renseignez-vous auprès de votre agence (en France : Vacances Air Transat; en Belgique : TransAmerica; en Suisse : Travac).

Vu la demande et la durée assez courte de la belle saison, il faut cependant réserver très tôt pour avoir un bon choix de véhicules. Si vous partez pour l'été, il faudra que vous réserviez au plus tard en janvier ou en février.

N'oubliez pas de bien vérifier la couverture d'assurance, car ce type de véhicule est très onéreux. Assurez-vous que les ustensiles de cuisine ainsi que la literie soient inclus dans le prix de la location.

Si toutefois vous désirez louer sur place, voici deux adresses, en plus des nombreuses entreprises que vous trouverez dans l'annuaire des *Pages Jaunes* (rubrique «Véhicules récréatifs»).

G.M. Caravane inc.
☎(514) 622-4630
⇄(514) 622-6573

Cruise Canada
☎(514) 628-7093

Accidents et pannes

En cas d'accident grave, d'incendie ou d'autres urgences, faites le 0 et demandez qu'on vous envoie une ambulance ou la police.

Si vous vous trouvez sur l'autoroute, rangez-vous sur la bande d'accotement, et faites fonctionner vos feux de détresse. En cas de location, il faudra avertir au plus vite le centre. N'oubliez jamais de remplir une déclaration d'accident. En cas de désaccord, demandez l'aide de la police.

Si votre séjour est à long terme et que vous avez décidé d'acheter une voiture, il sera alors bien utile de vous affilier au C.A.A. (l'équivalent des Touring Assistance en Europe), qui vous dépannera à travers tout le Québec et le Canada. Si vous êtes membre dans votre pays de l'association équivalente (France : Association Française des Automobiles Club; Suisse : Automobile Club de Suisse; Belgique : Royal Automobile Touring Club de Belgique), vous avez droit gratuitement à certains services. Pour plus de renseignements, adressez-vous à votre association ou, à Montréal, au C.A.A. :
☎(514) 861-7111.

En avion

C'est de loin le moyen de transport le plus coûteux; cependant, certaines compagnies aériennes (surtout régionales) proposent régulièrement des tarifs spéciaux (hors saison, courts séjours). Encore une fois, soyez un consommateur averti, et comparez les offres. Pour connaître avec précision les diverses destinations desservies par les compagnies régionales, adressez-vous aux Associations touristiques régionales.

Deux grandes compagnies assurent des vols réguliers,

Air-Alliance une filiale d'Air Canada, dessert plusieurs villes, comme Gaspé, Mont-Joli et Cap-aux-Meules, aux Îles-de-la-Madeleine.

QUÉBEC
Air Canada
1440, rue Sainte-Catherine O.
Montréal
☎(514) 393-3333
☎800-361-8620

FRANCE
Air Canada
10, rue de la Paix
75002 Paris
☎01.44.50.20.20
⇌01.44.50.20.04
55, Place de la République
69002 Lyon
☎04.78.42.43.17
⇌04.72.40.28.64

BELGIQUE
Air Canada
Bd Maurice Lemonnier, 131
1000 Bruxelles
☎513.91.50

SUISSE
Air Canada
1-3, rue Chantepoulet
Genève
☎731.49.80

Inter-Canadien dessert entre autres Gaspé, Bonaventure, Mont-Joli et les Îles-de-la-Madeleine.

QUÉBEC
Canadien
999, boul. de Maisonneuve O.
☎(514) 847-2211
☎800-426-7000

FRANCE
Canadien
109, rue du Faubourg Saint-Honoré
75008 Paris
☎05.49.53.07.07
⇌04.42.99.99.33

BELGIQUE
Canadien
Rue du Trône, 98
1050 Bruxelles
☎508.77.50
⇌508.78.66

En vélo

Le vélo est bien populaire au Québec. La région des Îles-de-la-Madeleine se prête bien à ce sport, bien que l'archipel soit très venteux. La Gaspésie séduit les cyclistes par ses paysages grandioses, mais parfois l'absence d'accotements sur le bord de la route leur rend la vie difficile, surtout lors du passage de gros camions. Pour le Bas-Saint-Laurent, il est intéressant de longer la route 132 en passant par chaque petit village. De plus, Rimouski et le parc du Bic constituent des sites privilégiés pour la pratique de ce sport.

Pour plus d'informations sur ce sujet, procurez-vous les titres suivants que publient les Guides de voyage Ulysse : *Cyclotourisme au Québec* et *Le Québec cyclable*.

En stop

Deux formules sont possibles : le stop «libre» (il est interdit d'en faire sur les autoroutes), ou le stop «organisé» par l'association Allo-Stop. Le «stop libre» est fréquent, en été surtout, et plus facile en dehors des grands centres. N'oubliez pas encore une fois qu'il est interdit de «faire du pouce» sur les autoroutes.

Le «stop organisé» par l'association Allo-Stop - fonctionne très bien en toute saison. Cette association efficace met en contact les personnes désirant partager leur voiture moyennant une petite rétribution (carte de membre obligatoire : passager 6$ par an, chauffeur 7$ par an). Le conducteur reçoit une partie (environ 60%) des frais payés pour le transport. Les destinations couvrent tout le Québec, mais aussi le reste du Canada et les États-Unis.

Quelques exemples de prix :
Montréal–Rivière-du-Loup : 30$;
Montréal–Rimouski : 30$;
Montréal–Baie-des-Chaleurs : 37$;
Montréal–Gaspé : 42$;
Montréal–Cap-aux-Meules : 66$.

Attention : les enfants de moins de cinq ans ne peuvent voyager avec cette association à cause d'une réglementation rendant obligatoires les sièges d'enfant à ces âges. En outre, informez-vous afin de savoir si vous pouvez fumer ou non.

Pour inscription et information :

Allo-Stop Montréal
4317, rue Saint-Denis
Montréal, H2J 2K9
☎(514) 985-3044

Allo-Stop Québec
467, rue Saint-Jean
Québec , G1R 1P3
☎(418) 522-3430

Allo-Stop Sainte-Foy
2360, chemin Sainte-Foy
Sainte-Foy, G1V 4H2
☎(418) 522-3430

Taux de change

1 $CAN	= 4,68 FF	1 FF	= 0,21 $CAN
1 $CAN	= 1,12 FS	1 FS	= 0,89 $CAN
1 $CAN	= 28,79 FB	10 FB	= 0,35 $CAN
1 $CAN	= 118,76 PTA	100 PTA	= 0,84 $CAN
1 $CAN	= 1 382 LIT	1000 LIT	= 0,72 $CAN
1 $CAN	= 0,68 $US	1 $US	= 1,46 $CAN
1 $CAN	= 0,71 EURO	1 EURO	= 1,40 $CAN

Allo-Stop Rimouski
106, rue Saint-Germain E.
Rimouski, G5L 1A6
☎*723-5248*

Allo-Stop Îles-de-la-Madeleine
L'Étang-du-Nord–Cap-aux-Meules, Îles-de-la-Madeleine
G0B 1A0
☎*986-3830*

Allo-Stop Gaspé
113, rue de la Reine, Gaspé,
G0C 1R0
☎*368-7119*

Monnaie

L'unité monétaire est le **dollar** ($), lui-même divisé en cents. Un dollar = 100 cents.

Il existe des billets de banque de 5, 10, 20, 50 et 100 dollars. Les pièces sont disponibles en 1, 5, 10 et 25 cents, ainsi qu'en 1 et 2 dollars.

Il se peut que vous entendiez parler de «piastres» et de «sous»; il s'agit en fait respectivement des dollars et des cents.

Services financiers

Bureaux de change

La plupart des banques changent facilement les devises européennes, mais presque toutes demandent des **frais de change**. En outre, on peut s'adresser à des bureaux ou comptoirs de change qui, en général, n'exigent aucune commission.

À Rimouski, la Banque Nationale *(2 rue Saint-Germain E., ☎ 724-4106)* possède le seul bureau de change à l'est de Québec.

Chèques de voyage

N'oubliez pas que les dollars canadiens et américains sont différents. Aussi, si vous ne songez pas à vous rendre aux États-Unis lors d'un même voyage, il serait préférable de faire émettre vos chèques en dollars canadiens. Cela vous évitera de perdre au change. Les chèques de voyage sont acceptés en général dans la plupart des grands magasins et dans les hôtels, mais il vous sera plus commode de les changer aux endroits indiqués plus haut.

Cartes de crédit

La plupart des cartes de crédit sont acceptées, tant pour des achats de marchandises que pour payer la note d'hôtel ou l'addition au restaurant. Elles ne sont cependant pas acceptées partout. Il est donc très important de toujours garder de l'argent comptant sur soi.

L'avantage principal de la carte de crédit réside surtout dans l'absence de manipulation d'argent, mais également dans le fait qu'elle vous permettra (par exemple lors de la location d'une voiture) de constituer une garantie en évitant ainsi un dépôt important d'argent. De plus, le taux de change sur carte de crédit est généralement avantageux. Les plus utilisées sont Visa, MasterCard et American Express.

Banques

De nombreuses banques ont pignon sur rue, et la plupart des services courants sont rendus aux touristes; comparez cependant les frais bancaires. Pour ceux qui ont choisi un long séjour, notez qu'une personne **non résidente** ne peut ouvrir un compte bancaire courant. Dans ce cas, pour avoir de l'argent liquide, la meilleure solution demeure encore d'être en possession de chèques de voyage.

Le retrait de votre compte à l'étranger est une solution coûteuse, car les frais de service sont élevés. Par contre, plusieurs guichets automatiques accepteront votre carte de banque européenne, et vous pourrez alors retirer de votre compte directement. Les personnes qui ont obtenu le statut de résident, permanent ou non (immigrants, étudiants), peuvent ouvrir un compte de banque. Il leur suffira pour ce faire d'apporter leur passeport ainsi qu'une preuve de leur statut de résident.

Taxes et pourboires

Taxes

Contrairement à l'Europe, les prix affichés le sont dans la majorité des cas **hors taxes**. Il y a deux taxes : la taxe fédérale sur les produits et services de 7% (la TPS) et la taxe de vente du Québec de 6,5% (la TVQ) sur les biens et les services. Elles sont cumulatives; il faut donc ajouter 14% de taxes sur les prix affichés pour la majorité des produits ainsi qu'au restaurant.

Il y a quelques exceptions à ce régime de taxation, comme les livres, qui ne sont taxés qu'à 7%, et l'alimentation (sauf le prêt-à-manger), qui n'est pas taxée.

Droit de récupération de la taxe pour les non-résidents

Les non-résidents peuvent récupérer les taxes payées sur leurs achats. Pour cela, il est important de garder ses factures. La récupération de ces taxes se fait en remplissant pour chaque type de taxe (fédérale et du Québec) un formulaire. Attention, les conditions de remboursement de la taxe sont différentes selon qu'il s'agisse de la TPS ou de la TVQ. Pour obtenir les formulaires de remboursement ainsi que de plus amples renseignements, adressez-vous à l'ambassade du Canada et à la Délégation générale du Québec.

Sur place :

Les formulaires sont disponibles à la douane (aéroport) et dans certains grands magasins.

Pour information, composez le ☎***800-668-4748*** (sans frais d'appel pour la TPS) et le ☎***(514) 873-4692*** (pour la TVQ).

Pourboires

En général, ils s'appliquent à tous les services rendus à table, c'est-à-dire dans les restaurants ou autres endroits où l'on vous sert à table (la restauration rapide n'entre donc pas dans cette catégorie). Ils sont aussi de rigueur dans les bars, les boîtes de nuit et les taxis.

Selon la qualité du service rendu, il faut compter environ 15% de pourboire sur le montant avant les taxes. Il n'est pas, comme en France, inclus dans l'addition, et le client doit le calculer lui-même et le remettre à la serveuse ou au serveur; service et pourboire sont une même et seule chose en Amérique du Nord.

Décalage horaire

Le décalage horaire pour la France, la Belgique ou la Suisse est de six heures. Retenez cependant que les changements d'horaire ne se font pas aux mêmes dates : au Québec, on avance les horloges d'une heure entre le premier dimanche d'avril et le dernier dimanche d'octobre. Tout le Québec (sauf les Îles-de-la-Madeleine, qui ont une heure d'avance) est à la même heure (dite «heure de l'Est»); toutefois, n'oubliez pas, si vous désirez vous rendre dans d'autres provinces, qu'il existe plusieurs fuseaux horaires au Canada. Par exemple, Vancouver, sur la côte du Pacifique, a trois heures de retard sur Montréal.

Horaires et jours fériés

Magasins

La loi sur les heures d'ouverture permet aux magasins d'ouvrir :

Du lundi au mercredi de 8h à 21h; la plupart ouvrent à 10h et ferment à 18h.

Le jeudi et le vendredi de 8h à 21h; la majorité ouvrent à 10h.

Le samedi de 8h à 17h; plusieurs d'entre eux ouvrent à 10h.

Le dimanche de 8h à 17h; la plupart ouvrent à midi.

Certains magasins, surtout dans les villes, sont ouverts plus tard et même parfois le dimanche (en général de midi à 17h). On trouve également un peu partout au Québec des «dépanneurs» (magasins généraux d'alimentation de quartier) qui sont ouverts plus tard et parfois 24heures par jour.

Banques

Elles sont ouvertes du lundi au vendredi de 10h à 15h. La plupart d'entre elles sont ouvertes les jeudis et les vendredis jusqu'à 18h, voire 20h.

Bureaux de poste

Les grands bureaux de poste sont ouverts de 8h à 17h45 du lundi au vendredi. Il existe de nombreux petits bureaux de poste répartis un peu partout au Québec soit dans les centres commerciaux, soit chez certains «dépanneurs» ou même dans certaines pharmacies; ces bureaux sont ouverts beaucoup plus tard que les autres.

Jours de fête et jours fériés

Voici la liste des jours fériés au Québec. Notez que, la plupart des services administratifs et des banques sont fermés ces jours-là.

Les 1er et 2 janvier
Le lundi de Pâques
La fête de Dollard (le 3e lundi de mai)
Le 24 juin : la Saint-Jean (fête nationale des Québécois)
Le 1er juillet : la fête de la confédération
La fête du Travail (le 1er lundi de septembre)
L'Action de grâce (le 2e lundi d'octobre)
L'Armistice (11 novembre; seuls les banques et les services gouvernementaux fédéraux sont fermés)
Les 25 et 26 décembre

Climat et habillement

Climat

L'une des caractéristiques du Québec par rapport à l'Europe est que les saisons y sont très marquées. Les températures peuvent monter à plus de 30°C en été et descendre à -25°C en hiver. Il faut visiter le Québec au moins deux fois, durant les deux saisons «principales» (été et hiver). Vous aurez alors l'impression d'avoir visité deux pays totalement différents, les saisons influant non seulement sur les paysages, mais aussi sur le mode de vie des Québécois et leur comportement.

Les trois régions du Québec qui nous intéressent sont toutes situées près de l'océan Atlantique ou du fleuve Saint-Laurent. Ces grandes masses d'eau rendent l'été plus frais et l'hiver plus doux. Cependant, le vent y est toujours omniprésent et pas toujours chaud. Il est donc très important de se munir d'un bon coupe-vent, surtout si l'on désire pratiquer des sports de plein air ou partir en croisière d'observation des baleines.

De la mi-novembre à la fin mars, c'est la saison idéale pour les amateurs de ski, de motoneige, de patinage, de randonnée en raquettes et autres.

Le printemps est bref (de la fin mars à la fin mai) et annonce la période de la «sloche» (mélange de neige fondue et de boue dans les rues).

De la fin mai à la fin août s'épanouit une saison qui s'avère à bien des égards surprenante pour les Européens habitués à voir le Québec comme un pays de neige. Les chaleurs peuvent en effet être extrêmes et sont souvent accompagnées d'humidité.

De septembre à novembre, c'est la saison des couleurs. Les érables dessinent ce qui est probablement la plus belle peinture vivante du continent nord-américain. La nature semble exploser en une multitude de couleurs allant du vert vif au rouge écarlate en passant par le jaune ocre. S'il peut encore y avoir des retours de chaleur, comme durant l'été des Indiens, les jours refroidissent très vite et les soirées peuvent déjà être froides.

Gaspésie

Le climat gaspésien est caractérisé par des températures un peu plus froides que celles du reste du Québec, la péninsule étant refroidie par l'océan Atlantique. Les vents qui soufflent presque en permanence exigent une tenue vestimentaire appropriée (coupe-vent), surtout lorsqu'on s'aventure en mer.

Bas-Saint-Laurent

Très semblable à celui du Québec méridional, le climat du Bas-Saint-Laurent est de type continental à grande amplitude et sans période sèche. L'écart entre l'hiver et l'été est très grand. Les hivers sont habituellement longs et froids, tandis que les étés sont courts et chauds. En janvier et en février, les rivières et les lacs sont tous gelés, et l'estuaire devient une immense étendue de glace. Le fleuve Saint-Laurent tend à tempérer le climat, ce qui se traduit entre autres par d'importantes précipitations.

Du Saint-Laurent souffle aussi très souvent un vent du nord-est froid et humide. Notez que l'influence du fleuve se fait moins sentir à l'intérieur, dans les vallées, où les hivers sont plus froids et les étés plus chauds.

Îles-de-la-Madeleine

Situées au milieu du golfe du Saint-Laurent, les îles bénéficient d'un climat maritime tempéré. Les jours d'été sont généralement ensoleillés, et la température ne dépasse jamais 27°C le jour et 17°C la nuit. L'archipel est en permanence balayé par les vents.

Habillement

En raison des excès du climat québécois, il faut bien choisir ses vêtements en fonction de la saison.

En hiver, emportez un manteau de préférence long et avec un capuchon. Dans le cas contraire, n'hésitez pas à vous acheter un bonnet ou des «oreilles» (mais oui!) pour protéger votre «système de réception de sons».

Si vous aimez vos chaussures, achetez-vous une paire de «claques» (rassurez-vous, c'est inoffensif!). Il s'agit d'une sorte de «couvre-chaussures» en caoutchouc, bien pratiques pour éviter les effets corrosifs du sel utilisé pour faire fondre la glace. On les trouve facilement, et elles ne coûtent pas très cher.

Si vous allez faire du ski, n'oubliez pas vos lunettes de soleil.

En été, de nombreux t-shirts, chemises et pantalons légers, shorts et lunettes de soleil seront de mise; un tricot est souvent nécessaire en soirée.

Pour les saisons d'entre-deux, sont à la fois conseillés chandail, tricot et écharpe, sans oublier le parapluie.

Santé

Généralités

Pour les personnes en provenance d'Europe et des États-Unis, aucun vaccin n'est nécessaire. En ce qui concerne l'assurance-maladie, il est vivement recommandé (surtout pour les séjours de moyen ou long terme) de contracter à une assurance maladie-accident. Différentes formules sont proposées, et nous vous conseillons de les comparer. Emportez vos médicaments, surtout ceux qui exigent une ordonnance. Sauf indication contraire, l'eau est potable partout au Québec.

En hiver, une lotion hydratante sera utile pour les peaux sensibles, de même qu'un baume hydratant pour les lèvres. En cette saison, l'air à l'intérieur est souvent fort sec.

En été, méfiez-vous des fameux coups de soleil. Lorsque souffle le vent, il arrive fréquemment que l'on ne ressente pas les brûlures causées par le soleil.

Secours

Pour toutes les régions : faites le **0**, et un préposé vous indiquera le numéro à composer. Certaines grandes villes comme Rimouski possèdent le service **911**.

Sécurité

Comparé aux États-Unis, le Québec est loin d'être une société violente. Une réelle politique de non-violence est prônée au Québec.

En prenant les précautions courantes, il n'y a pas lieu d'être inquiet outre mesure pour sa sécurité. Si toutefois la malchance était avec vous, faites le 0 ou le 411, un préposé vous donnera les numéros de téléphone nécessaires (à Montréal, et autres grandes villes comme Rimouski, faites le 911).

Personnes handicapées

L'association Keroul publie le répertoire *Accès Tourisme*, qui donne la liste des endroits accessibles aux personnes handicapées à travers tout le Québec. Ces endroits sont classés par régions touristiques. La brochure est disponible au prix de 10$ (15$ par mandat postal pour envoi à l'étranger).

De plus, dans la plupart des régions, il existe des associations qui organisent des activités de loisir ou de sport. Vous pouvez obtenir l'adresse de ces associations en communiquant avec l'Association québécoise de loisir pour personnes handicapées. Notez que le parc national Forillon a été jugé complètement accessible aux personnes à mobilité réduite.

Pour information :

Association régionale de loisir du Bas-Saint-Laurent, de la Gaspésie et des Îles-de-la-Madeleine
181, rte 132 O., C.P. 69
Sainte-Luce, G0K 1P0
☎ ***(418) 739-4990***

KEROUL (tourisme pour personnes handicapées)
4545, avenue Pierre-de-Coubertin, C.P. 1000, succursale M
Montréal, H1V 3R2
☎ ***(514) 252-3104***

Renseignements généraux

Aînés

Pour les personnes du troisième âge qui désirent rencontrer des Québécois du même âge, il existe une fédération qui regroupe la plupart des clubs de personnes âgées de 55 ans et plus. Cette fédération pourra vous indiquer, selon l'endroit que vous allez visiter, les activités et les adresses des clubs locaux.

Pour information :

Fédération de l'âge d'or du Québec
4545, avenue Pierre-de-Coubertin, C.P. 1000, succursale M
Montréal, H1V 3R2
☎***(514) 252-3017***

Des remises très avantageuses sur les transports et les spectacles sont souvent proposées aux personnes du troisième âge. N'hésitez pas à les demander.

Enfants

Au Québec, les enfants sont rois. Aussi, où que vous vous rendiez, des services vous seront proposés, que ce soit pour les transports ou les loisirs. Dans les transports en général, les enfants de cinq ans ou moins ne payent pas. Il existe aussi des rabais pour les 12 ans ou moins. Pour les activités ou les spectacles, la même règle s'applique parfois. Renseignez-vous avant d'acheter les billets. Dans la plupart des restaurants, des chaises hautes sont disponibles, et certains proposent des menus pour enfant. Quelques grands magasins proposent aussi un service de garderie.

Attraits touristiques

Ce guide vous invite à visiter trois régions touristiques du Québec. Y sont abordés les principaux attraits touristiques, suivis d'une description historique et culturelle. Les attraits sont cotés selon un système d'étoiles pour vous permettre de faire un choix si le temps vous y oblige.

★ Intéressant
★★ Vaut le détour
★★★ À ne pas manquer

Le nom de chaque attrait est suivi d'une parenthèse qui vous donne ses coordonnées. Le prix qu'on y retrouve est le prix d'entrée pour un adulte. Informez-vous, car plusieurs endroits offrent des réductions aux enfants, aux étudiants, aux aînés et aux familles.

Plusieurs de ces attraits sont accessibles seulement pendant la saison touristique, tel qu'indiqué dans cette même parenthèse. Cependant, même hors saison, certains de ces endroits vous accueillent sur demande, surtout si vous êtes en groupe.

Hébergement

Le choix est grand et, suivant le genre de tourisme qu'on recherche, on choisira l'une ou l'autre des nombreuses formules proposées. En général, le niveau de confort est élevé, et souvent plusieurs services sont offerts. Les prix varient selon le type de logement choisi; sachez cependant que, sur les prix affichés, il faut ajouter une taxe de 7% (la taxe fédérale sur les produits et les services : la TPS) et la taxe de vente du Québec de 6,5% (la TVQ). Elles sont cumulatives, si bien que le total donne 14%. Ces taxes sont toutefois remboursables aux non-résidents (voir p 46).

Dans la mesure où vous souhaitez réserver (fortement conseillé en été!), une carte de crédit s'avère indispensable, car, dans beaucoup de cas, on vous demandera de payer d'avance la première nuitée.

Les tarifs mentionnés dans ce guide s'appliquent, sauf indication contraire, à une chambre pour deux personnes en haute saison.

Dans les bureaux d'information touristique de Montréal et de Québec (ouverts toute l'année), il existe un service de réservation, le Réseau, qui s'occupe gratuitement des réservations de chambres d'hôtel :

Centre Infotouriste
1001, rue du Square-Dorchester
Montréal, H3B 4V4
☎*(514) 393-9049*
☎*800-665-1528*

12, rue Sainte-Anne
Québec, G1R 3X2
☎*(418) 694-1602*
☎*800-665-1528*

Hôtels

Ils sont nombreux, modestes ou luxueux. Dans la majorité des cas, les chambres sont louées avec salle de bain.

Logement chez l'habitant

Contrairement aux hôtels, les chambres ne sont pas toujours louées avec salle de bain. Les *bed and breakfasts* sont bien répartis dans la majeure partie du Québec et offrent l'avantage, outre le prix, de pouvoir partager une ambiance plus familiale. Ils vous permettront aussi de vous familiariser avec une architecture assez différente de celle de l'Europe, certaines petites maisons en bois étant particulièrement pittoresques et chaleureuses. Il est à noter que la carte de crédit n'est pas acceptée partout. Le petit déjeuner est toujours inclus dans le prix.

L'appellation québécoise **Gîte du Passant** signifie également *bed and breakfast*. Les Gîtes du Passant sont membres de la Fédération des Agricotours du Québec et sont tenus de se conformer à des règles et normes qui assurent aux visiteurs une qualité impeccable.

La Fédération produit en collaboration avec les Guides de voyage Ulysse le guide des *Gîtes du Passant au Québec*, qui vous indiquera pour chaque région les différentes possibilités d'hébergement avec les services proposés et une foule de détails.

Outre les gîtes, ce guide donne aussi des adresses pour des formules d'hébergement à la ferme ainsi que pour la location de maisons de campagne. De nombreux plans accompagnent le guide, disponible dans tous les pays francophones.

Motels

On les retrouve en grand nombre. Ils sont relativement peu chers, mais ils manquent souvent de charme. Cette formule convient plutôt lorsqu'on manque de temps.

Auberges de jeunesse

Tourisme Jeunesse publie la liste des adresses des auberges de jeunesse avec leurs services. Cette liste est disponible auprès de :

Tourisme Jeunesse
4545, avenue Pierre-de-Coubertin, C.P. 1000, succursale M
Montréal, H1V 3R2
☎*(514) 252-3117*

Vous trouverez l'adresse de chacune des auberges de jeunesse membres de l'association *Hosteling International* dans la section «Hébergement» de la ville où elles se trouvent.

Cégeps

Cette formule reste assez compliquée à cause des nombreuses restrictions qu'elle implique : elle n'est en vigueur qu'en été (de la mi-mai à la mi-août); il faut réserver plusieurs mois à l'avance et de préférence posséder une carte de crédit afin de payer la première nuitée à titre de réservation.

Toutefois, ce type de logement reste moins cher que les formules «classiques» et, si l'on s'y prend à temps, cela peut s'avérer agréable. Il faut compter un montant moyen de 20$ plus les taxes pour les personnes possédant une carte d'étudiant

(33$ pour les non-étudiants). La literie est fournie dans le prix, et, en général, une cafétéria sur place permet de prendre le petit déjeuner (non compris).

Camping

À moins de se faire inviter, le camping constitue probablement le type d'hébergement le moins cher. Malheureusement, le climat ne rend possible cette activité que sur une courte période de l'année, soit de juin à septembre, à moins de disposer de l'équipement approprié contre le froid. Les services offerts sur les terrains de camping peuvent varier considérablement. Certains campings sont publics et d'autres privés. Toutes ces caractéristiques font que les prix peuvent s'échelonner de 8$ à 20$ ou plus par nuitée.

Par ailleurs, le Conseil du développement du camping au Québec publie en collaboration avec la Fédération québécoise de camping et caravaning le *Guide Camping-Caravaning*. Ce guide annuel contient l'adresse 300 terrains de camping avec leurs services, et il est disponible gratuitement auprès des Associations touristiques régionales ou de la Fédération québécoise de camping et caravaning.

Fédération québécoise de camping et caravaning
4545, avenue Pierre-de-Coubertin, C.P. 1000, succursale M
Montréal, H1V 3R2
☎***(514) 252-3003***

Restaurants

Tout comme en Belgique, les Québécois appellent le petit déjeuner le «déjeuner», le déjeuner le «dîner» et le dîner le «souper» (ce guide suit cependant la nomenclature internationale : petit déjeuner, déjeuner, dîner). Dans la majorité des cas, les restaurants proposent des «spéciaux du jour», c'est-à-dire un menu complet à prix avantageux. Servi le midi seulement, il comprend bien souvent un choix d'entrées et de plats, un café et un dessert. Le soir, la table d'hôte (même formule mais légèrement plus chère) est également intéressante.

Les tarifs mentionnés dans ce guide s'appliquent, sauf indication contraire, à un repas pour une personne, excluant les taxes, le service et les boissons.

$	moins de 10$
$$	de 10$ à 20$
$$$	de 20$ à 30$
$$$$	plus de 30$

Il existe, en plus du permis de vente d'alcool, un permis de bar! Autrement dit, les restaurants qui n'ont qu'un permis de vente d'alcool ne peuvent vous vendre de la bière, du vin et de l'alcool que s'ils accompagnent un repas. Les restaurants qui en plus ont un permis de bar peuvent vous vendre de l'alcool même si vous n'y prenez pas de repas.

Cuisine régionale

Bien que la cuisine régionale servie dans les restaurants s'apparente beaucoup aux mets qu'on retrouve en France ou aux États-Unis, quelques-uns des plats sont typiquement québécois et doivent être goûtés :

la soupe aux pois et aux gourganes;
la tourtière;
le pâté chinois;
les cretons;
le jambon au sirop d'érable;
les fèves au lard;
le ragoût de pattes de cochon;
le cipaille ou cipâte (à l'orignal);
la tarte aux pacanes;
la tarte au sucre;
la tarte aux bleuets;
la gibelotte;
le sucre à la crème;
le pot-en-pot;
la poutine.

Bars et discothèques

Dans la plupart des cas, aucun droit d'entrée (en dehors du vestiaire obligatoire) n'est demandé en ces lieux. Bien que la vie nocturne soit très active au Québec, la vente d'alcool cesse au plus tard à 3h du matin. Certains bars peuvent rester ouverts, mais il faudra à ce moment se contenter de petites limonades! Aussi, les établissements n'ayant qu'un permis de taverne et brasserie doivent fermer à minuit.

5 à 7 et «deux pour un»

Dans les centres urbains, les bars proposent durant les 5 à 7 (en général de 17h à 19h) ce que l'on appelle le «deux pour un» ou des «spéciaux». C'est-à-dire qu'entre ces heures on peut se procurer deux bières pour le prix d'une ou, selon le cas, une boisson à prix réduit.

Parfois, certains endroits, comme les casse-croûte ou les cafés, proposent les mêmes rabais. Depuis quelque temps, une loi au Québec interdit l'affichage de ce genre de promotion. Vous ne verrez donc aucune publicité sur cet avantage. Renseignez-vous sur place auprès du serveur.

Vins, bières et alcools

Au Québec, les alcools sont régis par une société d'État, soit la Société des alcools du Québec (SAQ). Si vous désirez acheter un vin, un alcool ou de la bière, c'est dans une succursale de la SAQ qu'il faut vous rendre. Il y en a à peu près partout. Les épiciers ont aussi l'autorisation de vendre de la bière et quelques vins. En règle générale, les succursales de la SAQ sont ouvertes aux mêmes heures que les magasins. À Montréal et à Québec, il existe aussi la Maison des Vins, qui regroupe une sélection beaucoup plus variée et spécialisée que les autres succursales.

Il faut être âgé d'au moins 18 ans pour pouvoir acheter des boissons alcoolisées.

Bières

Deux grandes brasseries au Québec se partagent la plus grande part du marché : Labatt et Molson. Chacune d'elles produit différents types de bières, surtout des blondes, avec divers degrés d'alcool. Dans les bars, restaurants et discothèques, la bière pression (appelée parfois «draft») est moins chère que la bière en bouteilles.

À côté de ces «macro-brasseries» se développent depuis quelques années des microbrasseries qui, à bien des égards, s'avèrent très intéressantes. La variété et le goût de leurs bières font qu'elles dernières connaissent un succès grandissant auprès du public québécois. Cependant, du fait que justement elles sont des microbrasseries, vous ne trouverez pas leurs bières partout.

Voici quelques-unes d'entre elles : Belle-Gueule, Saint-Ambroise, Boréale, Brasal, Maudite, Fin du Monde (avec ces 9% d'alcool, la bière la plus alcoolisée du Québec), La Blanche de Chambly, La Tremblay, etc.

Alcools

Pour les amateurs de petits alcools, le schnaps est moins cher que la bière, et il faut essayer le fameux schnaps aux pêches. Il est à noter qu'au Québec une «liqueur» ne signifie pas un délicieux alcool, mais bien une boisson gazeuse!

Avis aux fumeurs

Tout comme aux États-Unis, la cigarette est considérée comme un «grand mal» à éliminer. Il est interdit de fumer :

dans la plupart des centres commerciaux;

dans les autobus et dans le métro;

dans les bureaux des administrations publiques.

La majorité des lieux publics (restaurants, cafés) ont des sections «fumeurs» et «non-fu-

Renseignements généraux

meurs». Si toutefois vous n'êtes pas trop découragé, sachez que les cigarettes se vendent dans bien des endroits (bars, épiceries, marchands de journaux).

Animaux

Tout comme pour l'ensemble de l'Amérique du Nord, les Québécois trouvent assez étrange qu'en Europe on puisse amener son chien aussi bien pour aller magasiner que pour aller au restaurant. Aussi, sachez que si vous avez décidé de voyager avec votre chien, il ne sera pas commode pour vous de faire du tourisme. En règle générale, les animaux sont interdits dans presque tous les endroits publics. Ainsi, il vous sera impossible de prendre l'autobus ou le métro et aussi d'aller magasiner dans la majorité des endroits (même les centres commerciaux), y compris certains marchés extérieurs.

Festivals et fêtes

Grâce à son passé et sa culture, mais aussi à sa diversité, le Québec est riche en activités culturelles de toutes sortes. Dans les trois régions qui nous intéressent, on compte environ 35 festivals, expositions annuelles, rassemblements et autres. Nous en avons sélectionné quelques-uns que vous retrouverez dans les sections «Attraits touristiques». On peut également se procurer la *Carte des fêtes et festivals au Québec*, publiée par la Société des Fêtes et Festivals du Québec, dans les librairies de voyage.

Achats

Généralités

Ne vous étonnez pas si vous entendez une personne demander à la vendeuse si tel ou tel article est «en vente». Cela, en réalité, signifie «en solde». Dans la majorité des cas, les prix sont fixes.

Quoi acheter

Artisanat local : peintures, sculptures, céramiques, albâtres, émaux sur cuivre, tissus, étoffes, tricots, etc.

Artisanat autochtone : vannerie fabriquée dans la réserve amérindienne de Maria, en Gaspésie.

Sirop d'érable : le sirop d'érable est disponible en plusieurs qualités. Plus sirupeux ou plus coulant, plus foncé ou plus clair, plus ou moins sucré; ce serait en tout cas un grave péché que de ne pas au moins y goûter!

Vin de bleuets : ce vin produit à partir des bleuets est disponible dans la plupart des succursales de la SAQ, la Société des alcools du Québec.

Poids et mesures

Bien qu'au Canada les poids et mesures soient en système métrique depuis plusieurs années, il est encore courant de voir les gens utiliser le système impérial. Voici quelques équivalences :

Mesure de poids
1 livre (lb) = 454 grammes

Mesures de distance
1 pouce (po) = 2,5 centimètres
1 pied (pi) = 30 centimètres
1 mille (mi) = 1,6 kilomètre

Mesures de superficie
1 acre = 0,4 hectare
10 pieds carrés (pi^2) = 1 mètre carré

Mesures de volume
1 gallon américain (gal) = 3,79 litres

Mesures de température
Pour convertir °F en °C : soustraire 32, puis diviser par 9 et multiplier par 5.
Pour convertir °C en °F : multiplier par 9, puis diviser par 5 et ajouter 32.

Calendrier des principaux événements

Gaspésie

Fin juin	Festival de la Crevette	Fête populaire : activités sociales, culturelles et sportives (Matane).
Fin juin-début juillet	Festival en chansons	Concours présentant de jeunes talents et des artistes connus (Petite-Vallée).
Fin juillet-début août	Fête du Vol Libre	Rencontre de fervents de deltaplane. Nombreuses activités de plein air (Mont-Saint-Pierre).
Premier week-end d'août	Maximum Blues	Festival de musique blues (5 spectacles, 72 représentations) (Carleton).

Îles-de-la-Madeleine

2 premières semaines d'août	Festival Acadien	Activités culturelles et de plein air, entre autres un concours de construction de petits bateaux.
Deuxième samedi d'août	Concours de châteaux de sable	Construction de châteaux de sable sur la plage de Havre-Aubert.

Bas-Saint-Laurent

Fin août-début sept	Festi-Jazz de Rimouski	Spectacles dans les salles, les bars et les rues.
Troisième semaine de septembre	Carrousel international du film de Rimouski	Festival de films pour jeune public.

Divers

Coiffeurs

Tout comme au restaurant, il est d'usage de donner un pourboire de 15% avant taxes.

Cultes

Pratiquement tous les cultes sont représentés. Le culte majoritaire est la religion catholique, bien que la majorité des jeunes Québécois ne pratiquent plus.

Drogues

Absolument interdites (même les drogues dites «douces»). Aussi bien les consommateurs que les distributeurs risquent de très gros ennuis s'ils sont trouvés en possession de drogues.

Électricité

Partout au Canada, la tension est de 110 volts. Les fiches d'électricité sont plates, et il existe des adaptateurs pour prises électriques en vente dans les librairies de voyage.

Folklore

Le folklore québécois, riche de son passé, peut être un moyen très agréable de découvrir le Québec. Regroupés au sein d'une association, plusieurs comités régionaux œuvrent pour sa préservation et son développement. Selon les saisons et les lieux, plusieurs activités sont organisées. Pour en savoir plus :

Association québécoise des loisirs folkloriques
4545, av. Pierre-de-Coubertin,
C.P. 1000, succursale M
Montréal, H1V 3R2
☎*(514) 252-3022*

Musées

Dans la majorité des cas, ils sont payants. Des rabais sont possibles pour les 60 ans et plus et pour les enfants. Renseignez-vous!

Presse

Les grands journaux québécois sont *La Presse*, *Le Devoir*, *Le Journal de Montréal* et *Le Soleil*, en français, et *The Gazette*, en anglais.

Téléphone

Beaucoup moins chers qu'en Europe, les appareils téléphoniques se retrouvent à peu près partout (parfois même à l'entrée des grands magasins). Ils sont faciles à utiliser, et certains fonctionnent même avec une carte de crédit. Une la communication locale coûte 0,25$ pour une durée illimitée. Pour les interurbains, munissez-vous de pièces de 25 cents. À titre d'exemple, un appel à Québec, depuis Montréal, coûtera 3,30$ pour la première minute et 0,50$ par minute supplémentaire. Si vous téléphonez à partir d'une résidence privée, cela vous coûtera moins cher.

Depuis peu, il est possible de se procurer des cartes à puce dans les Téléboutiques Bell ainsi que dans les dépanneurs. Vous pouvez utiliser ces cartes d'appels dans plusieurs cabines téléphoniques publiques.

Toilettes

Il y en a dans la plupart des centres commerciaux.

Expressions québécoises

La langue parlée au Québec a bien souvent de quoi surprendre le voyageur étranger. Les Québécois sont toutefois très fiers de cette «langue de France aux accents d'Amérique» qu'ils ont su préserver au prix de longues luttes. Il nous serait bien difficile de dresser ici une liste exhaustive des expressions propres à la langue québécoise. Le voyageur intéressé à en connaître un peu plus peut toutefois se référer au guide de conversation *Le Québécois pour mieux voyager*, des Guides de voyage Ulysse.

Petit lexique gaspésien

Achaler : fatiguer qqn
Attiner : taquiner
Avisse : vis
Baraque : petite grange carrée au toit conique et amovible
Bardotter : couvrir de bardeaux
Becquer : donner un baiser
Beluette : étincelle
Borda : train, ménage
Bouillée : touffe d'arbres
Braquer (se) : s'aventurer effrontément, s'entêter
Chacoter : s'amuser à couper dans du bois avec un canif
Chalin : éclairs de chaleur
Cobir : faire des coches, sur un objet
Colleux : affectueux
Crâler : craquer en parlant d'un plancher ou d'un mur
Dolos : structure tétrapode en béton servant de brise-lames
debrise-lames, c'est du madelinot! Les Gaspésiens appellent ça un «bonhomme».
Écharpe : écharde
Effoirer : répendre, écraser
Éguiber : éviscérer le poisson
Emprès : après
Épârer : épandre, étendre
Espérer : attendre quelqu'un ou quelque chose
Étriver : taquiner
Fosse : bassin assez profond dans un cours d'eau où le courant est moins important et où se trouve le poisson
Frigouiller : chercher en grattant fortement
Galance : balançoire
Galoper : fréquenter (les filles, les garçons)
Graffigner : égratigner
Gricher : grincer des dents
Grucher : grimper
Haler : tirer
Jongler : réfléchir
Larguer : lâcher
Longis : lent
Marabout : maussade, difficile de caractère
Mitant : milieu
Outer : ôter
Pot-en-pot : mets délicieux fait de poisson, de fruits de mer, de pommes de terre et recouvert d'une pâte feuilletée

Raque :	ras (cheveux, pelouse)
Ragornure :	ce qui reste de légumes, de fruits, après une première récolte
Raizes :	stries, égratignures
Raver :	frayer
Reculons :	petits morceaux de peau qui se soulèvent en bordure des ongles
Renoter :	se répéter
Roues de neige :	congères (bancs de neige)
Russeau :	ruisseau
Tambour :	petite pièce servant d'entrée à une maison
Tanner :	ennuyer quelqu'un
Vaillant :	en santé
Varnes :	aulnes, vergnes
Virer :	tourner (bateau)

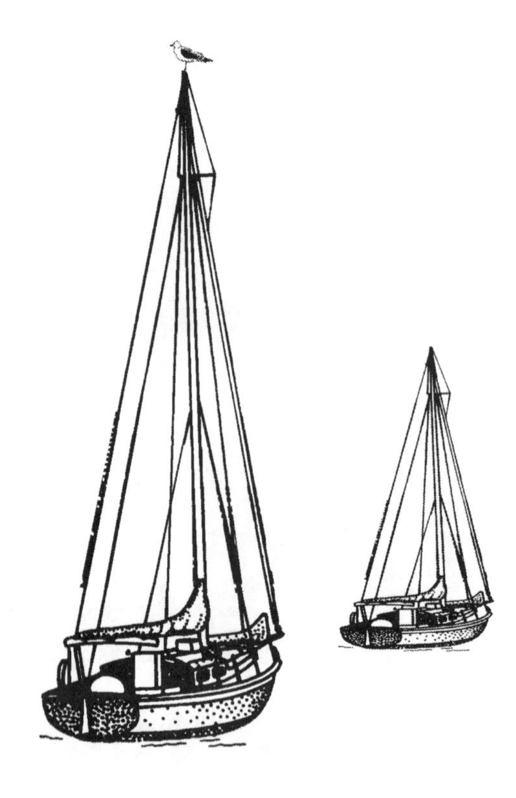

Le Bas-Saint-Laurent

Le Bas-Saint-Laurent, c'est le pays des oiseaux et des îles. Il s'étend officiellement de La Pocatière à Sainte-Luce-sur-Mer, sur la rive sud du fleuve Saint-Laurent.

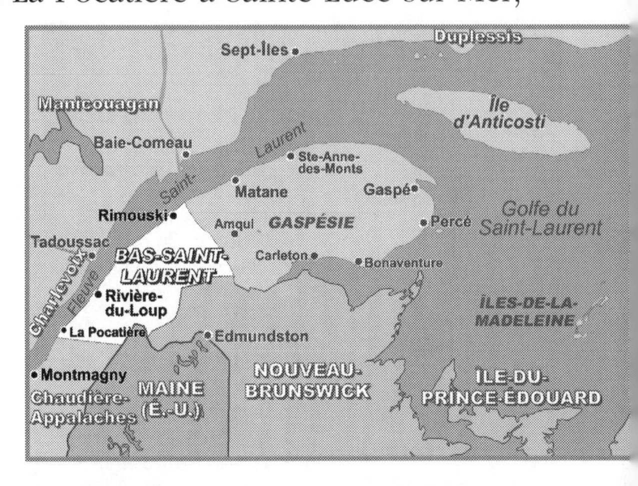

La région est parsemée de petites localités paisibles et pimpantes, distribuées sur plus de 18 000 km^2, et est délimitée par le fleuve au nord, par le Nouveau-Brunswick et le Maine au sud, par la région de Chaudière-Appalaches à l'ouest et par la Gaspésie à l'est. Pour des raisons d'ordre pratique, nous inclurons ici les localités situées entre Montmagny et La Pocatière, bien qu'elles fassent plutôt partie de la région de Chaudière-Appalaches.

Ce coin de pays vit au rythme de la mer. Il est situé dans cette partie du fleuve où l'eau douce rencontre l'eau salée et connaît de très grandes marées; il s'agit en fait des plus grandes marées du Saint-Laurent, et ces fluctuations donnent, chaque heure, un aspect différent au paysage, sa façade côtière de 320 km offrant de superbes panoramas. Sa superficie couvre 1,7% du territoire québécois, et la région compte quelque 148 000 habitants.

Le Bas-Saint-Laurent se prête très bien à l'écotourisme. Vous y trouverez nombre de parcs et de centres d'interprétation de la nature, d'ailleurs très bien préservée, car la région n'a pas connu, au long de son histoire, de phénomènes d'industrialisation très marqués. Les lacs sont accessibles et non pollués. De plus, avec l'intérêt croissant pour la nature et le dépaysement, le littoral et les îles sont de plus en plus prisés car ils abritent une faune et une flore des plus intéressantes.

Bien sûr, les visiteurs aiment beaucoup les petits villages situés le long du littoral, mais l'intérieur des terres, avec ses collines, ses vallées, ses terres agricoles, ses forêts et ses petits villages très accueillants, ne manque pas d'attraits.

On apprécie également la quiétude des sous-bois, et l'on aime bien se promener dans ces grands espaces tout en écoutant le murmure des rivières et en humant les odeurs de mousse. N'oubliez surtout pas, lors de votre séjour dans le Bas-Saint-Laurent, de goûter l'anguille et l'esturgeon fumé.

Pour s'y retrouver sans mal

En voiture

Pour apprécier la région, il faut quitter l'autoroute 20 et emprunter la route 132. Les routes 232, 185 et 289 sillonnent les forêts ainsi que les vallées de la région et offrent des vues superbes.

Location de voitures

Vous avez le choix entre deux centres de location situés à Rimouski :

Budget
station-service Irving
76 rue St-Germain O.
☎722-7990
☎800-268-8900

Tilden
375 boul. Jessop
rte 132
☎723-9191
☎800-387-4747

En traversier

Rivière-du-Loup

N.M. Trans-Saint-Laurent
25,85 $/voiture
10,20 $/passager
boutique, ℜ, bar
sortie 507 de l'autoroute 20
199 rue Hayward
☎862-5094

Pour traverser le fleuve, de Rivière-du-Loup à Saint-Siméon, il faut prendre le *N.M. Trans-Saint-Laurent*; la traversée dure environ une heure, et il faut arriver une heure avant le départ. Les réservations ne sont pas acceptées; l'embarquement se fait selon le rang d'arrivée. Les heures de départ variant énormément selon les dates, il vaut mieux téléphoner au préalable. Profitez de la traversée pour observer les baleines. L'estuaire atteint ici 23 km de large.

L'Isle-Verte

Pour obtenir des renseignements quant à l'horaire du bateau qui se rend à l'île Verte, composez le ☎898-2843. La traversée dure environ 25 min et le tarif est de 5$ *(voiture 20$; vélo 1$).*

Trois-Pistoles

La **Compagnie de Navigation des Basques** *(12,35$ aller-retour, sans débarquement et sans véhicule; ☎851-4676)* vous propose de faire la traversée du fleuve entre Trois-Pistoles et Les Escoumins à bord de *L'Héritage I.* Durant ce voyage, de 90 min, vous aurez probablement l'occasion d'observer de grands mammifères marins. Les heures de départ varient selon les mois; il est donc sage d'appeler au préalable.

Rimouski

D'avril à la mi-janvier, un traversier *(☎723-8787 ou 800-463-0680, ce dernier numéro n'étant accessible que de la zone d'indicatif 418)* fait le trajet Rimouski–Sept-Îles–Basse-Côte-Nord. On doit réserver au moins 30 jours à l'avance si l'on veut un forfait incluant le transport, l'hébergement et les repas.

Un catamaran d'une capacité de 150 passagers et de 30 véhicules fait la navette Rimouski-Forestville en 55 min *(13$/passager, 30$/voiture; mai à oct; ☎725-2725).*

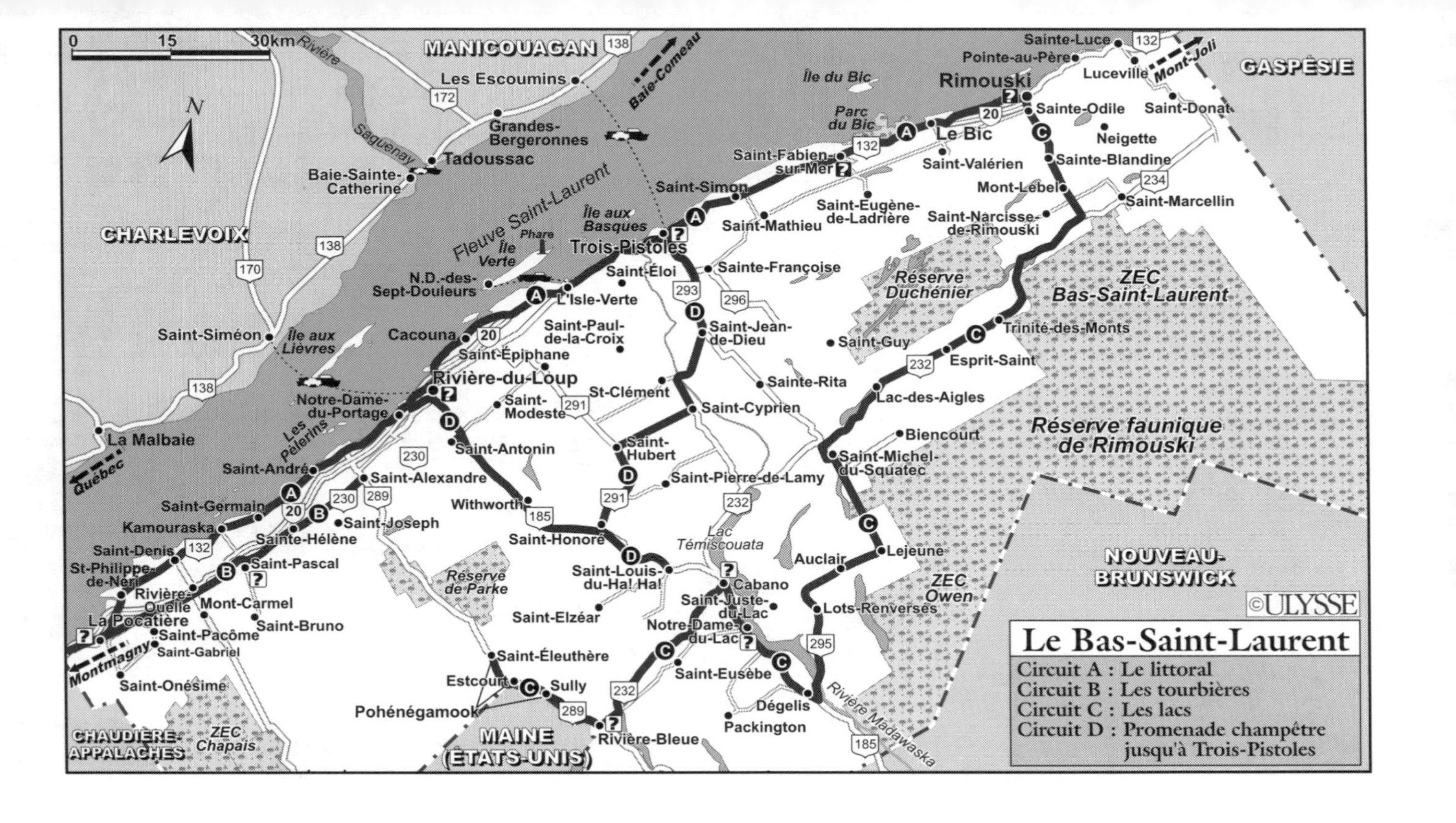

Le Bas-Saint-Laurent
Circuit A : Le littoral
Circuit B : Les tourbières
Circuit C : Les lacs
Circuit D : Promenade champêtre jusqu'à Trois-Pistoles
©ULYSSE
MANICOUAGAN
CHARLEVOIX
GASPÉSIE
NOUVEAU-BRUNSWICK
MAINE (ÉTATS-UNIS)
CHAUDIÈRE-APPALACHES
Fleuve Saint-Laurent
Rimouski
Trois-Pistoles
Rivière-du-Loup
Réserve faunique de Rimouski
ZEC Bas-Saint-Laurent

En autocar

Rivière-du-Loup

Orléans Express
83 boul. Cartier
derrière le restaurant Normandin
☎*862-4884*

Rimouski

Orléans Express
90 rue Léonidas
☎*723-4923*

En covoiturage

Rimouski

Allo-Stop
106 rue St-Germain E.
☎*723-5248*
Allo-Stop propose des départs pour Montréal *(30$)*, pour Québec *(15$)* et pour plusieurs autres destinations du Québec.

En train

Rimouski

VIA Rail
mer-lun
heures d'ouverture :
23h15 à 2h15
jeu 17h à 19h
57 rue de l'Évêché E.
☎*722-4737*
☎*800-361-5390*

Autres gares ferroviaires

Montmagny
4 rue de la Station
☎*800-361-5390*

La Pocatière
95 rue Principale
☎*856-2424*

Rivière-du-Loup
615 rue Lafontaine
☎*867-1525*

Trois-Pistoles
31 rue de la Gare
☎*851-2736*

En avion

Montmagny

Un service aérien pour l'île-aux Grues est assuré par **Air Montmagny** *(20$ aller-simple; ☎248-5817, ⇌248-5817)*. Au retour, sur demande, on peut faire un court survol de la région immédiate de Montmagny.

Rimouski

Trois compagnies aériennes desservent Rimouski et ses environs :

Air Alliance
Mont-Joli
30 km à l'est de Rimouski
☎*775-3121*
☎*800-361-2159*

Inter-Canadien
Mont-Joli
☎*775-8911*
☎*800-665-1177*

Air Satellite
Rimouski
à 3,5 km du centre-ville
☎*722-6161*
☎*800-463-8512*

Un service de **taxi collectif** *(32$ divisible; Mont-Joli ☎775-4343, Rimouski ☎723-3344)* est proposé entre Rimouski et l'aéroport régional de Mont-Joli. La cueillette des clients d'hôtels a lieu une heure avant les vols.

En taxi

Rivière-du-Loup

Deux entreprises desservent la région :

Taxis Capitol Rivière-du-Loup
29 rue St-Joseph
☎*862-6333*

Taxis Jos Beaulieu
42 côte St-Jacques
☎*862-3111*

Rimouski

Taxi 800
☎*723-3344*

Taxi-bus
2,25$
☎*723-5555*
Cette compagnie dessert tous les quartiers de Rimouski.

Renseignements pratiques

Indicatif régional : 418

Renseignements touristiques

Montmagny

Office du tourisme de la Côte-du-Sud
mi-avr à mi-sept
tlj 8h30 à 20h30
mi-sept à mi-avr
tlj 8h30 à 16h30
45 av. du Quai
☎248-9196 ou 800-463-5643

La Pocatière

Maison touristique du Bas-Saint-Laurent
sortie 439 de l'autoroute 20
☎856-5040
La Maison touristique du Bas-Saint-Laurent offre un service d'information et de réservation. Elle est ouverte du 24 juin à la fête du Travail, tous les jours, de 9h à 20h, et de septembre à mi-octobre de 9h à 17h.

Rivière-du-Loup

Association touristique régionale du Bas-Saint-Laurent
24 juin au 7 septembre
tlj 8h30 à 20h30
reste de l'année
lun-ven
8h30 à midi et 13h30 à 17h
189 rue Hôtel-de-Ville
☎867-3015 ou 800-563-5268

Saint-Fabien

Information touristique
fin juin à début sept
tlj 9h à 19h
33 rte 132 O.
G0L 2Z0
☎869-3311
Un joli bureau d'information touristique se situe le long de la route 132. Vous y trouverez de nombreux dépliants ainsi que les menus des restaurants de la région.

Rimouski

Information touristique
50 rue St-Germain O.
☎723-2322
☎800-RIMOUSKI
☎800-746-6875
Vous trouverez le bureau d'information touristique presque en face de la cathédrale. Des dépliants, des cartes routières et des menus de restaurants sont mis à votre disposition. Ce bureau est ouvert du 20 mai au 9 octobre, tous les jours, de 9h à 20h, et du 10 octobre au 18 mai, du lundi au vendredi, de 9h à midi et de 13h à 17h.

Pohénégamook

Service du Tourisme et du Développement
fin juin à fin août
tlj 8h à 20h
le reste de l'année
lun-ven 8h30 à 16h30
1309 rue Principale
☎859-3450
Au Service du Tourisme et du Développement de Pohénégamook, vous obtiendrez tous les renseignements sur les activités proposées dans la région. Vous pourrez également voir quelques expositions.

Rivière-Bleue

Halte touristique
186 rue St-Joseph
Vous trouverez une halte touristique à Rivière-Bleue. On peut y pique-niquer en toute tranquillité. Outre le terrain de jeu, s'y trouve un bureau d'information touristique.

Attraits touristiques

Nous avons préparé quatre circuits que vous retrouverez aux pages suivantes : **Circuit A : Le littoral ★★** (6 jours), p 63; **Circuit B : Les tourbières ★** (une demi-journée), p 75; **Circuit C : Les lacs ★★** (2 jours), p 76; **Circuit D : Promenade champêtre jusqu'à Trois-Pistoles ★** (une demi-journée), p 78.

Circuit A : Le littoral

Le parcours proposé ici traverse les principales villes du Bas-Saint-Laurent. Tout le long de la route panoramique 132, vous serez accompagné du majestueux fleuve Saint-Laurent. Si vous désirez parcourir de plus longues distances, vous pouvez à tout moment prendre l'autoroute 20. La côte septentrionale du Bas-Saint-Laurent est formée des vestiges de la chaîne taconienne.

Le région de Montmagny, se situant à mi-chemin

entre Québec et Rivière-du-Loup le long de l'autoroute 20 et de la route panoramique 132, forme un rectangle vertical nord-sud, avec, d'un côté, le fleuve Saint-Laurent, et de l'autre, la frontière américaine. Ce territoire est parcouru verticalement par la route 283 et latéralement par les routes 216 et 204. La région de Montmagny compte 14 villages et villes. C'est sans doute le plus beau coin de la région touristique de Chaudière-Appalaches. Vous trouverez le bureau de l'Office du tourisme de la Côte-du-Sud au 45, av. du Quai, Montmagny (☎248-9196 ou 800-463-5643).

★

Montmagny

Capitale de l'oie blanche, Montmagny, ville où débute l'estuaire du Saint-Laurent, est très animée. L'archipel de L'Isle-aux-Grues, situé au large de la ville, compte 21 îles, dont l'île aux Grues, l'île aux Oies et la Grosse Île.

Pendant 10 jours en octobre, le **Festival de l'oie blanche** ★★ *(☎248-3954 ou 800-463-5643)* attire à Montmagny de nombreux visiteurs qui viennent contempler le spectacle qu'offrent près de 300 000 oies blanches qui font escale dans la région.

Le **Centre éducatif des Migrations** ★ *(6$; mai à nov, tlj 9h30 à 17h30; 53 rue du Bassin Nord, ☎248-4565)* est un centre d'interprétation qui met en vedette la grande oie des neiges et d'autres espèces de sauvagine. Vous découvrirez tout sur les techniques de vol, la migration et la reproduction de la grande oie des neiges. Le tout est présenté à l'aide de moyens audiovisuels, photographiques et interactifs. Le centre vous propose également un spectacle multimédia sur écran géant traitant de la Grosse Île et de la Côte-du-Sud.

L'**Économusée de l'accordéon** *(3,50$; mi-juin à début sept, lun-ven 9h à 17h, sam-dim 10h à 16h; le reste de l'année, fermé les fins de semaine; 301 boul. Taché E., ☎248-7927)* présente une soixantaine d'accordéons. Un atelier vous fera découvrir les différentes étapes de fabrication de cet instrument de musique.

Au début du mois de septembre a lieu le **Carrefour mondial de l'accordéon** *(☎248-7927)*, un festival qui rassemble des milliers de personnes se passionnant pour cet instrument de musique. Les spectacles en plein air sont gratuits. D'autres spectacles, à l'intérieur, sont payants. On reçoit des artistes de près d'une dizaine de pays. À cette occasion, la ville s'enflamme au rythme de l'accordéon, les parcs et les restaurants se remplissent à craquer et il y règne une véritable ambiance de kermesse. Les styles de musique varient du musette au jazz en passant par la musique traditionnelle.

L'Islet-sur-Mer

En étroite union avec le fleuve, ce village se compose de deux seigneuries concédées par Frontenac en 1677. Le village garde un cachet d'antan avec ses monuments : chapelle des marins (1834), croix de tempérance (1842) et belles maisons d'époque.

Le **Musée maritime du Québec** *(5$; mi-mai à mi-oct tlj 9h à 18h, mi-oct à mi-mai mar-ven 10h à midi et 13h30 à 16h; 55 rue des Pionniers E., ☎247-5001)* est surtout visité à cause du brise-glace *Ernest-Lapointe*, donné par la Garde côtière canadienne et installé derrière le musée depuis 1979. Le musée présente, à l'aide de maquettes et de nombreuses illustrations, différentes expositions portant essentiellement sur la navigation. On y parle, entre autres choses, du naufrage de l'*Empress of Ireland*, la deuxième plus grande catastrophe maritime après le *Titanic*, revue en détail au Musée de la Mer de Pointe-au-Père (voir p 75), en périphérie de Rimouski, près de l'endroit où coula le bateau. L'institution, fondée par l'Association des marins du Saint-Laurent, loge dans l'ancien couvent de L'Islet-sur-Mer (1877) et porte le nom de l'un de ses plus illustres citoyens, le capitaine J. E. Bernier (1852-1934), qui fut un des premiers à explorer l'Arctique, assurant de la sorte la souveraineté du Canada sur ses territoires nordiques.

★★ Saint-Jean-Port-Joli

La naissance de Saint-Jean-Port-Joli remonte à 1677, alors que Frontenac céda un fief à Noël Langlois-dit-Traversy, le premier seigneur de Port-Joly. Son nom apparaît maintenant sur une plaque commémorative dans l'église paroissiale. Le village foisonne aujourd'hui d'activités artisanales, car c'est dans ce village qu'habite la plus grande concentration de sculpteurs sur bois au Québec. Vous y trouverez nombre d'ateliers, de musées, de galeries et de boutiques.

L'**église** (1780) du village renferme une crèche composée de 22 personnages en tilleul sculptés par 17 artisans de la région.

Le **Centre d'art animalier «Faunart»** ★ *(4$; mai à oct, juil et août tlj 9h à 21h; le reste de l'année 9h à 18h; 377 av. de Gaspé O., ☎598-7034)* regroupe dans une grange octogonale datant du début du XXe siècle quatre disciplines : la taxidermie, la peinture, la sculpture et la photographie. Vous y trouverez une salle d'exposition ainsi qu'une boutique de souvenirs animaliers. On peut parfois y observer des artisans à l'œuvre. Galerie d'art.

Le **Musée des Anciens Canadiens** ★ *(4,50$; mi-mai à fin juin tlj 9h à 17h, juil et août 9h à 21h, sept et oct 9h à 18h; 332 av. de Gaspé O., ☎598-3392)* possède une collection d'œuvres des artistes qui ont fait la réputation de Saint-Jean-Port-Joli.

Saint-Roch-des-Aulnaies

Cette paroisse tire son nom des «aulnaies», à cause de la présence d'une quantité importante d'aulnes en bordure de la rivière Ferrée.

L'**église** (1849) renferme plusieurs tableaux et autres œuvres d'art. On peut, entre autres, y voir une peinture, *saint Roch et son chien*, ainsi que des toiles de Joseph Légaré et de François Baillargé.

La **Seigneurie des Aulnaies** ★★ *(6$; juin à mi-oct tlj 9h à 18h; 525 rue de la Seigneurie, sortie 430, ☎354-2800)* est la plus vieille concession seigneuriale sur la rive sud du fleuve Saint-Laurent entre Montmagny et le golfe. On vous y montrera de façon explicite ce qu'était la vie seigneuriale. Classé «bien culturel», l'endroit regroupe un manoir de style victorien, un moulin en pierre de taille de trois étages datant de 1842, la maison du meunier ainsi que des jardins. Vous pouvez d'ailleurs voir comment se fait la farine et même en acheter, ainsi que goûter du pain complet et de la galette de sarrasin. Les jardins se prêtent bien aux pique-niques.

La Pocatière

L'ancienne seigneurie de La Pocatière fut concédée en 1672 à Marie-Anne Juchereau. Elle passa ensuite entre les mains de la famille

d'Auteuil puis de la famille Dionne. L'ouverture d'un collège classique en 1827 et de la première école d'agriculture au Canada en 1859 devait faire de son bourg une ville d'études supérieures, vocation qu'elle a conservé jusqu'à nos jours. On y trouve également la principale usine de la multinationale Bombardier, spécialisée dans le matériel de transport en commun. C'est ici qu'on fabrique les wagons des métros de Montréal, de New York et de plusieurs autres grandes villes du monde.

À La Pocatière, au lieu de continuer sur le circuit du littoral, vous pouvez faire le circuit des tourbières (voir p 75).

La **cathédrale Sainte-Anne** *(103 4e Av.)*. Siège d'un évêché, La Pocatière possède une cathédrale moderne, terminée en 1969. Des statues de Ménard Bourgault ainsi qu'une verrière de Michèle Guillot en ornent l'intérieur.

Le **Musée François-Pilote** *(4$; 24 juin au 30 sept, lun-sam 9h à midi et 13h à 17h, dim 13h à 17h; 100 4e Av., ☎856-3145)* est un musée d'ethnologie québécoise. On y présente sur quatre étages la paroisse rurale typique du tournant du XXe siècle. Vous y découvrirez l'histoire de l'enseignement agricole, de l'élevage, de la botanique, de la zoologie, etc. Vous pourrez également y voir les reconstitutions d'un comptoir de marchand, d'un cabinet de dentiste et de bien d'autres commerces de l'époque.

★

Rivière-Ouelle

Ce charmant village, situé de part et d'autre de la rivière qui lui a donné son nom, fut fondé dès 1672 par le seigneur François de la Bouteillerie. En 1690, un détachement de l'amiral britannique William Phipps tenta un débarquement à Rivière-Ouelle, qui fut aussitôt repoussé par l'abbé Pierre de Francheville, à la tête d'une quarantaine de colons.

Église Notre-Dame-de-Liesse et presbytère ★ *(24 juin à mi-oct tlj 9h à 19h; 100 rue de l'Église, ☎856-2603)*. Reconstruite en 1877 sur les fondations de l'église érigée en 1792, l'église de Rivière-Ouelle a été dessinée par l'architecte David Ouellet, originaire de La Pocatière. L'intérieur recèle quelques trésors, entre autres le maître-autel importé de France (1716) et sept tableaux de Louis Dulongpré. Le presbytère voisin, contruit en 1881, est un bel exemple du style Second Empire, caractérisé par une haute mansarde. Il a été subdivisé en huit logements en 1978.

L'**École Delisle** *(1$; 24 juin à la fête du Travail tlj 10h à 18h; 214 rte 132, ☎856-3504)* fut construite en 1931. On y accueillait à l'époque une trentaine d'élèves. Elle servit de décor au téléroman *Cormoran*.

Maison Jean-Charles-Chapais *(on ne visite pas; 204 rte 132)*. Cette jolie maison de 1821 est coiffée d'une toiture à larmiers cintrés, typiques du pays du Kamouraska. Il semble que cet élément architectural ait été emprunté à la construction navale des goélettes. Fort répandu dans la région au cours de la première moitié du XIXe siècle, le toit «Kamouraska» arrondi rappelle d'ailleurs la carène des navires. Jean-Charles Chapais (1811-1885), l'un des pères de la Confédération canadienne, y a habité avant d'emménager dans une demeure plus luxueuse à Saint-Denis.

Manoir Casgrain *(13 rue Casgrain)*. On retrouvait autrefois deux manoirs seigneuriaux à Rivière-Ouelle. Le manoir d'Airvault, situé en bordure de la rivière, a malencontreusement été démoli vers 1910. Seul le manoir Casgrain, construit en 1834, subsiste. Plus modeste que le premier, il présente l'aspect d'une longue maison de bois aux ouvertures symétriques, dont la haute toiture recouvre une galerie. Il est visible sur la gauche entre les maisons. Le manoir subit actuellement des travaux de rénovation *(on ne visite pas).*

Saint-Denis

Au cœur du pays du Kamouraska, Saint-Denis est un bourg typique dominé par son église. En face de celle-ci se dresse un monument rendant hommage à l'abbé Édouard Quertier (1796-1872), fondateur de la «croix noire de la tempérance», qui fit campagne contre l'alcoolisme. C'est à la suite de la tournée canadienne de Mgr de Forbin-Janson en 1840-1841 qu'il a eu l'idée de ce mouvement. À chacune des personnes qui s'engageait à ne plus boire d'alcool, il remettait solennellement une croix noire...

Maison typique de la région

Maison Chapais ★ *(3$; fin juin à la fête du Travail tlj 10h à 18h; 2 rte 132 E., ☎498-2924).* Jean-Charles Chapais a fait agrandir cette maison ancienne en 1866, afin de lui donner une prestance équivalente à sa prestigieuse carrière politique. À cette occasion, la structure fut exhaussée et la devanture parée de galeries et d'escaliers sinueux, dignes de l'un des pères de la Confédération. Son fils, Sir Thomas Chapais (1858-1946), ministre dans le gouvernement Duplessis, y est né et y a vécu la majeure partie de son existence. L'intérieur de la maison, ouverte aux visiteurs, a conservé son apparence d'origine. On peut notamment voir les splendides meubles Second Empire de la famille Chapais. La visite dure 30 min.

★ Kamouraska

Les tout premiers colons sont arrivés en 1675 après que Frontenac, gouverneur de la Nouvelle-France, eut cédé la seigneurie de Kamouraska à Olivier Morel de la Durantaye. Le 31 janvier 1839, le jeune seigneur de Kamouraska, Achille Taché, est assassiné par un ami, le docteur Holmes, de Sorel. L'épouse du seigneur, Joséphine-Éléonore d'Estimauville, avait comploté avec son amant médecin afin de supprimer un mari gênant pour ensuite s'enfuir vers de lointaines contrées.

Ce fait divers a inspiré Anne Hébert pour son roman *Kamouraska*, qui fut porté à l'écran par Claude Jutra. Le village où s'est déroulé le drame qui devait le rendre célèbre fut pendant longtemps le poste le plus avancé de la Côte-du-Sud.

Son nom, qui signifie «où il y a des joncs au bord de l'eau» en langue algonquine, est depuis longtemps associé au pittoresque de la campagne québécoise. Remarquez la cambrure en lamier cintré du toit de certaines maisons d'époque. Cet élément architectural vise à éloigner l'eau de pluie des murs des bâtiments, empêchant ainsi leur détérioration.

Le **Domaine seigneurial Taché** ★ *(2,50$; mi-juin à mi-sept, tlj 9h à 18h; 4,av. Morel, ☎492-3768)* est très prisé des fervents de *Cormoran*, un célèbre feuilleton de Pierre Gauvreau. Vous serz sans doute enchanté de pouvoir visiter les lieux du tournage avec leurs paysages grandioses où se dressent la petite école, le grand magasin, la boucherie et l'hôtel... Vous le trouverez à l'est de Kamouraska, le long de la route 132. En continuant toujours vers l'est jusqu'à Saint-André, vous verrez au 127 rue Principale, l'hôtel Saint-André, qui loge la boucherie de Clément Veilleux (toujours dans le feuilleton)

Si vous désirez voir tous les sites utilisés pour le tournage des scènes extérieures du téléroman ou si vous vous intéressez au patrimoine québécois, voici un itinéraire qui vous sera utile. Rendez-vous à Rivière-Ouelle par la route 132; on y trouve la **petite école du Button** *(214 rte 132, près de la rte du Quai)*.

Empruntez par la suite la route du Quai; elle mène à la magnifique **résidence estivale du chanoine Legendre**, qui est en fait une auberge. Vous pourrez vous y restaurer tout en contemplant les majestueuses montagnes de Charlevoix, de l'autre côté du fleuve. Kamouraska vous invite ensuite à venir visiter l'intérieur de son **église**, qui fut à plusieurs reprises utilisée comme lieu de tournage. Continuez le long de la route de Kamouraska en direction sud, et vous atteindrez le **moulin Paradis** *(2$; mi-mai à l'Action de grâce, tlj 9h à 17h; 154 ch. Moulin-Paradis, ☎492-5365)*, construit en 1804. La visite dure 45 min. Après avoir visité le moulin, vous apercevrez la **gare de Baie-d'Esprit**, qui se dresse au cœur de la ville de Saint-Pascal. Revenez ensuite sur vos pas, et prenez la route 132 en direction est.

Le **Site d'interprétation de l'anguille** ★ *(4$; juin à mi-oct tlj 9h à 18h; 205 av. Morel, ☎492-3935)* propose des visites guidées et des excursions de pêche. On y a une vue superbe sur le fleuve. La visite dure en moyenne 30 min. Cette petite entreprise, qui vit le jour en 1986, visait initialement à offrir des services aux pêcheurs du Bas-Saint-Laurent.

D'abord spécialisée dans la réparation des filets de pêche (ramendage), l'entreprise vend par la suite des filets pour terrains de balle molle et courts de tennis. La pêche à l'anguille représente une activité économique importante dans la municipalité régionale de comté (MRC) de Kamouraska. On y pêche 78% des anguilles du Bas-Saint-Laurent. En fait, l'industrie de la pêche de cette région dépend à 97% de ce poisson à forme allongée. La saison de pêche s'étend de septembre à la fin octobre.

Ancien couvent datant de 1851, le **Musée de Kamouraska** ★ *(4$; mi-juin à la fête du Travail tlj 9h à 17h, jusqu'à mi-déc fermé lun; 69 av. Morel, ☎492-9783)*, vous fait revivre plusieurs siècles d'histoire. On y a recréé, dans différentes pièces, l'environnement du quotidien d'autrefois. Ainsi, vous pourrez voir ce à quoi ressemblait alors l'intérieur d'une école, d'une maison ou d'une église.

De plus, on y a disposé divers instruments servant à pêcher ou à cultiver la terre. Des salles rappellent le travail du cordonnier, du menuisier et du forgeron. Ce musée d'ethnologie reflète très bien les traditions ancestrales. Vous comprendrez bien, en le visitant, toute la place que prenait l'Église à cette époque; vous aurez d'ailleurs l'occasion de voir un autel dont le tabernacle date de 1737. Enfin, on ne manque pas d'y parler de navigation et d'artisanat. Des expositions d'œuvres d'artistes locaux ont lieu tout l'été.

L'**Ancien Palais de justice de Kamouraska** *(3$; juin à début sept tlj 9h30 à 17h; 111 av. Morel, ☎492-9458)* est un édifice aux allures médiévales. On y présente de nombreuses expositions d'œuvres d'artistes régionaux, des spectacles, des concerts ainsi que des pièces de théâtre.

Au milieu du XIXe siècle, on trouvait à Kamouraska un palais de justice desservant une grande partie de la population de l'est du Québec. Jusqu'en 1883, la Cour supérieure logea d'ailleurs à cet endroit. Cependant, le gouvernement provincial relocalisa plus tard le palais de justice à Rivière-du-Loup.

Ce palais de justice, construit à la fin des années 1880, abrita la Cour de Circuit et le Bureau d'enregistrement du comté jusqu'en 1913. Par la suite, il fut utilisé à des fins communautaires; on y retrouve aujourd'hui encore le centre des loisirs et un centre d'art. Vous pouvez également y voir des spectacles et des expositions d'œuvres de différents artistes régionaux pendant l'été.

Le palais de justice comporte plusieurs styles architecturaux. Alors que sa mansarde relève du Second Empire, la tour centrale avancée, les poivrières d'angle, les créneaux et la tour latérale s'inspirent de l'architecture des châteaux de la Loire. Ce lieu présente l'aspect d'une forteresse évoquant la force et le pouvoir.

La **maison Langlais** *(on ne visite pas; 376 rang du Cap)*, construite en 1751, fut réparée à la suite de la Conquête, ce qui en fait un des plus anciens bâtiments encore debout dans le Bas-Saint-Laurent. Isolée dans un champ, cette grande demeure a servi de toile de fond pour les scènes extérieures du film de Jutra, *Kamouraska*.

★ Saint-André

Des collines abruptes plongeant directement dans le fleuve avoisinent ici les champs plats, ce qui compose un paysage agréable; en automne, ce décor est mis en évidence par les clôtures de piquets qu'on enfonce dans le sol marin et qu'on habille de filets et de cages à proximité du rivage pour la pêche à l'anguille. Au large, vous apercevrez distinctement les cinq îles qui composent l'archipel des Pèlerins. Ces îles, au profil accentué et dénudé, sont le refuge d'importantes colonies d'oiseaux de mer (cormorans à aigrette, eiders à duvet, guillemots noirs).

Grand héron

La **Halte écologique des battures du Kamouraska** ★ *(2$; mai à fin oct; sur réservation seulement; halte routière, rte 132, à l'ouest de St-André de Kamouraska, ☎493-2604)* est un centre qui a pour but premier d'expliquer l'importance des battures qui filtrent l'eau du fleuve et qui servent d'habitat à de nombreuses espèces d'oiseaux et d'invertébrés. Vous pouvez observer les marais salants, faire une baignade, pique-niquer et parcourir le site. Si vous avez de la chance, vous verrez peut-être des bélugas et des faucons pèlerins.

La flore locale se compose, entre autres, de 315 espèces d'halophytes, dont l'orge agréable, l'iris à pétales aigus et la julienne des dames. La faune comprend, quant à elle, 77 espèces d'oiseaux, dont le cormoran à aigrette, le grand héron et le canard noir, ainsi que plusieurs mammifères et invertébrés. Un belvédère offre une vue imprenable sur le fleuve. Les amateurs de photographie et d'ornithologie seront comblés. Des guides spécialisés organisent plusieurs activités.

L'**église Saint-André** ★★ *(juin à la fête du Travail tlj 9h à 17h; 128 rue Principale, ☎493-2152)*, érigée de 1805 à 1811, est une des plus anciennes églises de la région. Son plan à la récollette, caractérisé à la fois par l'absence de chapelles latérales et par un rétrécissement de la nef au niveau du chœur, terminé par un chevet plat, se distingue de l'habituel plan en croix latine des églises du Québec.

Le profil gracieux de l'édifice, couronné d'un clocher élancé à double lanternon, en fait un élégant exemple d'architecture québécoise traditionnelle. Le décor intérieur, d'inspiration Louis XVI, fut exécuté par Louis-Xavier Leprohon à partir de 1834. Le maître-autel, conçu par Thomas Baillargé en 1826, est une réplique de celui de la cathédrale de Québec. Parmi les autres éléments d'intérêt, il faut mentionner l'orgue Mitchell de 1874 ainsi que trois huiles, dont *Le martyre de saint André,* de Louis Triaud, réalisé en 1821 pour le fond du chœur.

La **Maison de la Prune** *(août à oct tlj 9h à 18h; 129 rte 132, ☎493-2616)* est un «verger-musée» et un centre de documentation, ainsi qu'un ancien magasin général où vous pourrez acheter divers produits du verger tels que gelées, confitures, etc. On y organise des visites guidées le dimanche à 10h30, 13h, 14h30 et 16h.

★★
Notre-Dame-du-Portage

Autrefois, le sentier de portage tracé entre le fleuve Saint-Laurent et le lac Témiscouata rejoignait le fleuve Saint-Jean, au Nouveau-Brunswick, jusqu'à la baie de Fundy. Ce sentier constituait une route stratégique pour l'acheminement du courrier et les manœuvres militaires.

Le soleil se couchant sur les montagnes de Charlevoix est un spectacle haut en couleur. Pour en apprécier toute la beauté, quittez l'autoroute 20 à la sortie de Pohénéga-mook, tournez à gauche par la route 289, en direction de la route 132, et vous arriverez à l'entrée du petit village de quelque 1 000 habitants de Notre-Dame-du-Portage.

De mi-juin à début septembre, un bureau saisonnier d'information touristique (tlj 8h30 à 19h30; ☎860-4685) est ouvert à la halte routière qui se trouve sur l'autoroute 20.

Rivière-du-Loup

L'emplacement de cette ville fut à l'origine habité par des Amérindiens nomades. En l'an 1000, des Vikings hivernèrent sur l'île aux Lièvres, près de Rivière-du-Loup. Sous le Régime français, la région se peupla lentement. En 1765, près d'un siècle après sa fondation, le poste de traite de Rivière-du-Loup ne compte que 68 habitants; il faut attendre l'ouverture de la scierie de Henry Caldwell en 1799 et l'acquisition de la seigneurie par Alexander Fraser en 1802 pour que naisse véritablement la ville.

Il existe trois légendes expliquant la provenance du nom de la ville. La première suggère qu'un bateau français, *Le Loup*, ait séjourné à l'embouchure de la rivière; la deuxième, qu'une tribu amérindienne appelée «Les Loups» ait habité là, et la troisième, la plus vraisemblable, que plusieurs loups-marins (phoques) aient vécu jadis à l'embouchure de la rivière.

Rivière-du-Loup est aujourd'hui un centre administratif, éducatif et commercial qui joue un rôle charnière entre les grands centres du Qué-

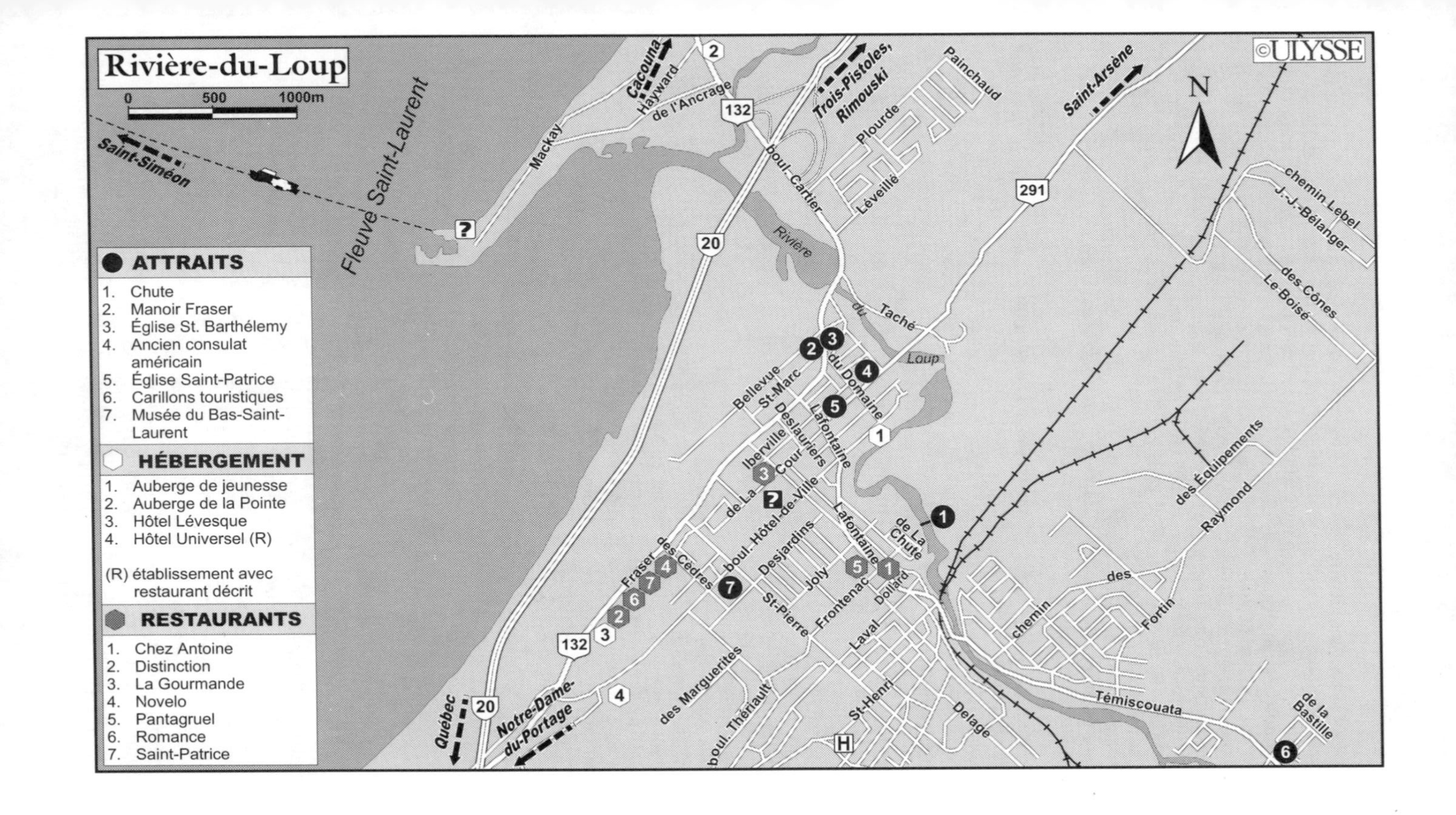

Rivière-du-Loup
0
500
1000m
©ULYSSE
ATTRAITS
1. Chute
2. Manoir Fraser
3. Église St. Barthélemy
4. Ancien consulat américain
5. Église Saint-Patrice
6. Carillons touristiques
7. Musée du Bas-Saint-Laurent
HÉBERGEMENT
1. Auberge de jeunesse
2. Auberge de la Pointe
3. Hôtel Lévesque
4. Hôtel Universel (R)
(R) établissement avec restaurant décrit
RESTAURANTS
1. Chez Antoine
2. Distinction
3. La Gourmande
4. Novelo
5. Pantagruel
6. Romance
7. Saint-Patrice
Fleuve Saint-Laurent
Saint-Siméon
Cacouna
Trois-Pistoles, Rimouski
Saint-Arsène
Québec
Notre-Dame-du-Portage
Mackay
Hayward
de l'Ancrage
boul. Cartier
Plourde
Painchaud
Léveillé
Rivière du Loup
Taché
Bellevue
St-Marc
du Domaine
Deslauriers
Lafontaine
Iberville
de La Cour
boul. Hôtel-de-Ville
Desjardins
Joly
Frontenac
Dollard
de La Chute
Fraser
des Cèdres
St-Pierre
Laval
St-Henri
Delage
des Marguerites
boul. Thériault
Témiscouata
de la Bastille
chemin des Fortin
Raymond
des Équipements
des Cônes
Le Boisé
chemin Lebel
J.-J.-Bélanger
N

bec et ceux des Provinces maritimes.

La **Chute** est située en plein cœur de la ville. D'une hauteur de 30 m, elle alimentait autrefois la ville en électricité. L'endroit se prête bien à la photographie, d'autant plus qu'un belvédère et deux passerelles surplombent les lieux.

Manoir Fraser ★ *(on ne visite pas; 32 rue Fraser)*. La seigneurie de la Rivière-du-Loup a d'abord été concédée en 1673 au riche négociant de Québec, Charles Aubert de La Chesnaye, avant de passer entre plusieurs mains, toutes peu intéressées par ce territoire lointain. Henry Caldwell puis Alexander Fraser lui donneront finalement son envol. Cette maison, érigée en 1830 pour Timothy Donahue, est devenue la résidence seigneuriale de la famille Fraser à partir de 1835. En 1888, elle a été mise au goût du jour par les soins de l'architecte Georges-Émile Tanguay, de Québec.

Tournez à droite dans la rue du Domaine.

Église St. Barthélemy *(on ne visite pas; rue du Domaine)*. À l'époque où cette église fut érigée (1841), Rivière-du-Loup s'appelait *Fraserville* et comptait une importante population d'origine écossaise dont faisait partie son seigneur, Alexander Fraser. Le temple presbytérien, digne représentant de l'Église d'Écosse, est un édifice sobre, en bois, aux traits vaguement néogothiques. Il est de nos jours le fantôme d'une communauté presque totalement disparue.

Tournez à droite dans la rue Iberville.

Ancien consulat américain *(1 rue Iberville)*. Cette demeure bourgeoise, aujourd'hui propriété des clercs de Saint-Viateur, a servi de consulat américain au début du XXe siècle, à l'époque où Rivière-du-Loup entretenait de nombreux liens commerciaux avec l'État du Maine. On remarquera ses larges galeries à pièces chantournées, apparentées au style Queen Anne. L'**ancien bureau de poste**, bel édifice en pierre datant de 1888, se trouve à proximité.

Tournez à gauche dans la rue Lafontaine.

L'**église Saint-Patrice** ★ *(121 rue Lafontaine)* fut reconstruite en 1883 sur l'emplacement de l'église de 1855. L'intérieur recèle quelques trésors, entre autres un chemin de croix de Charles Huot, des verrières de la firme Castle (1901) et des statues de Louis Jobin. La rue de la Cour, en face de l'église, mène au **palais de justice** *(33 rue de la Cour)*, érigé en 1882 selon les plans de l'architecte Pierre Gauvreau. Plusieurs juges et avocats se sont fait construire de belles maisons le long des rues ombragées du voisinage.

Les **Carillons touristiques** *(4$; juin à août tlj 9h à 20h, sept et oct 9h à 17h; depuis l'autoroute 20, prenez la route 185 et faites 5 km, empruntez la sortie «boulevard de la Plaine», tournez à gauche dans la rue Témiscouata, 393 rue Témiscouata, ☎862-3346)* constituent une très belle collection privée de cloches dont la plus ancienne date de 1718. Leur poids varie de 35 kg à 2,5 tonnes. La visite dure environ une heure.

Le **Musée du Bas-Saint-Laurent** *(3,50$; 24 juin à la fête du Travail, tlj 10h à 18h; 300 rue St-Pierre, ☎862-7547)* présente différentes expositions portant sur l'ethnologie et l'histoire régionale ainsi que sur l'art contemporain. La visite guidée dure environ une heure.

★ L'Isle-Verte

Petite municipalité située à 27 km au nord de Rivière-du-Loup, L'Isle-Verte vit de la pêche et de l'agriculture. Au village, vous trouverez du poisson fumé, sorti directement des fumoirs, ou du poisson frais dans les poissonneries. Le village était, au XIXe siècle, le centre commercial et industriel du comté.

Rimouski
ATTRAITS
1. Théâtre d'été de Rimouski
2. Bureau d'information touristique
3. Musée régional de Rimouski
4. Cathédrale Saint-Germain-de-Rimouski
5. Site historique de la maison Lamontagne
HÉBERGEMENT
1. Chez Victoria
2. Hôtel Rimouski
3. Logis Vacances
RESTAURANTS
1. Brochetterie chez Gréco
2. Café Central
3. Café des Halles
4. Café l'Entracte
5. La Forge du Père Cimon
6. La Seigneurie
7. Le Lotus
8. Le Mix
9. Le Saint-Louis
10. Serge Poully
Fleuve Saint-Laurent
Quai
Sainte-Flavie
Le Bic
Rivière Rimouski
0
500
1000m
©ULYSSE

Au large se trouve l'île Verte, la seule île du Bas-Saint-Laurent à être habitée toute l'année. En hiver, on y trouve une quinzaine d'insulaires.

La **petite école** *(2$; mi-juin à début sept, mer-dim aux heures des marées; ch. Principal, île Verte, ☎898-2757)* est une ancienne école de rang. Vous y verrez une exposition portant sur différents thèmes comme la mer, les mammifères marins et le monde de l'île.

★
Trois-Pistoles

On raconte qu'un marin français de passage dans la région au XVIIe siècle échappa son gobelet d'argent d'une valeur de trois pistoles dans la rivière toute proche, donnant du coup un nom très pittoresque à celle qui devint plus tard une petite ville industrielle.

Cette ville fut le site de tournage du téléroman *L'Héritage*, écrit par le Pistolois Victor-Lévy Beaulieu.

L'**église Notre-Dame-des-Neiges-de-Trois-Pistoles** ★ *(mi-mai à mi-sept tlj 9h à 18h, mi-oct à mi-mai dim 13h à 17h; 30 rue Notre-Dame E., ☎851-1391)* domine le paysage avec ses trois clochers. L'architecte David Ouellet, dont c'est le chef-d'œuvre, en a conçu l'extérieur, alors que le chanoine George Bouillon, d'Ottawa, a imaginé l'extravagant décor romano-byzantin de l'intérieur.

Le **Musée Saint-Laurent** *(3$; mi-juin à mi-sept tlj 8h30 à 18h; 552 rue Notre-Dame O., ☎851-2345)* possède des voitures anciennes, des équipements aratoires et d'autres antiquités. De plus, vous pourrez y admirer un grand nombre de voitures dont plusieurs ont servi aux tournages de films.

Du manoir seigneurial Rioux-Belzile, vous aurez une vue imprenable sur l'**île aux Basques**, une réserve ornithologique.

Au **parc de l'aventure basque en Amérique** *(6$; juin à mi-oct tlj 9h à 20h; 66 rue du Parc, ☎851-1556)*, on fait l'interprétation de la pêche à la baleine que les Basques venus dans la région en 1584 pratiquaient.

★★
Saint-Fabien

Le paysage devient tout à coup plus tourmenté et plus rude, donnant au visiteur un avant-goût de la Gaspésie, plus à l'est. Ce petit village est adossé à des falaises de plus de 200 m.

Au centre du village, on peut admirer la seule **grange octogonale** du Bas-Saint-Laurent. Elle fut construite en 1888 selon des plans de l'Américain Orson Squire Fowler.

Rimouski

Le développement de la seigneurie de Rimouski, nom qui signifie «le pays de l'orignal» en langue autochtone, fut entrepris laborieusement dès la fin du XVIIe siècle par le marchand René Lepage, originaire d'Auxerre. En 1919, la ville devint un important centre de transformation du bois, grâce à l'ouverture d'une usine de la firme Abitibi-Price. Aujourd'hui, Rimouski est considérée comme le centre administratif de l'est du Québec et se targue d'être à la fine pointe de la culture et des arts.

Rimouski se situe entre Québec et Gaspé le long de la route 132.

Un **tour de ville** *(45$ par groupe; ☎723-2322)* vous fait découvrir l'histoire régionale, la vocation maritime de la ville, son histoire, son économie et, surtout, la légende de l'ermite de l'île Saint-Barnabé. De plus, on parle de deux catastrophes : l'incendie qui détruisit le tiers de la ville en 1950 et le naufrage de l'*Empress of Ireland* en 1914. Vous parcourrez ainsi Rimouski, Rimouski-Est et Pointe-au-Père. La visite dure 1 heure 30 min.

Quatre **promenades historiques** *(6$ avec guide,*

5,64$ avec audioguide; ☎723-2322) peuvent être effectuées au cœur même de Rimouski. Pour profiter pleinement de ces circuits pédestres, vous pouvez louer un audioguide et acheter une brochure sur l'architecture et l'histoire de Rimouski (en vente au bureau d'information touristique). Chaque circuit dure environ deux heures.

Un **concours d'élégance de voitures anciennes** *(☎723-4800, poste 28)* se tient au parc Beauséjour pendant deux jours à la mi-juillet.

L'**Exposition régionale de Rimouski** *(☎723-1666)* est une exposition agricole, commerciale et industrielle. Elle a lieu de la fin juillet au début août et dure cinq jours.

Construite entre 1854 et 1862, la **cathédrale Saint-Germain-de-Rimouski** *(tlj 8h à 16h30; 11 rue St-Germain O.)* présente un style néo-gothique intéressant. En plus de comporter des verrières, des sculptures et des peintures, elle renferme un orgue Casavant à 4 500 tuyaux datant de 1921.

Le **Musée régional de Rimouski** *(adulte 4$, étudiant 3$; 24 juin au 2 sept tlj 10h à 18h et jeu jusqu'à 21h, le reste de l'année mer-dim midi à 17h et jeu jusqu'à 21h; 35 rue St-Germain O., ☎724-2272)* vous fera connaître l'art contemporain, l'histoire et les sciences à Rimouski. Il est situé dans une ancienne église en pierre au centre-ville de Rimouski. La visite dure environ une heure. Le musée fut rénové à grands frais (un million de dollars) au printemps de l'année 1993.

Sur le **Site historique de la Maison Lamontagne** *(3$; mi-mai à mi-oct tlj 9h à 18h; suivez les panneaux bleus, 6 km à l'est du centre-ville, Rimouski-Est, 707 boul. du Rivage, ☎722-4038)* se dresse une maison construite en colombage pierroté (XVIIIe siècle). Vous y verrez différentes expositions sur l'architecture, l'archéologie et l'ameublement ancien. La visite dure 45 min.

Le **Musée de la Mer** ★ *(4,75$; mi-juin à fin août tlj 9h à 18h, sept à mi-oct tlj 9h à 17h; boutique, ℜ; 1034 rue du Phare O., Pointe-au-Père, ☎724-6214)* est aussi un lieu historique national. Le «hangar de la corne de brume» est le deuxième plus haut phare au Canada. De plus, on y relate le naufrage de l'*Empress of Ireland*, qui a fait 1 012 morts au large de la municipalité. La visite dure 1 heure 15 min.

Classée monument historique en 1955, l'**église de Sainte-Luce-sur-Mer** *(mai à oct tlj 8h30 à 16h30; rte du Fleuve, Ste-Luce-sur-Mer, 18 km à l'est de Rimouski, ☎739-4363)* fut construite en 1840. Elle révèle un décor intérieur très intéressant. De nombreux vitraux représentent des scènes bibliques et des personnages de la France et du Québec.

La **Galerie Basque** *(toute l'année, en été tlj 10h à midi et 13h à 17h; 1402 boul. St-Germain, 10 km à l'ouest du centre-ville, ☎723-1321)* est une des plus belles galeries d'art du Québec. Vous y verrez plus de 200 tableaux d'artistes québécois contemporains.

Le **Canyon des Portes de l'enfer** ★★ *(5$; mi-mai à mi-oct tlj 10h à 17h; à St-Narcisse-de-Rimouski, parcourez 5,6 km sur une route de terre, ☎750-1586)* offre un spectacle naturel fascinant, surtout en hiver. Amorcées par la chute Grand Saut (18 m), les Portes s'étendent sur près de 5 km et encaissent la rivière Rimouski avec des falaises atteignant parfois 90 m. Des excursions guidées en bateau ont lieu dans le canyon.

Circuit B : Les tourbières

Vous verrez, tout le long de ce circuit, de nombreux champs de tourbe et bon nombre de villages charmants. Une douzaine d'entreprises de la région produisent près de 70% de la tourbe au Québec. Les aspirateurs qu'on aperçoit au passage servent à récupérer la mousse de sphaigne, utilisée dans la culture horticole et maraîchère.

Empruntez la route 230 depuis La Pocatière en direction de Saint-Pacôme.

★

Saint-Pacôme

Saint-Pacôme est un charmant petit village situé en retrait du fleuve et à 10 km de La Pocatière.

Le **Domaine des Fleurs** ★ *(5$; 24 juin à la fête du Travail tlj 10h à 17h; 24 rue du Moulin, ☎852-3409)* vous propose des sentiers aménagés où prédominent les vivaces. La visite de 1 heure 15 min vous mène le long d'une rivière et dans des sous-bois.

Saint-Pascal

Cette petite ville a connu la prospérité au XIXe siècle grâce à la force des courants de la rivière aux Perles, qui a incité des entrepreneurs à construire des minoteries, des scieries et des usines de cardage sur ses rives. On peut y voir quelques résidences bourgeoises ainsi qu'une église construite en 1845.

L'**église de Saint-Pascal** *(tlj 9h à 19h; rue Taché, ☎492-6345)* est réputée pour ses statues d'archanges classées «biens culturels». Elles furent taillées à la fin du XIXe siècle par Louis Jobin et Auguste Dionne.

Saint-Alexandre

Le petit village de Saint-Alexandre est situé à 52 km de La Pocatière.

Au **Centre d'exploitation multiressources Havre de Parke** *(3$; toute l'année 9h à 16h30; rte 289, ☎495-2333)*, vous serez initié à l'histoire amérindienne.

Au centre du village, la route 289 croise la route 230. Empruntez la route 289 en direction nord pour rejoindre la route 132.

Circuit C : Les lacs

Par ce circuit, vous découvrirez les montagnes, les vallées, les lacs, les rivières et les plateaux que cache le Bas-Saint-Laurent à l'intérieur des terres, près des frontières du Nouveau-Brunswick et du Maine. C'est une véritable oasis de calme et de plein air.

Ce circuit de 260 km commence sur la route 289 et se poursuit sur la route 232. Vous longerez d'abord la frontière des États-Unis avant d'arriver au lac Témiscouata, au tournant. Le trajet continue vers Cabano et Dégelis par la route 185, et se poursuit sur la route 295. Près de Squatec, vous rejoindrez la route 232, qui vous ramènera vers Rimouski.

★

Pohénégamook

Cette municipalité est née de la fusion de trois villages : Saint-Éleuthère (fondé en 1874), Escourt (fondé en 1929) et Sully (fondé en 1917). Ces derniers constituent maintenant les trois quartiers de la municipalité.

Au **Centre touristique Tête-du-Lac** *(3$; 24 juin à fin août tlj 10h à 18h; 50 ch. de la Tête-du-Lac, ☎859-3346)*, vous pourrez passer une journée tranquille à la plage ou encore pratiquer une activité nautique. On fait la location d'équipement sur place.

Pohénégamook Santé Plein Air *(sortie 488 de l'autoroute 20 après Saint-André, Estcourt, ☎800-463-1364)* est un centre familial qui propose toute une gamme d'activités de plein air, entre autres le vélo (jusqu'aux États-Unis), le pédalo, les sorties à la cabane à sucre, le sauna finlandais, la randonnée pédestre, l'escalade, la planche à voile, le canotage, la voile, le ski et la marche en raquettes.

Rivière-Bleue

Né de l'industrie forestière (1914), ce village dépend encore grandement de la forêt. On le surnomme «Petite Floride» à cause de son inclinaison vers le sud, qui lui confère un microclimat particulier. Il était tristement célèbre pour la contrebande d'alcool à l'époque de la Prohibition aux États-Unis (1920-1933).

Pour vous rendre à Cabano, n'oubliez pas de tourner à gauche sur la route 289 Sud, puis de suivre la route 232 Est.

Cabano

Le site était déjà fréquenté par les Amérindiens il y a de cela des millénaires. Cependant, il faut attendre l'ouverture d'une scierie en 1907 pour qu'une ville naisse. Aujourd'hui, Cabano dépend beaucoup des ressources forestières, ainsi qu'en témoigne la présence de l'usine de Papiers Cascades.

Le **Fort Ingall** ★ *(6$; juin à fin sept tlj 9h30 à 18h; suivez les indications vers Cabano depuis l'autoroute 20, près de Rivière-du-Loup, 81 ch. Caldwell, ☎854-2375)* appartient à la Société d'Histoire et d'Archéologie du Témiscouata. Construit à la suite des querelles frontalières qui opposèrent jadis Britanniques et Américains au début du XIXe siècle, le fort devait protéger une route indispensable : le Sentier du Portage, reliant Québec et Halifax. Vous pouvez y voir les anciens dortoirs et les différentes installations des soldats. Il est possible de visiter le fort sur réservation en mai, en septembre et en octobre. La visite dure environ 2 heures 15 min.

Pour aller à Notre-Dame-du-Lac, revenez sur vos pas et suivez la route 185 Sud en direction de Dégelis.

Notre-Dame-du-Lac

Vous trouverez une halte touristique au 870 du chemin Commercial. Pour information : ☎899-6820

Baptisée à l'origine «le Détour», cette ville fut le premier relais sur la piste du Grand-Portage. Elle surplombe le lac Témiscouata, long de 40 km.

L'**hôtel de ville** est chauffé par 40 capteurs solaires, ce qui fut une première en Amérique du Nord.

Le **Musée du Témiscouata** *(3$; 24 juin à la fête du Travail mar-dim 13h à 17h et 19h à 21h; 3 rue de l'Hôtel-de-Ville, ☎899-0072)* vous fait découvrir l'histoire du Témiscouata par des photos et des objets anciens.

Dégelis

En vieux français, Dégelis signifie «qui ne gèle pas». Ce sont les forts courants de la rivière Madawaska qui empêchent les glaces de s'y former. La ville, aujourd'hui centenaire, dépend beaucoup des ressources forestières; on peut en juger par toutes les scieries qui s'y trouvent.

Ses premiers habitants furent les Malécites, puis des soldats affectés à la garde du fort Dégelis, et enfin des colons qui s'y installèrent en permanence.

Le **Centre de plein air Le Montagnais du lac Témiscouata** *(mai à déc; 750 rte 295, ☎853-2003)* propose de nombreuses activités sportives, entre autres le canotage, la voile, le tir à l'arc, la planche à voile, la baignade et la randonnée pédestre.

De Dégelis, vous quitterez la route 185 pour vous engager sur la route 295.

Sait-Juste-du-Lac (Lots Renversés)

Lots-Renversés est une municipalité rattachée à Saint-Juste-du-Lac. Son nom vient du fait que l'orientation cadastrale de ses terres est perpendiculaire à celle de Saint-Juste-du-Lac.

Saint-Juste-du-Lac se dresse du côté est du lac Témiscouata.

Jetez un coup d'œil sur les «**enfers**», ces cheminées servant à brûler la sciure, qui ponctuent le paysage en plusieurs endroits. Elles témoignent de l'activité forestière dans la région.

Auclair

Cette petite municipalité est située dans une très jolie région montagneuse. Le tourisme constitue la plus grande part de son activité économique.

Lejeune

Ce village vit le jour en 1930 (durant la Crise). Aujourd'hui, il est surtout connu à cause de la très grande érablière qui s'y trouve, ainsi que de l'opérations Dignité, mouvement collectif qui empêcha la fermeture du village.

Après Squatec, la route 232 vous mènera à Sainte-Blandine et à Rimouski.

★
Sainte-Blandine

Ce village pourrait être appelé la «banlieue de plein air de Rimouski». C'est en effet ici que les Rimouskois viennent faire de la randonnée pédestre dans la forêt de Macpès ainsi que du ski alpin et du ski de fond à la Station de ski Val-Neigette.

Continuez votre route jusqu'à Rimouski.

Porc-épic

Circuit D : Promenade champêtre jusqu'à Trois-Pistoles

Cette petite «balade champêtre» vous mènera à travers campagnes et forêts dans les municipalités de Saint-Louis-du-Ha! Ha!, de Saint-Hubert, de Saint-Cyprien et de Saint-Jean-de-Dieu. Chemin faisant, on aperçoit souvent des ours, des porcs-épics et des lièvres. Empruntez la route 185 vers Saint-Louis-du-Ha! Ha! depuis l'autoroute 20, entre Notre-Dame-du-Portage et Rivière-du-Loup.

Si vous ne voulez pas effectuer ce trajet, reprenez la route 185 en direction sud, vers Notre-Dame-du-Lac.

St-Louis-du-Ha! Ha!

Cette municipalité tire son nom, semble-t-il, du cri d'admiration que poussèrent les pionniers en apercevant le lac Témiscouata depuis le sommet d'un mont. «*Haha*» signifie en hexcuewaska «quelque chose d'inattendu», ce qui pourrait être une autre origine toponymique possible.

Aster ★ *(6$, famille 16$; 24 juin à la fête du Travail, tlj midi à minuit; 5 km à l'ouest du village, 59 ch. Bellevue, ☎854-2172)* est une petite station scientifique du Bas-Saint-Laurent. On y traite de sismologie, d'énergies douces, de météorologie, de géologie, etc. De plus, s'y tiennent des soirées d'observation au télescope et des expositions scientifiques. La visite guidée dure environ 1 heure 30 min. Le centre est maintenant équipé d'un planétarium.

Après Saint-Louis-du-Ha! Ha!, poursuivez votre chemin sur la route 185 Nord, puis empruntez la route 291 jusqu'à Saint-Hubert.

Saint-Hubert

Ce petit village est entouré de lacs, tous propices à la baignade : Saint-Hubert, Saint-François et de la Grande-Fourche.

Suivez la route (non numérotée) jusqu'à la route 293, à l'est. Saint-Cyprien est à quelques centaines de mètres au sud.

Saint-Cyprien

Ce village est surtout fréquenté au printemps à cause de la trentaine d'érablières qu'on y exploite. Continuez votre route en empruntant la route 293 Nord en direction de Saint-Jean-de-Dieu.

Saint-Jean-de-Dieu

Traversée par les rivières poissonneuses Boisbouscache et Trois-

Roches, cette municipalité vit de l'exploitation des érablières et des activités agro-forestières. C'est ici que se tient, chaque année durant la dernière semaine de juin, le festival La Grande Virée.

Après ce village, empruntez la route 293 Nord, qui mène à Trois-Pistoles.

Parcs

Circuit A : Le littoral

La **réserve nationale de faune de la Baie de L'Isle-Verte** *(mi-mai à fin oct; 371 rte 132 E., L'Isle-Verte, ☎898-2757)* renferme des marais où pullulent les invertébrés. Ses grandes étendues herbeuses constituent un site privilégié pour la reproduction du canard noir.

Le **parc du Bic** ★★★ *(rte 132, 21 km à l'ouest du centre-ville de Rimouski, à Saint-Fabien et à Bic, ☎869-3502)* est un parc de conservation provincial. D'une superficie de 33 km^2, il recèle une faune et une flore très diversifiées. Il est formé d'un ensemble d'anses, de presqu'îles, de promontoires, de collines, d'escarpements, de marais et de baies profondes. Les paysages sont superbes (pic Champlain). Ce parc côtier se prête bien à la randonnée pédestre et au vélo de montagne. Le parc regorge aussi de plantes rares. Vous y trouverez un **centre d'interprétation** *(entrée libre; mi-juin à fin sept tlj 9h à 17h).*

Circuit B : Les tourbières

Le **parc à chevreuils Richard Lynch** *(entrée libre; mai à oct tlj 8h à 20h; entre La Pocatière et Saint-Pacôme, 104 rg de la Cannelle, ☎856-5833)* est accessible par la route 230 ou encore par le village de St-Pacôme même. Parc aménagé dans une grande forêt, il compte une vingtaine de cerfs, qu'on peut observer dans leur habitat naturel. Si vous voulez voir les chevreuils de plus près, apportez des pommes et des carottes; ils en sont très friands. La visite dure 30 min.

Plages

Circuit A : Le littoral

Les amants de plages de sable se rendront à la **plage de Sainte-Luce-sur-Mer** ★★ *(tournez à gauche par la rte du fleuve en arrivant à Sainte-Luce).* On y trouve 3 km de plage de sable gris en bordure du fleuve. À la fin juillet, vous pourrez y admirer des sculptures de sable.

Circuit C : Les lacs

La **plage** ★ de Saint-Éleuthère est très appréciée en été. Elle se situe sur la rive nord du lac Pohénégamook, dans lequel vit, dit la légende, un monstre appelé Ponik.

Activités de plein air

Parmi les activités sportives d'été, le Bas-Saint-Laurent offre la randonnée pédestre, le canotage, le vélo de montagne et la baignade. En hiver, vous pourrez parcourir les sous-bois en skis de fond, en raquettes ou encore en motoneige.

À ce chapitre, vous trouverez 1 800 km de sentiers très bien entretenus et un enneigement idéal. La Trans-Québec traverse le Bas-Saint-Laurent depuis la Gaspésie jusqu'à la région de Chaudière-Appalaches; elle mène au Nouveau-Brunswick ainsi qu'au Maine (États-Unis).

Croisières

Circuit A : Le littoral

La **Grosse-Île** est située au milieu de l'**archipel de L'Isle-aux-Grues**, comptant 21 îles. À partir de 1832, cette île longue de 2,5 km fut utilisée comme lieu de quarantaine pour des millions d'immigrants en provenance d'Europe, ces derniers étant atteints de maladies infectieuses ou ayant été en contact avec des personnes infectées. On peut d'ailleurs observer plusieurs vestiges de cette époque; le cimetière et l'hôpital, datant de 1847, sont les plus éloquents.

Entre 1937 et 1957, Américains et Canadiens y ont mené des expériences secrètes visant à protéger l'Amérique contre une éventuelle guerre bactériologique. Dès 1957, l'île est également utilisée comme site de quarantaine pour les animaux entrant en Amérique. On en fait alors un centre international de recherche vétérinaire.

L'île aux Grues est la seule île de tout l'archipel de L'Isle-aux-Grues qui soit habitée en permanence. Ce sont 250 chaleureux insulaires qui se partagent des terres fertiles. Pour s'y rendre, il faut choisir une croisière d'une journée.

Croisières Lachance
32$
bar
110 de la Marina
Berthier-sur-Mer
☎888-476-7734, en saison
☎259-2140
L'entreprise Croisières Lachance organise depuis plus de 40 ans des **traversées ★★** à la Grosse-Île à bord du luxueux *Lachance III*. La traversée dure 40 min, et le séjour sur l'île est de 3 heures 30 min. Lors de cette escale, des guides vous feront visiter les lieux historiques à bord d'un train baladeur (une partie de l'île peut être visitée à pied). On a préparé un montage vidéo pour les personnes éprouvant de la difficulté à se déplacer. Il serait sage de réserver et d'arriver une demi-heure avant le départ. Les croisières partent du havre de Berthier-sur-Mer, un petit village à l'ouest de Montmagny, et sont proposées de la mi-mai à la mi-octobre.

Écomertours Nord Sud
280-1 485$
juin à mi-oct
☎724-6227 ou 888-724-8687
Écomertours Nord Sud est une entreprise spécialisée dans les croisières écologiques théma-

Phare du Pot à L'Eau-de-Vie

tiques d'une durée de deux à sept jours sur un bateau d'une capacité de 49 passagers (22 cabines). Elle propose des excursions dans plusieurs îles du Saint-Laurent dont l'île d'Anticosti et la Grosse Île. Elle organise également une sortie au casino de Pointe-au-Pic. Les excursions, à date fixe, partent du port de Rimouski-Est.

Taxi des îles
32$ pour la Grosse Île
10$ pour l'île aux Grues
mai à nov
☎248-2818
Au quai de Montmagny, le Taxi des îles, une navette rapide et souple, est équipé de toilettes et d'une cabine rigide. La traversée pour la Grosse Île dure 20 min, tandis que celle pour l'île aux Grues dure 15 min. Pour un petit supplément de 2$, vous aurez droit à votre bicyclette (pour l'île aux Grues). Vous pouvez également y louer des vélos *(8$ pour 2 heures ou 15$ pour une journée)*. Des forfaits incluant la location de vélos ou des visites guidées sont également proposés.

Excursions du littoral
30$
juin à oct tlj
départs 9h et 13h
518 rte du Fleuve
Notre-Dame-du-Portage
☎862-1366
Les Excursions du littoral vous proposent d'observer les phoques gris et les oiseaux migrateurs près des îles Pèlerins. L'excursion dure trois heures.

Société Duvetnor
12-30$
juin à mi-sept tlj
200 rue Hayward
Rivière-du-Loup
☎867-1660
⇄867-3639
www.duvetnor.com
Diverses **croisières et traversées ★★** sont organisées par la Société Duvetnor. Vous pourrez visiter les îles du Bas-Saint-Laurent et voir des guillemots à miroir, des eiders à duvet et des petits pingouins. Les départs se font à la marina de Rivière-du-Loup.

Les excursions durent de 1 heure 30 min à huit heures selon la destination choisie. **La Nuitée au Phare ★** *(170$; juin à mi-sept; ☎867-1660)* fait partie de ces dernières excursions. Vous aurez alors l'occasion de passer la nuit sur l'île Le Pot du Phare, dans les îles du Pot à l'Eau-de-Vie, en plein milieu du fleuve Saint-Laurent. Cette île a conservé son caractère sauvage; on y voit d'ailleurs de nombreux oiseaux marins et des phoques. Abandonné depuis près de 25 ans, ce lieu fut réaménagé et rouvert au public en 1989; il est maintenant classé monument historique. Le forfait comprend la traversée, une excursion commentée de trois heures, le dîner, la nuitée ainsi que le petit déjeuner et deux collations. Le départ a lieu à 12h30 à la marina de Rivière-du-Loup; retour à 13h30 le lendemain.

Croisières AML
38$
bar
sortie 507 de l'aut. 20, 200 rue Hayward, Rivière-du-Loup
☎867-3361
Les Croisières AML vous emmènent voir les bélugas à bord du *Cavalier des Mers*. Lors de la **croisière ★** vous découvrirez le béluga, le petit rorqual et peut-être même la baleine bleue. N'oubliez pas d'apporter des vêtements chauds, des jumelles et un appareil photo. Les départs ont lieu à la marina de Rivière-du-Loup; du début juillet au début octobre, le bateau part à 9h, 13h et 17h (mi-juil à mi août), et la croisière dure environ 3 heures 30 min.

En visitant l'**île aux Basques ★** *(15$; mi-juin à mi-oct; 468 rue Vézina, Trois-Pistoles, ☎851-1202)*, qui fait 2 km de long sur 400 m de large, vous apprendrez comment les Basques pêchaient la baleine. On y voit d'ailleurs encore trois fourneaux. L'excursion en bateau dure 15 min et la balade guidée trois heures. Des découvertes ont permis de confirmer la présence de pêcheurs basques dans la région de Trois-Pistoles au XVIe siècle (surtout à l'île aux Basques). Les départs se font au quai de Trois-Pistoles.

Les **Excursions dans les îles du Bic** ★★ *(25$; 20 juin à 10 sept tlj, selon les marées; marina du parc du Bic, ☎736-5739)* vous permettent de découvrir les îlots, les falaises et les récifs du Bic à bord d'un bateau. Durant cette excursion de deux heures, vous aurez l'occasion d'observer de nombreux oiseaux tels que cormorans, eiders et goélands argentés. On aperçoit souvent des phoques gris ou communs. Deux départs ont lieu tous les jours à la marina du parc du Bic *(rte 132, 17 km à l'ouest de Rimouski)*, entre 8h et 19h, selon l'heure des marées, de la mi-juin à la mi-septembre. Munissez-vous de vêtements chauds, de jumelles et d'un appareil photo.

Tours guidés en minibus

Circuit A : Le littoral

Des **tours guidés en minibus** ★★ *(12,50$; fin juin à mi-août tlj; 33 rte 132 O., Le Bic, ☎869-3333)* ont lieu dans le parc du Bic. Vous pourrez vous rendre au sommet du pic Champlain (346 m) et vous balader dans le parc tout en écoutant les guides. La balade dans le parc dure deux heures, alors que la navette pour le pic Champlain *(4$; 12h30, 13h, 13h30, 14h, 14h30, 15h, 15h30 et 16h)* prend 30 min pour s'y rendre. Les départs pour la balade ont lieu au camping du Bic, tandis que ceux de la navette se font au stationnement du pic Champlain. Il est bon de toujours téléphoner avant de se rendre sur place, car l'heure des départs change assez souvent.

Ornithologie

Circuit A : Le littoral

Ornitour
14$
233 av. Louise
☎/≠241-5368
ornitour@globetrotter.ca
Ornitour est surtout connu dans la région pour sa célèbre sortie à l'île aux Grues. Vous aurez l'occasion alors d'y voir différentes sortes d'oiseaux sauvages et domestiques (canards, oies, etc.) et d'apprendre comment Ornitour rend les oiseaux de passage plus facilement observables. On fournit, pour toutes les sorties, le transport, les jumelles et des livres d'identification. D'autres sorties sont proposées : randonnée de trois heures dans les Appalaches *(22$)*; interprétation de la grand oie des neiges *(7$)*, d'une durée de 45 min; ainsi que des balades hivernales, soit à pied, soit en *Snow Mobile B12* de Bombardier.

Photographie

Circuit A : Le littoral

Il faut longer la route 132 en voiture ou à vélo lorsque le soleil se couche : le spectacle est féerique. Vous verrez d'ailleurs des dizaines de voitures garées sur le bord de la chaussée, car les conducteurs ne peuvent se concentrer sur la route devant un tel débordement de couleurs. Observez les **îles du Bic** attentivement : vous y verrez soudain la silhouette d'une femme enceinte couchée. Rendez-vous à l'**anse des Pilotes** ainsi qu'au **cap à l'Orignal** si vous voulez surprendre des phoques sur les roches.

Randonnée pédestre

Circuit A : Le littoral

Les sentiers de l'**île Verte** sont l'occasion de joyeuses randonnées. Allez observer les baleines au large de la pointe nord de l'île.

Aussi, au mois d'août, on aménage le «sentier

de la bouette» par lequel des centaines de personnes traversent à pied jusqu'à l'île Verte.

Le **parc du Bic** *(rte 132, 21 km à l'ouest du centre-ville de Rimouski, à Saint-Fabien et au Bic, ☎736-5035)* compte plus de 10 km de sentiers aménagés. De plus, le littoral s'avère idéal pour la promenade; il faut toutefois connaître l'heure des marées avant de s'y aventurer.

Les sentiers du littoral et de la rivière **Rimouski** offrent près de 15 km de sentiers pédestres *(☎723-0480)* aménagés sur des sites écologiques naturels le long de la rivière Rimouski et du fleuve Saint-Laurent. Y pousse le plus vieux mélèze du Québec.

Autour des **Portes de l'enfer** *(St-Narcisse-de-Rimouski, ☎735-2080)*, on peut s'adonner à la randonnée pédestre. Selon l'itinéraire choisi, les randonnées durent une, deux ou quatre heures.

Circuit D : Promenade champêtre jusqu'à Trois-Pistoles

En empruntant la route 293 Sud, vous trouverez à **Sainte-Rita** 5 km de sentiers.

Équitation

Circuit A : Le littoral

Académie équestre de Rimouski
15$ par personne pour groupe de trois ou plus
mi-mai à mi-nov
tlj à 13h30, 15h et 19h
1035A boul. St-Germain, Rimouski
☎722-5156
L'Académie équestre de Rimouski propose aux débutants des randonnées équestres dans le silence d'un sous-bois.

Ranch des Prés
12$ l'heure
toute l'année 9h à 21h 109 boul. des Prés O., Rimouski
☎722-7737
Le Ranch des Prés organise aussi des randonnées à cheval.

Vélo

Circuit A : Le littoral

Office du tourisme de la Côte-du-Sud
45 av. du Quai, Montmagny
☎248-9196 ou 800-463-5643
L'Office du tourisme de la Côte-du-Sud distribue gratuitement une carte très détaillée pour le cyclotourisme.

L'**Association touristique du Bas-Saint-Laurent** *(☎800-563-5268)* publie une carte identifiant les routes et les pistes cyclables de la région. Une piste cyclable traverse la ville de Rimouski sur 45 km.

Taxi des îles
8$/ 2 heures
15$/jour
tlj 8h à 20h
86 ch. Principal, St-François Montmagny, G0R 3A0
☎248-2818
Le Taxi des îles fait la location de bicyclettes.

Thibault Bicycle
mars à fin sept, lun-ven 8h30 à 21h, sam 8h30 à 17h, fermé de midi à 13h de 18h à 19h
217 des Pionniers
☎247-5523
À L'Islet-sur-Mer, Thibault Bicycle fait la vente, l'échange, la réparation ainsi que la location de vélos.

Sportagie
lun-mer 9h30 à 17h30, jeu-ven 9h30 à 21h, sam 9h à 17h
212 4e Av.
☎856-5193
À La Pocatière, la Sportagie est un grand magasin où vous trouverez tous les accessoires dont vous avez besoin pour votre vélo. De plus, l'entreprise se double d'un grand atelier de réparation. Le service y est professionnel et courtois. Le magasin est situé à deux pas de la route 132 et de l'autoroute 20. On y fait aussi la location de voiturettes *(20$ par jour)*.

Vélo Sphère
20$/jour
277 Lafontaine
☎868-1080
Chez Vélo Sphère, vous trouverez des vélos en location. On y vend aussi une panoplie d'accessoires pour le vélo et autres sports de plein air. La boutique possède un atelier de réparation.

Le **parc linéaire interprovincial Petit Témis**, accessible à tous, compte 130 km de pistes cyclables sur gravier tassé longeant les rives du lac Témiscouata et la rivière Madawaska, et ce, de Rivière-du-Loup à Edmundston (Nouveau-Brunswick).

Les balades à vélo sont très agréables sur l'**île Verte**, dont le paysage marin est très bien préservé. Vous trouverez des vélos en location aux auberges de l'île.

Parc du Bic
rte 132
21 km à l'ouest du centre-ville de Rimouski, à St-Fabien et Bic
☎869-3502
Le parc du Bic est sans contredit le plus bel endroit de la région pour faire du vélo de montagne. Vous y trouverez 14 km de pistes aménagées. Malheureusement, il n'est maintenant plus possible de gravir le pic Champlain à vélo. Vous pouvez cependant vous y rendre à pied afin d'y contempler le coucher de soleil.

Vélo Plein air
324 av. de la Cathédrale, Rimouski
☎723-0001
L'entreprise Vélo Plein air est l'endroit idéal pour faire escale si vous comptez faire le tour de la Gaspésie. Vous y trouverez en vente et en location toutes sortes d'articles de sport et de plein air. La location d'un vélo coûte 25$ par jour *(200$ de dépôt)* et celle d'une voiturette 15$ par jour *(50$ de dépôt)*. Un grand atelier de réparation de vélos s'y trouve.

Parc Beauséjour
boul. de la Rivière, rte 132, Rimouski
☎724-3167
Le parc Beauséjour compte de nombreuses pistes cyclables. Les sentiers du littoral et de la rivière Rimouski *(à moins de 2 km du centre-ville, ☎723-0480)* regroupent 7 km de pistes cyclables superbes (vélo de montagne) en bordure de la rivière Rimouski et à travers un marais.

Pédalo et canot

Circuit A : Le littoral

On peut louer des pédalos et des canots au parc Beauséjour de **Rimouski**, de 9h à la tombée du jour.

Kayak de mer

Circuit A : Le littoral

Boutique Neige et vent
30$/jour
lun-mer 9h à 17h30, jeu-ven 9h à 21h, sam 9h à 17h
4 boul. Taché E., Montmagny
☎248-6015
La Boutique Neige et vent fait la location de kayaks en tous genres.

Aventures Kayak-Eau-Fleuve
22 av. des Canotiers, Montmagny
☎248-3173
⇄248-8155
L'entreprise Aventures Kayak-Eau-Fleuve organise des excursions dans les îles de Montmagny *(30-175$ selon l'excursion)* et fait la location de kayaks *(30$ par jour ou 25$ la demi-journée)*.

Kayak-O-Tour
25$ par jour sans guide
30$ pour une demi-journée avec guide
juin à fin sept tlj 8h à 20h
Trois-Pistoles
☎851-4551
Kayak-O-Tour loue des kayaks de mer et propose des visites guidées sur le fleuve dans le secteur du littoral et des îles de Trois-Pistoles.

Vélo Plein air
324 av. de la Cathédrale,
Rimouski
☎*723-0001*
Vélo Plein air fait la location de kayaks *(30$ par jour plus 400$ de dépôt).*

Rivi-air Aventure
40$ demi-journée
vêtements compris
mai à sept tlj 8h à midi et 13h à 17h
Le Bic
☎*736-5252*
Rivi-air Aventure organise des visites guidées.

Observation des phoques

Circuit A : Le littoral

Aqua-Tours
30$
mi-avr à mi-déc tlj
St-Fabien-sur-Mer
☎*869-2300 ou 750-1998*
L'entreprise Aqua-Tours organise des sorties en mer près des îles du Bic en canot pneumatique à coque rigide. Outre les phoques, vous pourrez vous émerveiller devant les oiseaux marins, les paysages grandioses et quelques baleines.

Chasse et pêche

Circuit A : Le littoral

Sports Bang-Bang
150 av. de la Cathédrale
Rimouski
☎*722-0308*
Vous pouvez vous procurer un permis de chasse et de pêche chez Sports Bang-Bang.

À **Notre-Dame-du-Portage**, on peut pêcher l'éperlan au vieux quai des Goélettes.

Société d'aménagement de la rivière Ouelle
rte 230, pont de la rivière Ouelle
Rivière-Ouelle
☎*856-3340*
La Société d'aménagement de la rivière Ouelle compte quelque 40 fosses aménagées. La rivière Ouelle se prête tout particulièrement bien à la pêche au saumon sur une longueur de 40 km. D'une longueur totale de 76 km, elle traverse Saint-Onésime, Saint-Pacôme, Saint-Gabriel, La Pocatière et Rivière-Ouelle, où elle termine sa course dans le fleuve Saint-Laurent.

Cette rivière a été ensemencée de milliers de tacons ces dernières années. Ses abords présentent des panoramas superbes : n'oubliez pas votre appareil photo. Pour plus de détails, communiquez avec la Société d'aménagement et de développement de la rivière Ouelle., à Saint-Pacôme, au ☎852-3097, du 23 juin au 31 août. On peut obtenir les services de guides.

À **Rivière-Bleue**, la chasse et la pêche se pratiquent aux lacs Long et Beau.

ZEC Owen
Dégelis
☎*855-2717*
D'une superficie de 615 km² et comptant 39 lacs, la ZEC Owen propose de nombreux forfaits chasse (ours, cerf de Virginie, élan d'Amérique et petit gibier) et pêche (touladi, truite). Il est possible d'y faire du camping sauvage. La ZEC Owen est située sur la route 195 près de la réserve faunique de Rimouski à la frontière du Nouveau-Brunswick.

À **Trois-Pistoles**, on permet la pêche à la truite sur la rivière Trois-Pistoles de mai à septembre. Pour obtenir des renseignements ou un droit d'accès, composez le ☎851-3019.

ZEC Saumon Rivière Rimouski
18$ droit de pêche
mi-juin à mi-sept
tlj 7h à 21h
rte 132
☎*722-6453*
Pour la pêche, rendez-vous à la ZEC Saumon Rivière Rimouski.

Circuit D : Promenade champêtre jusqu'à Trois-Pistoles

Deux rivières près de **Saint-Jean-de-Dieu**, la Boisbouscache et des Trois-Roches, font le bonheur des pêcheurs de truites.

Ski alpin

Circuit A : Le littoral

Parc du Mont-Comi
18$ en semaine
24$ en fin de semaine
tlj 9h à 16h
cafétéria, bar
rte rurale 2, St-Donat-de-Rimouski, 31 km au sud-est du centre-ville de Rimouski; à l'est du village de Ste-Luce, empruntez la rte 298 sur environ 15 km
☎739-4858
Le parc du Mont-Comi vous propose 306 m de dénivelée avec 18 pentes sillonnant les versants nord et sud. Le centre est équipé de deux télésièges biplaces, et de deux téléskis à archets. Il dispose également d'un système d'enneigement artificiel.

Station de ski Val-Neigette
25$, 12$ en soirée
tlj de jour et lun-sam 19h à 22h
ℜ, *bar*
la rte 232, Ste-Blandine
☎735-2800
La Station de ski Val-Neigette est le seul endroit où il est possible de pratiquer le ski alpin en soirée dans la région. Douze pentes sont aménagées, dont 10 sont éclairées en soirée. La station est dotée de quatre remontées mécaniques, dont un télésiège quadruple et trois téléskis à archets. Elle est dotée d'un système d'enneigement artificiel.

Ski de fond

Circuit A : Le littoral

Station de ski Val-Neigette
4$
ℜ, *bar*
par la rte 232, Ste-Blandine, à 8 min du centre-ville de Rimouski
☎735-2800
La Station de ski Val-Neigette propose 34 km de pistes de ski de fond. La station est ouverte toute la semaine de jour et du lundi au samedi en soirée.

Club des raquetteurs
230 ch. des Raquetteurs, Ste-Blandine, 17 km au sud de Rimouski
☎735-5575
Le Club des raquetteurs offre 50 km de sentiers entretenus.

Parc du Mont-Comi
4,50$
cafétéria, bar
rte rurale 2, St-Donat-de-Rimouski, 31 km au sud-est du centre-ville de Rimouski
☎739-4858
Le parc du Mont-Comi compte 25 km de pistes de ski de fond.

Pohénégamook Santé Plein Air
L'un des meilleurs endroits pour faire du ski de fond est Pohénégamook Santé Plein Air. On y trouve 43,5 km de pistes balisées traversant un «ravage» où errent quelque 750 cerfs de Virginie.

Vous pouvez pratiquer ce sport à l'**île Verte** quand les voitures sont interdites de passage à la saison hivernale.

Ski à voile

Circuit A : Le littoral

Le ski à voile *(10$ l'heure; tlj 9h à 17h, lorsque le vent est bon; Rimouski, ☎722-0342)*, un nouveau sport, peut être pratiqué sur le fleuve à l'aide d'une planche à neige ou de skis alpins et d'une voile qui rappelle quelque peu un cerf-volant. Si compliqué qu'il puisse paraître, ce sport est facilement praticable par quiconque est déjà initié au ski alpin. Vous avez la ville de Rimouski en toile de fond.

Traîneau à chiens

Gallayan Aventure
déc à mi-avr
199 rue Principale
St-Gabriel-de-Rimouski
☎798-4642
Gallayan Aventure organise des excursions de deux à six jours à travers lacs et forêts.

Hébergement

Circuit A : Le littoral

Montmagny

Camping Pointe-aux-Oies
15$ avec les trois raccords
mi-mai à mi-oct
≈
45 av. du Bassin Nord
☎248-9710
Le Camping Pointe-aux-Oies dispose de 155 emplacements très bien entretenus dans un site exceptionnel parsemé de fleurs et d'arbres aux abords du fleuve. On y offre les trois services (eau, électricité, égouts).

Motel l'Oiselière
65-100$
tv, ☎, ≡, ≈, bar
105 ch. des Poirier
☎248-1640 ou 800-540-1640
Le Motel l'Oiselière compte 68 chambres spacieuses et confortables. Le jardin intérieur, avec plantes tropicales, est un endroit propice à la détente. On y propose de nombreux forfaits.

La Maison Boulet
75$ pdj
bc
433 ch. des Sucreries
☎248-2196
⇄248-2286
L'auberge offre aux visiteurs cinq chambres magnifiquement agrémentées de boiseries et de meubles antiques. Elle se situe dans un cadre serein et charmant. M. Boulet, peintre-ébéniste, a pris soin de travailler patiemment tous les meubles et les ornements de cette auberge.

À votre arrivée, outre le grand sourire des proprios, vous ne manquerez pas de remarquer une belle fontaine installée dans l'entrée. L'auberge dispose d'une salle de séjour spacieuse agrémentée d'un piano. On propose des soins de massothérapie au sous-sol, très bien fini avec un sauna et une baignoire à remous. Et que dire des petits déjeuners? Copieux et tout à fait exquis! Sur réservation, l'auberge propose également le dîner.

Tandem
75$ pdj
bc/bp
juin à nov
39 St-Jean-Baptiste O.
☎248-5511
⇄248-1515
On y offre quatre chambres bien situées au centre-ville.

Manoir des Érables
99-195$
ℜ, bp,⊗, ☎, tv
220 boul. Taché E.
sortie 376 de l'aut. 20
☎248-0100 ou 800-563-0200
www.manoirdeserables.com
Le Manoir des Érables, vieux de plus de 180 ans, renferme 23 chambres. Partout, les meubles en bois travaillé attirent le regard. Des chambres de motel entourées de verdure sont aussi à louer.

Île aux Grues

Auberge des dunes
75$ pdj
bp
fin avr à fin oct
118 ch. de la Basse-Ville
☎/⇄ 248-0129
À l'île aux Grues, vous trouverez un confortable lieu d'hébergement. L'Auberge des dunes propose neuf chambres où règne une grande tranquillité. Profitez-en pour aller prendre un repas au Bateau Ivre. On y propose un forfait incluant le petit déjeuner, le dîner et le coucher pour 125$.

Cap-Saint-Ignace

La Paysanne
55-75$
mai à déc
☎247-7276
Elle met à la disposition de ses visiteurs six unités de motel et un pavillon juste au bord du fleuve.

Auberge du Petit Cap
60-78$
51 rue du Manoir
sortie 388
☎246-5329 ou 800-757-5329
⇄246-5817
L'Auberge du Petit Cap est une demeure charmante au cachet vieillot située près du fleuve Saint-Laurent. On y trouve cinq chambres d'époque et cinq chambres de motel *(tv, bp)*.

L'Islet-sur-Mer

La Marguerite
60-110$
bp, ≡, tv
88 rte 132 E.
☎247-5454
L'auberge La Marguerite met à la disposition des visiteurs huit confortables chambres très bien équipées. Les lieux sont aménagés pour la détente; le petit jardin extérieur, le salon avec âtre d'origine et la salle de lecture sont des plus reposants.

Votre hôtesse se fera un plaisir de vous conseiller sur tout ce qu'il est bon de faire dans la région. Des vélos sont disponibles pour les clients. Il est strictement interdit de fumer à l'intérieur de l'auberge. On sert les petits déjeuners et, en haute saison, les repas du soir dans la salle à manger.

Auberge des Glacis
175$ ½p
46 rte Tortue
☎247-7486 ou 877-245-2247
www.aubergedesglacis.com
À Saint-Eugène, au sud de L'Islet-sur-Mer, vous trouverez la charmante Auberge des Glacis, un ancien moulin à farine se dressant au bord de la rivière à la Tortue. Les hôtes, Micheline et Pierre Watters, vous accueillent chaleureusement dans un cadre naturel enchanteur et romantique. En plus du confort douillet des 10 chambres, on trouve quelques kilomètres de sentiers aménagés dans un parc de 5 ha ainsi qu'un lac pour la baignade. On sert un succulent petit déjeuner.

Saint-Jean-Port-Joli

Bonnet Rouge
16$
bar, ≈, ℜ
76 av. de Gaspé E.
☎598-3088
Le Bonnet Rouge met à votre disposition 47 emplacements de camping bien aménagés.

Camping la Demi-lieue
23$
≈ chauffée, courts de tennis
sortie 414 de l'aut. 20
tournez à droite et roulez jusqu'à la jonction avec la rte 132, bifurquez à droite et faites 4 km
589 av. de Gaspé E.
☎598-6108 ou 800-463-9558
⇄598-9558
Le Camping la Demi-lieue propose plus de 315 emplacements en bordure du fleuve.

Auberge du Faubourg
68-90$
ℜ, bar, ≈, ☎, tv
280 av. de Gaspé O.
sortie 414 de l'aut. 20
☎598-6455
L'Auberge du Faubourg dispose de 100 chambres situées dans un cadre calme et charmant. Vous y aurez une belle vue sur le fleuve. On y sert un brunch le dimanche.

Saint-Roch-des-Aulnaies

Camping des Aulnaies
23$
mi-mai à mi-sept
≈ chauffée
12 km à l'est de St-Jean-Port-Joli, 1399 rte 132
☎354-2225
Le Camping des Aulnaies dispose de plus de 300 emplacements, dont plus des deux tiers sont ombragés.

La Pocatière

Cégep de La Pocatière
40$ pour une chambre sur les étages
57$ pour une chambre d'appartement
≈, ⌂, ⏲
140 4e Av.
☎856-3828
Les résidences du Cégep de La Pocatière accueillent les visiteurs du 15 mai au 15 août. Choisissez une chambre avec vue sur le fleuve. Le bureau d'accueil est situé au local R-600.

Rivière-Ouelle

Camping Rivière-Ouelle
17$
≈
176 ch. de la Pointe
☎856-1484
Pour camper au bord du fleuve, respirer son air marin et admirer les couchers de soleil.

Kamouraska

Motel Cap Blanc
53-55$
ℂ, tv, bp,
300 av. Morel
☎492-2919
À l'ouest du village de Kamouraska, vous trouverez le Motel Cap Blanc. Il offre une belle vue sur le fleuve.

Saint-André

Auberge des Aboiteaux
65$ pdj
280 rte 132
☎493-2495
⇄493-2779
L'Auberge des Aboiteaux offre un accueil chaleureux dans un site enchanteur sis entre fleuve et montagnes. Elles disposent de cinq chambres douillettes. On propose de nombreux forfaits. Terrasse.

Notre-Dame-du-Portage

Hôtel de la plage
49$
juin à mi-oct
507 rte du Fleuve
☎862-5347
L'Hôtel de la plage est une alternative bon marché aux auberges environnantes, mais les matelas et la tuyauterie de l'hôtel laissent plutôt à désirer. Le décor de boiseries d'époque est charmant.

Auberge sur Mer
80-100$
363 rte du Fleuve
☎862-0642
⇄862-7056
L'Auberge sur Mer est située dans un décor enchanteur. Le spectacle de la mer, le son des vagues, l'air marin ainsi que les couchers de soleil incitent à la détente.

Auberge du Portage
93-98$ forfait villégiature
154$ forfait santé
7 mai à mi-oct
≈ d'eau salée, ⌂, ⊛, ℜ, ✪
vélos,
671 rte du Fleuve
☎862-3601
⇄862-6190
L'Auberge du Portage, au style victorien bien préservé, dispose de 41 chambres très bien équipées et situées directement sur la plage dans le site charmant qu'est celui de Notre-Dame-du-Portage, à 10 km à l'ouest de Rivière-du-Loup. Vous pourrez vous faire dorloter au relais santé en recevant des massages suédois, des bains de boue et différents soins aux algues. L'auberge organise des croisières d'observation des baleines.

Rivière-du-Loup

Camping chez Jean
12-16$
mai à mi-oct
≈
sortie 499 de l'aut. 20
4 km à l'ouest de la rte 185
434 rue Principale
St-Antonin
☎862-3081
Au Camping chez Jean, on trouve 119 emplacements, une piscine, une laverie et un casse-croûte.

Auberge de Jeunesse Internationale
20$ pdj dortoir
40$ chambre
46 rue Hôtel-de-Ville
☎862-7566
☎800-461-8585
⇄252-3117
L'Auberge de Jeunesse Internationale de Rivière-du-Loup reçoit les visiteurs toute l'année. Empruntez la sortie 503 de l'autoroute 20 Est. Vous pouvez réserver par téléphone en donnant votre numéro de carte de crédit Visa ou MasterCard.

Cégep de Rivière-du-Loup
35$
juin à mi-août
☎862-6903
Le Cégep de Rivière-du-Loup propose des chambres en location tout l'été.

Auberge de la Pointe
60-110$
bar, centre de santé, vélos
≈, tvc, ☎, ⊛, ℜ, ⌂, ⊘
10 boul. Cartier
☎862-3514 ou 800-463-1222
⇄862-1882
L'Auberge de la Pointe reçoit les vacanciers du 1er mai au 1er novembre en leur suggérant des traitements de massothérapie, d'hydrothérapie, de balnéothérapie, de pressothérapie, de fangothérapie, d'algothérapie ainsi que d'aromathérapie. Des spectacles dans un théâtre d'été s'ajoutent aux nombreuses activités proposées par l'auberge. Choisissez une chambre avec vue sur la mer.

Hôtel Universel
96-122$
≈ intérieure, bp, bar, ℜ, ⊛
en bordure de l'aut. 20
311 rue Hôtel-de-Ville
☎862-9520 ou 800-265-0072
⇄862-2205
L'Hôtel Universel offre un très bon confort dans l'une ou l'autre de ses 120 chambres. L'hôtel met une remise à la disposition des motocyclistes et des motoneigistes.

Hôtel Lévesque
102-126$ pdj
⊘, bp, ≈, ⊛, ☎, bar, ℜ
171 rue Fraser
☎862-6927 ou 800-463-1236
⇄862-5385
L'Hôtel Lévesque vous offre une hospitalité toute spéciale dans une de ses 100 chambres situées au cœur de Rivière-du-Loup, sur un site superbement aménagé avec des jardins paysager.

De nombreux forfaits incluant deux ou trois repas y sont proposés. De plus, une gamme d'activités à la carte peut être incluse à votre forfait. Celles-ci comprennent l'excursion d'observation des baleines et aux îles, l'observation des oiseaux marins, la visite du phare, la randonnée, le goûter avec la société Duvetnor, etc. Choisissez une chambre avec vue sur le fleuve.

Île Verte

La Maison d'Agathe
50$ pdj
dépanneur, ℜ, vélos
rue Principale
☎898-2923
⇄898-3745
lorrain@caramail.com
La Maison d'Agathe met à la disposition des visiteurs deux chambres à l'étage du restaurant.

Trois-Pistoles

Camping municipal Trois-Pistoles
20$
mi-juin à mi-sept
≈ chauffée
100 rue Chanoine-Côté
indiqué depuis la rte 132
☎851-1377
Le Camping municipal Trois-Pistoles compte 166 emplacements aménagés dans un site boisé.

Motel Trois-Pistoles
45-94$
ℜ, bar
64 rte 132 O.
☎851-2563
Le Motel Trois-Pistoles dispose de 32 chambres confortables. On y a une belle vue sur le fleuve; les couchers de soleil y sont splendides.

La Ferme Paysagée
70$ pc
à Trois-Pistoles, tournez à droite et empruntez la rte 293 S. depuis la rte 132 E., à 4 km de l'église de Saint-Jean-de-Dieu
☎963-3315
La Ferme Paysagée est un gîte à la ferme fort apprécié des familles, mais également de ceux qui aiment les animaux. On garde en effet dans cette ferme laitière des cerfs de Virginie, des chèvres, des moutons, des lapins, des canards et même des lamas. L'atmosphère est très chaleureuse. La bonne chère et la vie champêtre vous y attendent. Vous pouvez, si le cœur vous en dit, aller traire les vaches. Le gîte est tout spécialement équipé pour recevoir les familles. Les enfants sont d'ailleurs émerveillés de voir les cailles, les lapins, les paons et les chatons.

Le Bic

Auberge du Mange Grenouille
52-85$ pdj
bar, terrasse
mai à mi-oct
à 10 min de Rimouski
148 rue Ste-Cécile
☎736-5656
⇄736-5657
Rien ne sert de vanter les mérites de l'Auberge du Mange Grenouille car sa réputation est solidement établie au Québec comme à l'étranger. Ce qui lui vaut cette reconnaissance est sûrement l'accueil chaleureux qu'on y reçoit, le charme de sa cuisine française, le cachet de ses 15 chambres anciennes, la détente qu'offre son bassin à remous et les couchers de soleil spectaculaires sur les îles du Bic qu'on peut admirer depuis ses balcons.

Mais peut-être les manifestations théâtrales qu'on y produit y sont-elles également pour quelque chose; en effet, les célèbres soirées «meurtres et mystères» font beaucoup jaser dans le Bas-Saint-Laurent et justifient à elles seules un séjour à cet endroit. Les deux propriétaires sont d'ailleurs des comédiens de Montréal qui tombèrent amoureux du Bic et de cet ancien magasin général qu'ils ont reconverti en auberge.

Saint-Simon

Auberge Saint-Simon
56$
ℜ
quelques km à l'ouest de St-Fabien, sur la rte 132,
18 rue Principale
☎738-2971
L'Auberge Saint-Simon est une véritable institution dans le Bas-Saint-Laurent. Datant de 1830, cette charmante auberge d'époque à mansarde ouvre ses portes de la mi-mai à la mi-octobre. Pendant cette période estivale, vous pourrez loger dans une des neuf chambres, lesquelles offrent un excellent confort et un cachet d'antan tout à fait chaleureux.

L'auberge convient tant aux amoureux qu'aux amateurs de plein air. Les cyclistes obtiennent 10% de remise sur la location des chambres, mais non les amoureux. La proximité de la route peut être un inconvénient pour ceux et celles qui ont le sommeil léger. En début ou en fin de saison, il vaut mieux s'assurer d'avance que l'auberge est bien ouverte.

Rimouski

Camping Le Bocage
15-18$
mi-juin à mi-sept
124 rte 132 O.
Ste-Luce-sur-Mer
☎739-3125
Le Camping Le Bocage compte 24 emplacements agréables. On y a accès à la mer.

Camping Chalets «La Luciole»
18-21$ pour un emplacement
57-70$ pour un chalet équipé
mi-mai à fin oct
118 rte 132 O.
Ste-Luce-sur-Mer
☎739-3258
Le Camping Chalets «La Luciole» dispose de 52 emplacements bien aménagés et de six chalets qui font face à la mer. Le camping dispose de 22 avec raccords pour autocaravanes.

Logis Vacances du Cégep de Rimouski
28$
320 rue Potvin
☎723-4636 ou 800-463-0617
Logis Vacances du Cégep de Rimouski propose l'hébergement pendant la saison estivale dans près de 400 chambres. La cafétéria sert des déjeuners simples à partir de 3,50$.

Chez Victoria
55$ pdj
77 rue St-Jean-Baptiste O.
☎723-4483
Ce gîte accueillant est situé le long d'un rue tranquille au centre-ville de Rimouski. Les chambres sont propres, bien aménagées et spacieuses. Les visiteurs ont accès à un grand salon au rez-de-chaussée.

Ô Toit Mansard
55$ pdj
juin à août
182 rue Ringuet
☎724-2485
Le gîte Ô Toit Mansard vous accueille chaleureusement dans une de ses trois confortables chambres.

Auberge Sainte-Luce
60-85$
ℜ
fin mai à sept
depuis la rte 132 E. tournez à gauche par la rte du Fleuve à Ste-Luce
46 rte du Fleuve O.
Ste-Luce-sur-Mer
G0K 1P0
☎739-4955
L'Auberge Sainte-Luce, située dans une maison centenaire, donne accès à une plage ainsi qu'à un belvédère réservés à sa clientèle.

Hôtel Rimouski
85-95$
bp, ≡, ≈, bar, ℜ, location de ℝ, ☎, tv, ⊙
225 boul. René-Lepage
☎725-5000 ou 800-463-0755
⇄725-5725
L'Hôtel Rimouski est d'un chic très particulier. Elle dispose de 140 chambres et suites. Vous serez sans doute charmé par le grand escalier et la longue piscine intérieure dans le hall d'entrée. Les moins de 18 ans partageant la chambre de leurs parents y séjournent gratuitement.

L'établissement abrite un café Internet.

Circuit C : Les lacs

Pohénégamook

Auberge La Marinière
170-190$ ½p
bp, ≈, ℜ
460 ch. de la Tête-du-Lac
☎859-2323 ou 800-981-2323
L'Auberge La Marinière vous propose le gîte dans de confortables chambres d'une propreté irréprochable. Ce lieu de villégiature se trouve au beau milieu du site enchanteur qu'est Pohénégamook. Choisissez une chambre avec vue sur le lac. De petits chalets sont aussi proposées en location *(55$)*.

Pohénégamook Santé Plein Air
150$ pc
ℜ, ⊛, ⌂, ≈, cafétéria
1723 ch. Guérette
sortie 488 de l'autoroute 20
☎859-2405 ou 800-463-1364
Pohénégamook Santé Plein Air est un centre de vacances «quatre saisons» mettant l'accent sur les séjours de détente et de plein air pour la famille. On y propose de nombreux traitements, entre autres des massages à l'algothérapie.

Parmi les autres activités figurent les visites à la cabane à sucre au printemps, les baignades rapides au sauna finlandais, les balades à vélo, les balades botaniques sur des sentiers, les promenades en montagne, les randonnées en skis ou en raquettes et le ski à voile. De nombreux forfaits y sont proposés. Vous y trouverez une laverie.

Cabano

Camping et Chalets Témilac
17$ pour camping
90$ pour chalet
tlj 8h à 23h
tv
33 de la Plage
☎854-7660
Camping et Chalets Témilac est un beau petit centre de villégiature situé en bordure du lac Témiscouata. On y loue des vélos *(15$ par jour)*.

Notre-Dame-du-Lac

Auberge Marie-Blanc
60-70$
☎, bp, ℜ, tv, ≡, ℂ, ℝ
avr à oct
tlj 8h à 11h et 17h30 à 20h
suivez les indications vers Edmundston–Cabano et sortez à Notre-Dame-du-Lac
1112 rue Commerciale
☎899-6747
L'Auberge Marie-Blanc compte 14 chambres de motel rénovées il y a quelques années, l'auberge étant exclusivement réservée à la salle à manger. Le site profite d'un promontoire en bordure du lac. Vous aurez accès à la marina et à la plage. Une piste cyclable se trouve à proximité.

Dégelis

Motel 1212
55$
bar, ℜ, tv, vidéo
1212 rte 185
☎853-2333
≠853-2055
Le Motel 1212 reçoit les touristes dans 24 chambres rénovées. Depuis le motel, on accède directement aux pistes de motoneige.

Restaurants

Circuit A : Le littoral

Montmagny

Bleu Cobalt
$
lun-sam 7h à 17h
61 rue de la Gare
☎248-8158
Le Bleu Cobalt est un café vraiment bon marché où l'on trouve du café express, des sandwichs (aussi à emporter), des croissants, des muffins santé, des desserts et du pain de ménage servis dans un décor très chouette.

Le Belle-Feuille
$$
jeu-sam 18h à 20h
59 rue de la Gare
☎248-8158
On y sert de bons petits plats présentés de façon originale dans une ambiance très décontractée.

Saint-Gabriel
$$
mai à sept
tlj 11h30 à 13h30
et 17h à 21h30
220 boul. Taché E.
☎248-0100
Le bistro Saint-Gabriel du Manoir des Érables sert des plats de pâtes et de gibier, des grillades, des salades et des poissons.

La Belle Époque
$$$
tlj 8h à 23h30
100 rue St-Jean-Baptiste E.
☎248-3373
Rien ne vaut, par une belle journée d'été, une escale à l'auberge La Belle Époque pour le repas du midi. Aménagée dans la maison Rousseau, cette auberge dispose d'une belle terrasse garnie de verdure où l'on sert des repas très variés. La table d'hôte présente des plats de poisson et de fruits de mer.

Le menu affiche également plusieurs sortes de salades, des *nachos*, du poulet *teriyaki*, des pâtes fraîches, des saucisses européennes, des pizzas et des ailes de poulet. Au petit déjeuner (délicieux), on sert des crêpes, du pain perdu et des menus santé.

Manoir des Érables
$$$$
tlj 7h30 à 10h
11h30 à 14h
et 18h à 21h
220 boul. Taché E.
☎248-0100
Le Manoir des Érables vous invite à déguster de très bons plats de gibier, d'esturgeon, d'oie et d'autres produits régionaux dans son restaurant réputé.

Île aux Grues

Bateau Ivre
$$
mi-mai à fin oct 8h à 10h, midi à 14h et 18h à 20h
☎248-0129
Un ancien remorqueur a été transformé en restaurant pour votre plus grand plaisir. Les plats sont simples et délicieux «à l'âme ancestrale», le service attentionné et chaleureux. Et quelle vue sur le fleuve!

Cap-Saint-Ignace

La Gobichone
$$$
51 du Manoir E.
☎246-5329 ou 800-757-5329
On y sert de bons plats dans un cadre chaleureux et une ambiance feutrée. Un accueil sympathique vous y attend. Vous avez le choix entre une petite table (***$$***), et une carte de mets raffinés (faisan, esturgeon, etc) d'un excellent rapport qualité/prix. Le chef tire son inspiration de la cuisine québecoise et française. Notez que, lorsqu'on mentionne le nombre de services de la table d'hôte, on considère le café comme un service!

L'Islet-sur-Mer

La Paysanne
$$$
1er mars au 1er jan
tlj 8h à 11h
et 17h à 22h
497 des Pionniers E.
☎247-7276
La Paysanne propose de la fine cuisine française, des grillades et des fruits de mer. De la terrasse, vous aurez une superbe vue sur le fleuve.

Auberge des Glacis
$$$$
46 rte Tortue, St-Eugène
☎247-7486
L'Auberge des Glacis affache à sa table d'hôte un grand choix d'entrées et de plats principaux. Ceux-ci sont à base de lapin, de poisson, de veau, d'agneau ou de volaille, le tout très bien présenté. Ne manquez pas de goûter à la spécialité de la maison : une quenelle de Lyon (volaille truffée, sauce financière et sa garniture maraîchère!). Vous ne manquerez pas de remarquer le caractère vieillot de la salle à manger.

Saint-Jean-Port-Joli

Le Gueuleton
$
24 heures sur 24
sortie 414
☎598-6240
Le Gueuleton prépare des mets très simples à très bas prix. Avec son service empressé et ses tables d'hôte, ce restaurant convient très bien aux voyageurs qui ne veulent pas trop s'attar-

der au repas de midi. Au menu figurent du poulet rôti, des viandes fumées maison, de la pizza, du poisson et des fruits de mer. Les petits déjeuners y sont servis jour et nuit. Les voyageurs trouveront dans le même complexe une laverie et des douches.

La Boustifaille
$$
mi-mai à fin sept
lun-sam 8h à minuit
dim 7h à minuit
547 av. de Gaspé E.
☎598-3061
La Boustifaille invite tous ceux qui veulent goûter la vraie cuisine québécoise. Au menu, il y a du «cipâte» ou «cipaille», du bouilli de légumes, des fèves au lard et du ragoût de boulettes. Vu la proximité du théâtre La Roche à Veillon et la popularité croissante du restaurant, il serait très sage de réserver.

La Coureuse des Grèves
$$$
empruntez la rte 204 depuis l'aut. 20 E., 300 rue de l'Église
☎598-9111
Le café-restaurant-bar La Coureuse des Grèves est un lieu de rencontre très sympathique situé au beau milieu du village d'artisans. On y propose d'ailleurs plusieurs expositions ainsi que différentes activités culturelles.

Dans cette maison centenaire, vous pourrez apprécier les délices de la pâtisserie et de la boulangerie, ainsi que la cuisine maison variée et de qualité. Les pâtes fraîches, les fruits de mer et le poulet sont à l'honneur, et préparés selon les méthodes de la nouvelle cuisine québécoise. Enfin, La Coureuse est doté d'une terrasse et d'un bar animé où ont lieu des spectacles.

La Pocatière

Martinet Plaza
$$
sortie 444
☎856-2610
Situé en bordure de l'autoroute 20, le Martinet Plaza est ouvert 24 heures par jour. On y sert du poulet pané, des fruits de mer ainsi que des grillades. Des sections pour les enfants se retrouvent en plusieurs endroits sur le menu.

Saint-André

Auberge des Aboiteaux
$$$
280 rte 132
☎493-2495
⇄493-2779
L'Auberge des Aboiteaux vous accueille dans son salon de détente et sa pièce de lecture. Vous pourrez vous y offrir le midi un petit menu bistro et le soir une table d'hôte de cinq services. On y sert une cuisine du terroir : agneau des prés salés du Kamouraska, des terrines, des rillettes et de la volaille, mais aussi des mets plus exotiques comme la paëlla. Terrasse.

Notre-Dame-du-Portage

Auberge du Portage
$
début mai à mi-oct
sortie Notre-Dame-du-Portage de l'aut. 20, suivez les panneaux bleus, 671 rte du Fleuve
☎862-3601
L'Auberge du Portage vous propose une cuisine continentale française mettant en valeur les fruits de mer. Terrasse

Rivière-du-Loup

La Gourmande
$$
tlj 7h30 à 22h
120 Lafontaine
☎862-4270
On y sert avec empressement des pâtes, des croissants, des croûtes, des *bagels*, des pâtisseries et bon nombre de plats à emporter. La table d'hôte affiche deux choix de plats.

Le Novelo
$$
169 rue Fraser
☎862-9895
Le Novelo vous propose fines pizzas et pâtes. Un assortiment de cafés et de pâtisseries couronne le tout.

Pantagruel
$$
lun 11h à 14h, mar-sam 11h à 14h et 16h à 22h
416 Lafontaine
☎868-1190
Le restaurant Pantagruel se spécilise surtout dans les mets végétariens, mais on prépare quand même des pizzas, des fruits de mer et des salades. Le menu

du midi est une très bonne affaire.

Saint-Patrice
$$
Situé sous le même toit que Le Novelo (voir ci-dessus), le Saint-Patrice est une des meilleures tables du Bas-Saint-Laurent. Vous pourrez y déguster des plats de poisson, de fruits de mer, de lapin ou d'agneau frais.

À l'Hôtel Universel, trois choix de restaurants s'offrent à vous : le bistro-bar **Rialto** *(**$$**)* où l'on trouve un grand choix de pâtes et de fines pizzas; le restaurant familial **La Vernière** *(**$$**)*, proposant un menu varié, des brunchs et des buffets; et le **Vaisseau d'Or** *(**$$$**)*; pour ceux qui recherchent une cuisine régionale et un décor intime.

La Distinction
$$
juil et août
tlj 7h à 14h
et 17h30 à 21h30
sept à juin
mar-sam 17h30 à 21h
171 rue Fraser
☎862-6927
La salle à manger La Distinction de l'Hôtel Lévesque (voir p 90), à Rivière-du-Loup, prépare une gamme très variée de mets italiens, en plus de quelques plats de fruits de mer. La présentation est soignée. Le saumon fumé, la spécialité de l'endroit, est apprêté sur place, selon la méthode ancestrale, dans le fumoir de l'établissement. Si vous préférez manger dans votre chambre ou en plein air, vous pouvez acheter du saumon fumé à emporter. Le restaurant **La Terrasse** *(**$$**)*, situé à côté, propose sensiblement le même menu et est ouvert aux convives pour les trois repas.

La Romance
$$$
169 rue Fraser
☎862-989
Si l'envie de savourer une bonne fondue vous dévore, rendez-vous à La Romance Vous y trouverez, outre les fondues traditionnelles chinoises ou au fromage, des fondues au gibier (cerf, bison, faisan, canard).

Île Verte

La Maison d'Agathe
$$
tlj 8h à 22h
☎898-2923
On vous y offre une cuisine du terroir servie en généreuses portions et composée surtout de poissons et de fruits de mer. On trouve au menu, en saison, de l'agneau des prés salés. Le pain est fait maison et cuit sur place.

Chez Antoine
$$$
lun-ven 11h à 14h et tlj 16h à 22h
433 rue Lafontaine
☎862-6936
La table d'hôte affiche des plats d'agneau, de ris de veau, de crevettes et de poisson présentés de façon originale. À la carte, on trouve des pâtes, des brochettes et des fondues. Le service est attentif et très aimable. Belle terrasse.

Trois-Pistoles

Le Michalie
$$
55 rue Notre-Dame E.
☎851-4011
Le Michalie est un petit restaurant coquet proposant une cuisine régionale très appréciée. On y présente également la gastronomie italienne et une table d'hôte.

Le Bic

Chez Saint-Pierre
$$
lun-mar 9h à 22h
mer-dim 9h à 23h
129 Mont St-Louis, face à l'église
☎736-5051
Ce très chouette bistro sert des plats bons et simples constitués, entre autres, de merguez, de sandwichs et de poulet tandouri. On y sert de bons petits déjeuners avec de la confiture maison. Le menu affiche quelques choix de vins et de bières importées. Terrasse.

Auberge du Mange Grenouille
$$$$
mai à mi-oct
tlj 8h à 1h
fermé le midi
à quelques km à l'est de St-Fabien, 148 rue Ste-Cécile
☎736-5656
L'Auberge du Mange Grenouille est une table très réputée dans le Bas-Saint-Laurent. Un choix de quatre tables

d'hôte est proposé tous les jours, composées de gibier, de poisson et de bœuf. Arrivez en fin d'après-midi pour voir le soleil amorcer tout doucement sa descente dans le fleuve, derrière les îles du Bic. Vous ne manquerez pas de remarquer et d'apprécier les salons meublés à l'ancienne de cet ancien magasin général.

On vous y sert habituellement un apéritif avant de vous assigner votre place à la salle à manger. Les plats sont tout à fait délicieux, et le service s'avère très attentionné. Le décor ancien et l'éclairage discret vous assureront un repas agréable et intime. À l'occasion, des soirées «meurtres et mystères» sont organisées (voir p 90).

L'Auberge des Îles du Bic
$$
tlj 17h à 22h
141 rue Saint-Cécile
☎736-5608
Cette auberge sert à ses convives des salades, des pâtes, des pizzas et des plats de poisson.

Saint-Simon

Auberge Saint-Simon
$$-$$$
mi-mai à mi-oct
rte 132, quelques km
à l'ouest de St-Fabien
18 rue Principale
☎738-2971
L'Auberge Saint-Simon vous invite à venir prendre un repas dans un décor du XXe siècle. Au menu figurent des spécialités de lapin, d'agneau, de flétan, de saumon et de fruits de mer, accompagnées de légumes provenant du jardin. Les petits fruits saisonniers viennent parfois terminer le repas. Tout y est fait maison.

La gastronomie de cet endroit est prisée tant des touristes que des résidants. Les aubergistes, au nombre de trois, sont très accueillants, et ils adorent bavarder. Il est préférable d'appeler à l'avance si vous y allez en début ou en fin de saison afin de vous assurer que la cuisine est ouverte. Un forfait incluant le dîner, le coucher et le petit déjeuner est proposé à 140$.

Rimouski

Le Mix
$
tlj 7h à 3h
près de l'avenue de la Cathédrale
50 rue St-Germain E.
☎722-5025
Si vous avez une petite fringale et que vous raffolez des bières importées, rendez-vous au resto-bar-boutique Le Mix. On y sert des bières importées (20 pays), des bières de microbrasseries et des repas légers. Le menu du jour est très bon marché.

Au menu, on trouve une variété de *bagels*-sandwichs, de salades, de crudités et d'autres plats simples. Les travailleurs et les cadres fréquentent l'endroit le jour, suivis des étudiants le soir.

Café des Halles
$
7h à 23h
121 rue St-Germain O.
☎725-5411
Le Café des Halles a comme spécialité la fine pizza européenne. Vous aimerez ses airs de petit café européen et sa terrasse inondée de soleil. Les pâtes fraîches qui y sont servies sont préparées à côté, au Pasta Mania et Panini. Vous y trouverez de la bière de microbrasseries en fût et en bouteilles. On dit qu'on y sert le meilleur café express en ville. Les petits déjeuners sont très en demande. Aux heures d'affluence, le service peut parfois être assez lent.

Café l'Entracte
$
lun-mer 7h à 20h
jeu-ven 7h à 22h
sam 8h à 22h
dim 9h à 20h
176 Rouleau
☎724-2234
Le Café l'Entracte est un établissement tout simple où l'on sert de bons plats en bonnes portions à bon prix. Les petits déjeuners, toujours très élaborés, sont très appréciés. Le menu se compose principalement de plats de poisson, de salades et de fruits de mer, ainsi que d'un très grand choix de desserts. Le café propose des collations à emporter.

élèbre pour son rocher, Percé présente des paysages grandioses dans un site admirable.
- P. Brunet

Le magnifique ballet des milliers d'oies en migration plaît sans doute aux plus fervents ornithologues mais sait aussi charmer les amateurs.
- Claude Hervé-Bazin

Les jolis villages côtiers de la Gaspésie et des Îles-de-la-Madeleine comptent parmi les plus pittoresques au Québec.
- Claude Hervé-Bazin

Café du Moulin
$$$
mai à sept mar-dim 8h30 à 22h
156 rte du Fleuve O.
☎**739-4419**
Ce café loge dans un ancien moulin à eau à côté duquel une rivière se jette dans le fleuve. L'endroit est tout à fait charmant et le service est très attentionné. Les spécialités sont le saumon fumé, les pizzas et les pâtes, le tout servi en de généreuses portions. Terrasse.

L'Anse-aux-Coques
$
avr à sept
tlj 7h30 à 3h
bifurquez à gauche sur la rte du Fleuve, passé Pointe-au-Père
31 rte du Fleuve O.
Ste-Luce-sur-Mer
☎**739-4815**
Le café-bistro L'Anse-aux-Coques est un établissement agréablement niché dans un décor charmant et bien connu à Sainte-Luce-sur-Mer. On y sert du poisson et des fruits de mer très frais ainsi que des spécialités italiennes. Les cretons, les confitures et les fèves au lard sont préparés sur place. En été, vous pouvez vous faire servir votre repas aux terrasses, avec vue sur le fleuve, et siroter un délicieux café ou une bière importée.

Le Saint-Louis
$$$
terrasse
lun-ven 11h à 3h
97 St-Louis
☎**723-7979**
Du café-bistro Le Saint-Louis se dégagent tous les airs et les arômes d'un sympathique café européen. Tout à fait unique en son genre dans la région, ce café vous concocte de petits plats mijotés chaque jour qu'il vous propose en menus du jour et en tables d'hôte.

C'est l'endroit tout indiqué si vous avez envie de moules (14 saveurs au choix) avec frites (à volonté) ou encore d'une variété de steaks et d'escalopes de veau. Vous pouvez choisir parmi un bon choix de vins ou encore déguster l'un des cafés maison lors d'une soirée bistro. Les portions sont généreuses, et le service s'avère ultra-sympathique. L'endroit est coquet, chaleureux et bien décoré. Les desserts recommandés sont le gâteau au fromage et le légendaire gâteau aux pommes. On y sert aussi 25 sortes de scotchs et 12 sortes de portos.

La Forge du Père Cimon
$$
près de la Grande-Place
rue St-Germain E.
☎**723-6010**
La Forge du Père Cimon, également connue sous le nom de «Maison du Spaghetti» est un restaurant très connu de la gent estudiantine rimouskoise. Cependant, on n'y rencontre pas que des étudiants; les résidants et les touristes profitent aussi du menu à la carte très varié et des quatre choix de menus du midi très bon marché de 11h à 23h. Le service est courtois et l'ambiance, sympathique.

Brochetterie chez Gréco
$$$
38 rue St-Germain E.
☎**724-2804**
La Brochetterie chez Gréco reste fidèle à la tradition des restaurants grecs en servant de très grosses portions. Le menu est simple et se compose essentiellement de plats de fruits de mer servis avec pâtes ou en brochette. Le lundi soir, le restaurant offre un rabais de 50% sur l'assiette principale. Le menu comporte deux ou trois plats du jour du mardi au jeudi; le vendredi et le samedi, il faut commander à la carte, alors que, le dimanche, c'est l'assiette spéciale de 30 crevettes qui est à l'honneur.

La Seigneurie
$$
tlj 7h à 14h et 17h à 22h
225 René-Lepage E.
☎**721-5000**
On vous y propose un menu s'inspirant des cuisines française, canadienne et régionale. Le menu compte bon nombre de plats à base de fruits de mer et de poissons.

Le lotus
$$
143 rue Belzile
☎**725-0822**
Si vous avez envie de manger thaïlandais, vietnamien ou cambodgien, rendez-vous au restaurant Le lotus. Les mets y sont délicieux,

très exotiques et bien présentés. Chaque jour, en plus de la carte, vous avez le choix entre le souper mandarin et le souper gastronomique; chacun d'eux inclut quatre ou cinq services. Le midi, du mardi au vendredi, de 11h à 14h, on propose un choix de quatre plats avec une soupe, un dessert et un thé ou café pour 6$ ou 9$.

Serge Poully
$$
lun-ven 11h30 à 14h30
et 17h à 23h
sam-dim 17h à 23h
284 rue St-Germain E.
☎723-3038
Le restaurant Serge Poully sert à ses convives des plats de gibier, des fruits de mer, des steaks et des spécialités de la cuisine française. L'atmosphère décontractée de ce restaurant et son service attentionné conviennent parfaitement aux repas en tête-à-tête.

Circuit C : Les lacs

Pohénégamook

Auberge La Gourmandière
$$$
tlj 7h30 à 23h
460 ch. de la Tête-du-Lac
☎859-2323
L'Auberge La Gourmandière propose tous les jours des tables d'hôte très diversifiées ainsi qu'un grand choix d'entrées et de plats principaux. Les mets sont surtout composés de volaille, de gibier, de poisson et de fruits de mer. Les petits déjeuners sont tout simplement délicieux, de même que les pâtes et le pain maison.

Pohénégamook Santé Plein Air (voir p 76) organise des forfaits incluant les repas. La cafétéria propose chaque jour deux choix de menus.

Rivière-Bleue

Le Transcontinental
$$
62 rue St-Joseph
☎893-5666
Le Transcontinental est un petit établissement tout simple servant des steaks, des pizzas et du poulet pané.

Notre-Dame-du-Lac

Auberge Marie-Blanc
$$$
mai à mi-oct
tlj 8h à 11h
et 17h30 à 20 h
suivez les indications vers Edmundston–Cabano jusqu'à Notre-Dame-du-Lac
1112 rue Commerciale
☎899-6747
L'Auberge Marie-Blanc vous invite à déguster ses petits déjeuners et ses dîners dans une jolie maison victorienne. Ce site historique se trouve sur un promontoire surplombant le lac; une galerie de bois superbe fait office de terrasse. Vous pouvez y déguster de bons plats de cuisine régionale à base de poissons (dont les corégones du lac), de fruits de mer, de cerf de Virginie, de perdrix, de canard et de lapin (d'ailleurs très populaire). Les portions sont généreuses.

Sorties

Circuit A : Le littoral

Saint-Jean-Port-Joli

Théâtre d'été La Roche à Veillon
mi-juin à fin août
≡
sortie 414 depuis l'aut. 20
547 av. de Gaspé E.
☎598-3061
Le Théâtre d'été La Roche à Veillon présente des pièces à 20h30 du mardi au samedi.

Rivière-du-Loup

Le Jet
409 rue Lafontaine
☎862-6308
Rendez-vous à la discothèque Le Jet car vous y trouverez une atmosphère très enjouée les fins de semaine.

Théâtre La Goélette
67 rue Durocher
☎862-0906
Le Théâtre La Goélette présente des spectacles en plein air tout l'été. Un spectacle avec clowns, magiciens et amuseurs a lieu le lundi à 19h, et vous pourrez assister à la représentation de la **ligue d'improvisation** le mardi à 19h30.

Théâtre d'été de l'Auberge de la Pointe
15,50$
10 boul. Cartier
☎862-3514 ou 800-463-1222
Le Théâtre d'été de l'Auberge de la Pointe présente une pièce de la fin juin à la mi-août, du mardi au samedi à 21h.

Théâtre d'été de l'Hôtel Universel
12$
fin juin à mi-août
mar-sam 20h30
☎862-9520
Le Théâtre d'été de l'Hôtel Universel propose des pièces tout l'été.

Le Bic

Théâtre Les Gens d'en Bas
20-22$
rte du Golf, 16 km à l'ouest du centre-ville de Rimouski
☎736-4141
Le Théâtre Les Gens d'en Bas produit chaque été une ou plusieurs pièces. Les représentations ont lieu du mardi au samedi à 20h30 à la Grange-Théâtre du Bic. Le paysage y est superbe. La pièce dure environ deux heures.

Rimouski

Le bar Atomic
mer-dim 21h30 à 3h30
Ce bar attire surtout la clientèle très jeune, des étudiants pour la plupart. On y fait jouer de la musique hip hop et alternative.

Le Retro 50
25 rue St-Germain O.
Il attire une clientèle de 25 ans et plus avec sa musique des années cinquante à quatre-vingt.

Chiffre de Nuit
tlj 21h30 à 3h
204 av. de la Cathédrale
☎723-4011
Le Chiffre de Nuit est une discothèque de deux étages. Vous y rencontrerez une clientèle de tout âge.

Le Sens Unique
lun-ven 11h à 23h
sam-dim 14h à 3h
160 av. de la Cathédrale
☎722-9400
Le Sens Unique offre une des atmosphères les plus chouettes à Rimouski avec sa musique et sa terrasse. La clientèle, très variée, se compose de gens âgés de 18 à 45 ans.

Chez Pull
tlj 14h à 3h
45 rue Saint-Germain E.
☎723-2152
Le bar Chez Pull attire surtout les jeunes professionnels et les étudiants. On y trouve une piste de danse. Au 5 à 7, les travailleurs et les professionnels de plus de 30 ans s'y retrouvent.

Le Campus
tlj 11h à 3h
149 rue de l'Évêché O.
☎722-0770
Le bar Le Campus reçoit souvent des chansonniers. On y fait jouer beaucoup de rock québécois et alternatif. Ce lieu est très fréquenté par les cégépiens.

Rhinocéros
lun-sam 14h à 3h
dim 16h à 3h
100 rue St-Germain O.
☎724-9377
Le café-bar Rhinocéros offre une atmosphère particulièrement chaleureuse et accueillante. On y voit surtout de jeunes universitaires et de jeunes travailleurs. On reçoit parfois des groupes de blues et de rock.

L'Étrier Pub
tlj 14h à 3h
155 rue de l'Évêché O.
☎724-2266
La boîte qui marche le plus en ville, L'Étrier Pub, reçoit sa clientèle surtout du cégep, situé tout près, et de l'université. Le 5 à 7 est très populaire. Terrasse.

Si vous avez envie de voir un bon film, trois choix s'offrent à vous : **Cinéma Auditorium** *(5$; toute l'année; 274 Michaud, ☎723-3646)*, le **Ciné-parc du Bas-Saint-Laurent** *(5$; mi-mai à mi-sept; rte 132, à Ste-Luce, 15 km à l'est de Rimouski, ☎723-3646)* ou encore le **Lido** *(8$; 92 2e Rue O., ☎722-5436)*, qui s'enorgueillit de salles toutes neuves.

Un **pique-nique musical** a lieu tous les dimanches midi, de la fin juin à la mi-août, dans le parc Beauséjour. Des amuseurs publics et de petits groupes instrumentaux s'y produisent. Cette activité dure environ une heure.

Le **Festi-Jazz ★★** *(☎724-7844)* présente une vingtaine de spectacles d'artistes de jazz québécois et internationaux. Les activités se tiennent tant dans les bars et les salles que dans la rue. Le Festi-Jazz dure quatre jours et a toujours lieu durant la fin de semaine de la fête du Travail (première fin de semaine de septembre).

Le **Carrousel international du film de Rimouski ★** *(☎722-0103)* est un festival de cinéma pour jeune public. On y fait la projection d'une quarantaine de films. Ce festival se tient la troisième semaine de septembre et dure sept jours. Les projections sont présentées au Centre civique en après-midi et en soirée.

Circuit B : Les tourbières

Saint-Pascal

Le Patrimoine
535 boul. Hébert
☎492-3656
En saison estivale, vous trouverez une ambiance animée au café-bar Le Patrimoine car on y présente des spectacles. Ce bar dispose d'une terrasse.

Achats

Circuit A : Le littoral

Cap-Saint-Ignace

Mme Véronique Gamache
tlj 8h à 19h30
à l'ouest de L'Islet-sur-Mer
931 des Pionniers E.
☎246-5220
La boutique de Mme Véronique Gamache vend des souvenirs en bois et en céramique, des nappes, des vêtements, des tissus, des étoffes et des tricots.

L'Islet-sur-Mer

Sculpture Tremblay
mi-mai à mi-oct
tlj 9h à 17h
416 rue des Pionniers
☎247-5419
On y fait des canards en bois depuis trois générations pour le grand plaisir des visiteurs.

Saint-Jean-Port-Joli

Artisanat Chamard
mi-mars à fin déc, 8h à 18h, fin juin à août 8 h à 21h
601 av. de Gaspé E.
☎598-3425
Artisanat Chamard jouit d'une bonne réputation depuis déjà plus d'un demi-siècle. On peut s'y procurer des tissus, des étoffes, des tricots ainsi que des articles en céramique et des objets d'art amérindien et inuit.

Atelier d'art Marcel-Guay
8h à 21h
490 av. de Gaspé O.
☎598-3544
À l'Atelier d'art Marcel-Guay, vous pourrez voir un sculpteur sur bois à l'œuvre. Les pièces en montre sont uniques et exclusives.

Atelier Jacques-Bourgault
8h à 17h
en été jusqu'à 21h
326 av. de Gaspé O.
☎598-6511
L'Atelier Jacques-Bourgault vous propose des sculptures de bois très originales. Vous y trouverez des bas-reliefs ainsi que de l'art religieux et contemporain.

Galerie-Atelier Nicole-Deschênes-Duval
9h à 21h
552 av. de Gaspé E.
☎598-3123
À la Galerie-Atelier Nicole-Deschênes-Duval, vous ferez la connaissance d'une sculpteure qui se spécialise dans des statuettes représentant des enfants et des adolescents.

La Boutique Oisellerie
9h à 17h
905 av. de Gaspé O.
☎246-3175
La Boutique Oisellerie dispose d'un choix de 140 modèles d'oiseaux taillés dans le tilleul et peints à la main. Vous y verrez également des coffrets de bois.

Boutique et Atelier Myriam
233 av. de Gaspé O.
☎598-3219
À la Boutique et Atelier Myriam, vous pourrez voir à l'œuvre le sculp-

teur André Pelletier. La boutique dispose d'un bon choix de cadeaux.

Village des Artisans
mi-juin à mi-sept, tlj 9h à 21h
329 av. de Gaspé O.
☎598-6829
À La Bourgade «Village des Artisans», vous trouverez une série de boutiques vendant des céramiques, des jouets en bois, des peintures, des articles de cuir, des sculptures, des tissus, des étoffes et des tricots.

Rivière-du-Loup

Les **Allées du Centre-Ville** *(299 rue Lafontaine, ☎867-4988)* et le **Centre Commercial de Rivière-du-Loup** *(298 boul. Thériault, ☎862-7848)* sont des rendez-vous populaires pour ceux et celles qui aiment faire du lèche-vitrine.

Artisanat La Tourbière
tlj 11h à 17h
299 rue Lafontaine
☎867-1957
Artisanat La Tourbière vend des ouvrages de tissage, des tricots, des courtepointes et des sculptures.

Galerie Le Goéland
avr à déc, mar-mer 13h à 18h, jeu-ven 13h à 20h; jan à mai, mar-ven 13h à 18h
dans le relais santé de l'Hôtel Lévesque
171 rue Fraser
☎862-5250
La Galerie Le Goéland expose et vend des œuvres de peintres québécois.

L'Isle-Verte

Filature de L'Isle-Verte
lun-ven 8h30 à midi et 13h à 17h
61 rue Villeray
☎898-2050
La Filature de L'Isle-Verte est un atelier de couture qui vend des couvertures de laine et des vêtements.

Rimouski

Rimouski compte en tout 210 commerces. Ils sont distribués entre **La Grande Place** *(80 rue St-Germain E.)*, le **Carrefour Rimouski** *(419 boul. Jessop, rte 132)* et les **Halles Saint-Germain** *(115 rue St-Germain O.)*.

Galerie Basque
10 km à l'ouest du centre-ville; 1402 boul. St-Germain
☎723-1321
La Galerie Basque (voir p 75) propose de nombreux tableaux d'artistes contemporains.

La Samare
102B rue St-Germain O.
☎723-0242
La Samare dispose d'un vaste choix d'articles en peau de poisson, de sculptures inuites du Grand Nord, de vases et de bibelots.

Salon Vénus
21 rue St-Pierre
☎722-7707
Le Salon Vénus est une librairie ésotérique et un comptoir de musique «nouvel âge».

La République Sainte-Luce-sur-Mer
de Pâques à Noël
de Rimouski, empruntez la rte du Fleuve à Ste-Luce; 33 rte du Fleuve O. Ste-Luce-sur-Mer
☎739-4902
La République Sainte-Luce-sur-Mer est un centre de métiers d'art où vous pourrez vous procurer des catalognes (couvertures tissées), de la poterie, des articles de cuir, etc.

Alina
99 rue St-Germain O.
Vous trouverez tout pour l'alimentation naturelle chez Alina, l'un des plus grands magasins de produits naturels au Québec.

Pasta Mania
123 rue St-Germain O.
☎722-8836
En face de chez Alina, au Pasta Mania des Halles Saint-Germain, vous aurez un grand choix de pâtes fraîches, de sandwichs mixtes, de hachis Parmentier et d'autres préparations à emporter, et ce, à très bon prix. Vous pouvez même les faire réchauffer sur place.

Cormoran

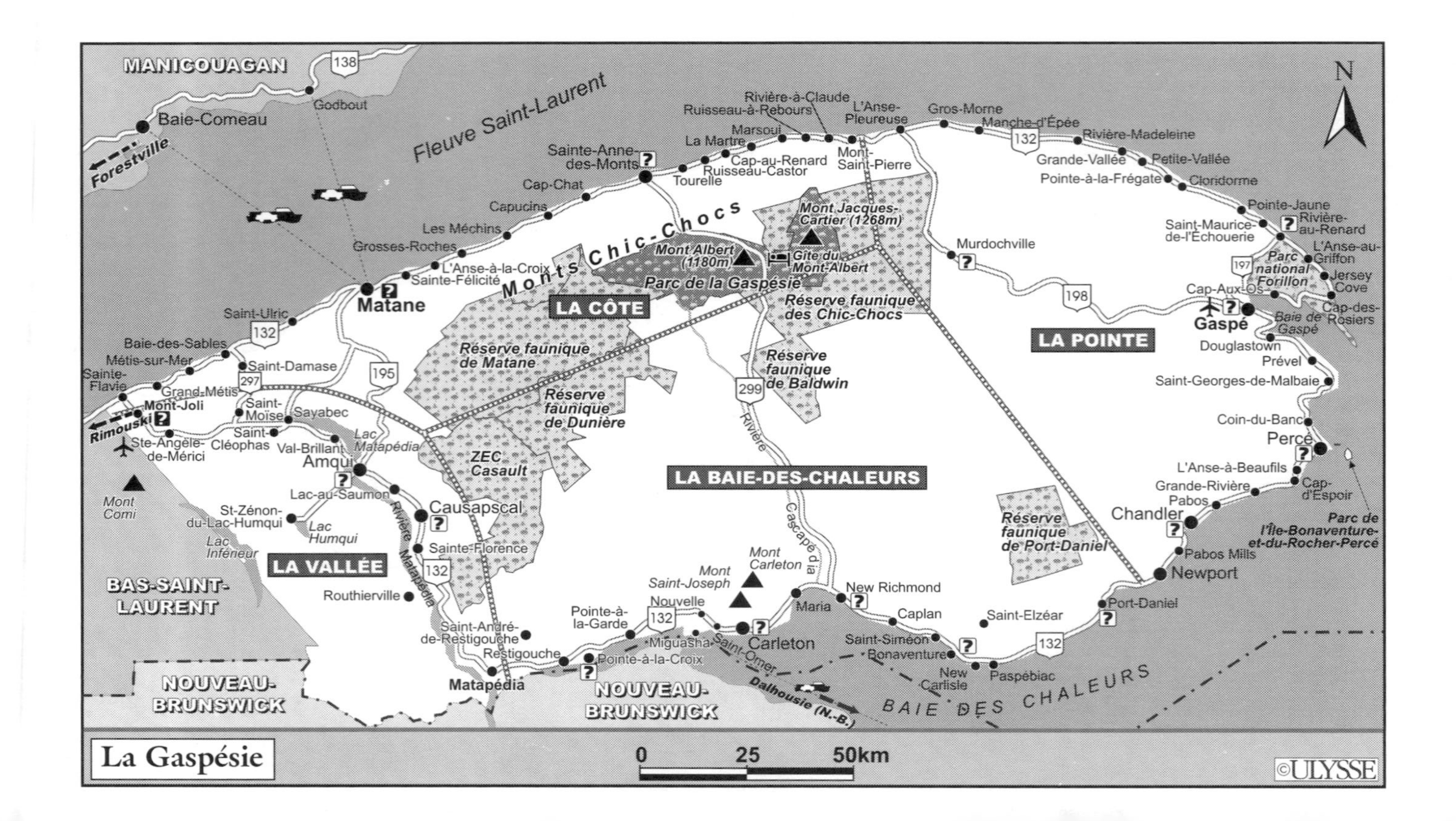
MANICOUAGAN
138
Godbout
Baie-Comeau
Forestville
Fleuve Saint-Laurent
Sainte-Anne-des-Monts
Cap-Chat
Capucins
Les Méchins
Grosses-Roches
L'Anse-à-la-Croix
Sainte-Félicité
Matane
Saint-Ulric
132
Baie-des-Sables
Métis-sur-Mer
Sainte-Flavie
Grand-Métis
Mont-Joli
Rimouski
Ste-Angèle-de-Mérici
Mont Comi
Saint-Damase
297
195
Saint-Moïse
Sayabec
Saint-Cléophas
Val-Brillant
Lac Matapédia
Amqui
Lac-au-Saumon
St-Zénon-du-Lac-Humqui
Lac Humqui
Lac Inférieur
LA VALLÉE
BAS-SAINT-LAURENT
Causapscal
Rivière Matapédia
Sainte-Florence
Routhierville
Saint-André-de-Restigouche
Restigouche
Matapédia
NOUVEAU-BRUNSWICK
Monts Chic-Chocs
LA CÔTE
Réserve faunique de Matane
Réserve faunique de Dunière
ZEC Casault
Mont Albert (1180m)
Parc de la Gaspésie
Gîte du Mont-Albert
Mont Jacques-Cartier (1268m)
Réserve faunique des Chic-Chocs
Réserve faunique de Baldwin
299
Rivière Cascapédia
Tourelle
Ruisseau-Castor
Cap-au-Renard
La Martre
Marsoui
Ruisseau-à-Rebours
Rivière-à-Claude
Mont-Saint-Pierre
L'Anse-Pleureuse
Gros-Morne
Manche-d'Épée
Grande-Vallée
Rivière-Madeleine
Petite-Vallée
Pointe-à-la-Frégate
Cloridorme
Pointe-Jaune
Saint-Maurice-de-l'Échouerie
Rivière-au-Renard
L'Anse-au-Griffon
Parc national Forillon
197
Jersey Cove
Cap-des-Rosiers
Cap-Aux-Os
Gaspé
Baie de Gaspé
Murdochville
198
LA POINTE
Douglastown
Prével
Saint-Georges-de-Malbaie
Coin-du-Banc
Percé
L'Anse-à-Beaufils
Cap-d'Espoir
Parc de l'Île-Bonaventure-et-du-Rocher-Percé
Grande-Rivière
Pabos
Chandler
Pabos Mills
Newport
Réserve faunique de Port-Daniel
Port-Daniel
LA BAIE-DES-CHALEURS
Mont Carleton
Mont Saint-Joseph
Nouvelle
Pointe-à-la-Garde
Miguasha
Pointe-à-la-Croix
Carleton
Saint-Omer
Maria
New Richmond
Caplan
Saint-Siméon
Bonaventure
New Carlisle
Paspébiac
Saint-Elzéar
Dalhousie (N.-B.)
BAIE DES CHALEURS
N
La Gaspésie
0
25
50km
©ULYSSE

La Gaspésie : la Côte

La Côte est une très belle région bordant le fleuve entre Sainte-Flavie et Mont-Saint-Pierre.

Plus vous vous déplacerez vers l'est, plus vous remarquerez que la route devient sinueuse, coincée entre le fleuve et les falaises.

Évitez de conduire trop vite ou de nuit. Enfin, cette région est parsemée de petits villages côtiers se situant très souvent à l'embouchure d'une rivière.

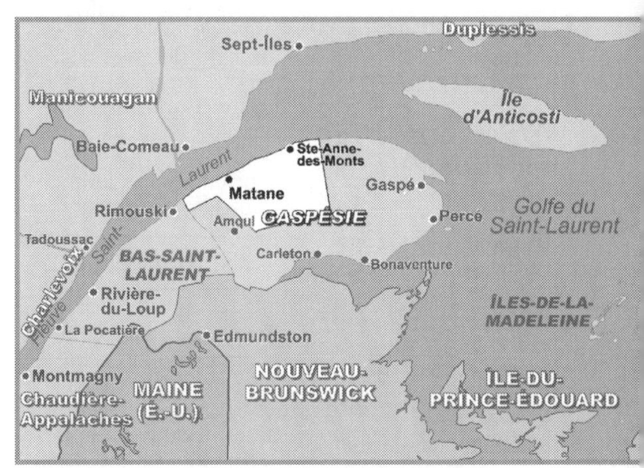

Pour s'y retrouver sans mal

Ce chapitre débute à Sainte-Flavie et vous entraîne le long de la côte gaspésienne. Il suit la route 132 vers l'est.

En autocar

Matane
Station-service Irving (rte 132 est, angle boul. Jacques-Cartier
☎ ***562-4085***

Mont-Joli
☎ ***775-5054***

Sainte-Anne-des-Monts
☎ ***763-3321***

En train

Il n'y a aucun service entre Mont-Joli, Matane et Gaspé (côté nord).

Mont-Joli
48 rue de la Gare
☎ ***775-7853***

Traversier

Matane

Traversier *N. M. Camille-Marcoux*
11,50$, 27,50$ par véhicule
☎ ***562-2500***
⇄ ***562-2013***
Le traversier *N. M. Camille-Marcoux*, qui effectue le trajet Matane—Baie-Comeau—Godbout, est en service toute l'année. La traversée dure 2 heures 15 min. Réservez le plus tôt possible.

Renseignements pratiques

Renseignements touristiques

Association touristique de la Gaspésie
357 rte de la Mer, Sainte-Flavie, G0J 2L0
☎775-2223 ou 800-463-0323 entre 8h30 et 20h
⇄775-2234

Sur place, vous trouverez deux bureaux permanents, l'un à Sainte-Flavie *(357 rte de la Mer)* et l'autre à Matane *(968 av. du Phare).*

Sainte-Anne-des-Monts
tlj 8h à 20h, mi-juin à la fête du Travail
☎763-5832

Matane
mai à oct tlj 8h30 à 20h30, nov à avr lun-ven 9h à midi et 13h à 17h
968 av. du Phare O.
☎562-1065
Ce bureau d'information touristique loge dans un phare.

Attraits touristiques

En suivant le circuit qui longe la côte gaspésienne, vous découvrirez des lieux paisibles, comme les Jardins de Métis, et des villages superbes, comme Mont-Saint-Pierre. La Côte vous offre également un regard unique sur la faune et la flore de la Gaspésie, car, en plus des Jardins de Métis, vous trouverez dans le parc de la Gaspésie des sites exceptionnels aux sommets des plus hautes montagnes du Québec méridional. Bien des villages ne possèdent pas d'attraction touristique réputée, mais ils séduisent tout de même par leur charme et leur caractère pittoresque.

Sainte-Flavie

Surnommé «La porte d'entrée de la Gaspésie», le village de Sainte-Flavie a été fondé en 1829. Il doit son appellation à la seigneuresse Angélique Flavie Drapeau, fille du seigneur Joseph Drapeau. On y trouve des boutiques d'artisanat et plusieurs lieux d'hébergement avec vue sur le golfe du Saint-Laurent. Malheureusement, certains de ces motels et hôtels déparent le paysage car leur architecture est totalement étrangère au caractère du site.

Le **Centre d'art Marcel Gagnon ★** *(entrée libre; mi-avr à mi-oct tlj 7h à 23h; 564 rte de la Mer, rte 132, ☎775-2829)* vous invite à venir voir *Le Grand Rassemblement*, ces 80 statues en maçonnerie grandeur nature qui semblent surgir de la mer. Vous pouvez aussi visiter l'atelier de l'artiste et examiner ses œuvres. Une exposition de radeaux vous fait également découvrir les talents de l'artiste. La visite du centre dure environ une demi-heure. Le **Centre d'interprétation du saumon atlantique ★** (CISA) *(6$, famille 16$; mi-juin à oct tlj 9h à 17h; 900 rte de la Mer, ☎775-2969)* propose différents ateliers visant à faire connaître le saumon et son habitat. Dans un amphithéâtre, vous pouvez voir le court métrage (15 min) *Le saumon de la Mitis*, qui explique le cycle de vie du saumon.

Du 24 juin à la fin août, une visite guidée en bus mène à une passerelle d'où les visiteurs voient sauter le saumon. De plus, on peut assister à une pièce de théâtre sur le thème du saumon : les représentations ont lieu deux fois par jour en après-midi (relâche le jeudi et le vendredi). Au Café Mitiwee, on sert des mets à base de saumon autour d'un petit comptoir. Enfin, vous pourrez admirer, dans des aquariums, des saumons à différents stades de leur vie. Deux sentiers partent du centre d'interprétation et mènent à la baie de Métis. La visite dure environ deux heures.

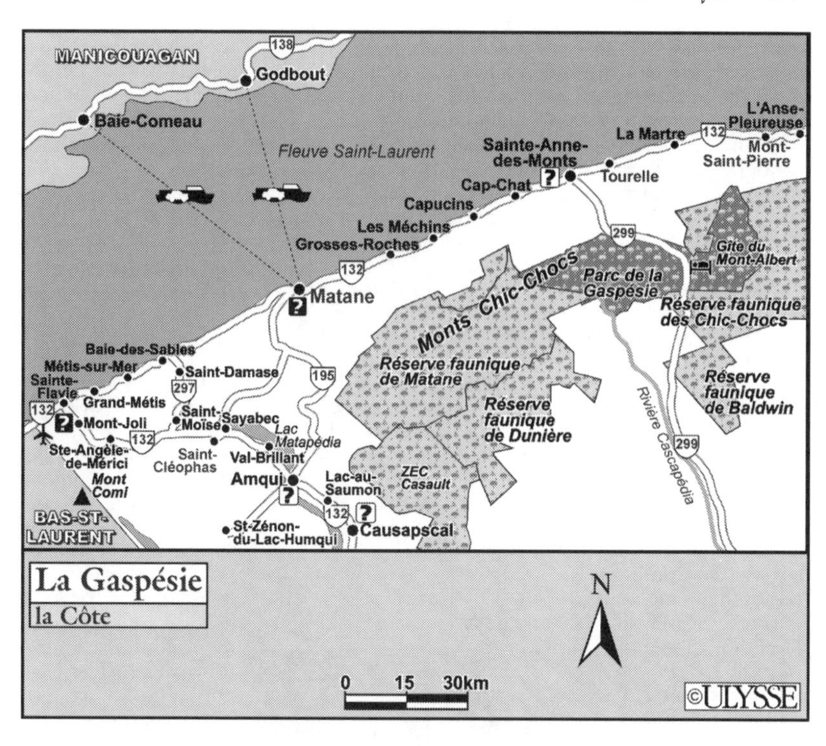

Grand-Métis

Grand-Métis bénéficie d'un microclimat qui attirait autrefois les estivants fortunés. L'horticultrice Elsie Reford a ainsi pu y créer un jardin à l'anglaise où poussent plusieurs espèces d'arbres et de fleurs introuvables ailleurs à cette latitude en Amérique et qui constitue de nos jours le principal attrait de la région. Les Malécites ont baptisé l'endroit *Mitis*, qui signifie «petit peuplier», appellation qui s'est transformée en «Métis» avec les années.

Les **Jardins de Métis ★★** *(7$; juin à mi-oct, tlj 8h30 à 18h30; 200 rte 132, ☎775-2221)* sont une véritable œuvre d'art horticole.

Lord Mount Stephen, premier président du Canadien Pacifique, achète la seigneurie de Métis en 1886. Il y construit un an plus tard un camp appelé *Estevan Lodge*. Mme Reford, qui hérita de la propriété de son oncle en 1919, y cultiva d'abord des légumes, mais elle importa, dès 1927, des fleurs du Tibet, du Japon, d'Europe et de tous les coins du monde pour créer de magnifiques jardins. Le gouvernement du Québec acheta les lieux en 1961.

À différentes périodes de l'année, plus de 500 espèces de fleurs et de plantes y fleurissent. Les jardins se divisent en six ensembles ornementaux. Le massif floral est composé de vivaces (en fleurs au début de l'été) et de plantes annuelles (en fleurs en juillet et en août).

Les rocailles présentent des plantes et des fleurs des régions montagneuses dispersées le long d'un ruisseau. Le jardin des rhododendrons offre un très beau spectacle au début de l'été, lors de la floraison. Dans l'allée royale, vous pourrez apprécier l'art de l'aménagement paysager à l'anglaise. Le jardin des pommetiers présente un bel agencement de sentiers et de plates-bandes de différentes espèces végétales.

Enfin, le jardin des primevères, comme son nom l'indique, est réputé pour sa floraison colorée au printemps. Dans toutes ces parties des Jardins de Métis, vous trouverez, outre les tamias rayés qui se déplacent sans cesse, des fauteuils et des bancs pour vous reposer tout en admirant le panorama. Une autre curiosité des Jardins de Métis est l'ancienne pompe à essence qui se situe près des bureaux de l'administration.

De plus, il est possible de visiter un mini-insectarium et une mini-bibliothèque remplie de livres portant sur les insectes, les plantes, les champignons et les oiseaux, lesquels ouvrages sont offerts en consultation seulement. De nombreux dépliants visant à faciliter votre visite sont également disponibles; demandez-les.

La visite dure environ une heure. N'oubliez surtout pas votre insectifuge, car les insectes sont très voraces (moustiques). Les sentiers sont aménagés pour accueillir les personnes en fauteuil roulant. Les animaux sont strictement interdits, sauf les chiens d'aveugle.

Administré par Les Ateliers Plein Soleil, le **Musée de la Villa Reford** ★★ *(mi-juin à mi-oct tlj 9h30 à 18h; à l'intérieur des Jardins de Métis, ☎775-3165)* occupe une somptueuse villa de 37 pièces qui se dresse au milieu des Jardins de Métis. Le musée fait connaître la vie des Métissiens au début du XXe siècle.

Lupins

En effet, dans cette maison qui appartint jadis à Mme Reford, on peut visiter différentes salles dans lesquelles sont reconstitués la chambre des serviteurs, la chapelle, le magasin général, l'école et le cabinet de médecin. Les handicapés ne peuvent se rendre au musée, car on n'a pu détruire une partie de cette maison historique pour construire une rampe d'accès à l'étage. Cependant, l'entrée de la maison Reford leur est accessible et les chiens d'aveugle sont admis.

Métis-sur-Mer

Ce centre de villégiature était, au tournant du XXe siècle, le lieu de prédilection des professeurs de l'université McGill de Montréal, qui y louaient d'élégants cottages en bordure de mer pour la durée de leurs vacances estivales. Des familles anglo-saxonnes plus fortunées s'y sont également fait construire de vastes résidences apparentées aux styles qu'on retrouve en Nouvelle-Angleterre.

Elles ont été attirées par la beauté du paysage, mais aussi par la présence d'une petite communauté écossaise où le seigneur de Métis, John McNider, s'était établi le premier dès 1820. Par sa cohésion et la qualité de son architecture de bois, cette municipalité, également connue sous le nom de «Métis Beach», se distingue des villages environnants.

Baie-des-Sables

Cette municipalité, sise entre Les Boules et Saint-Ulric, vit principalement de l'agriculture commerciale. Fondée

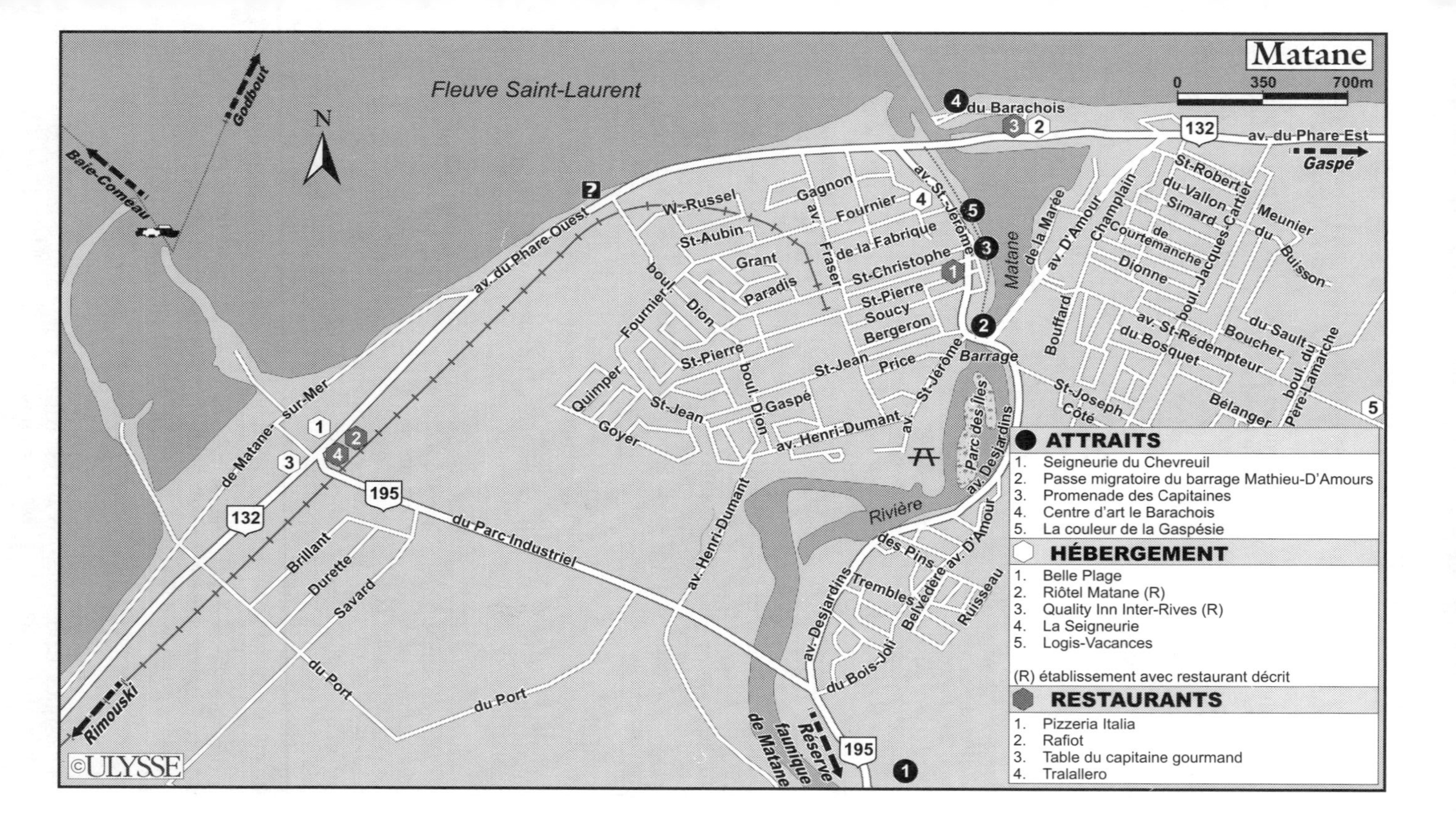

Matane
0 350 700m
Fleuve Saint-Laurent
N
Godbout
Baie-Comeau
Gaspé
Rimouski
Réserve faunique de Matane
du Barachois
av. du Phare Est
av. du Phare Ouest
de Matane-sur-Mer
du Parc-Industriel
du Port
Brillant
Durette
Savard
W.-Russel
St-Aubin
Grant
Paradis
boul. Fournier
Dion
Quimper
Goyer
St-Jean
St-Pierre
boul. Dion
Gaspé
av. Henri-Dumant
Gagnon
Fournier
av. Fraser
de la Fabrique
St-Christophe
Soucy
Bergeron
Price
av. St-Jérôme
Barrage
Parc des îles
av. Desjardins
Rivière
Matane
de la Marée
av. D'Amour
Champlain
de Courtemanche
Dionne
Bouffard
St-Robert
du Vallon
Simard
boul. Jacques-Cartier
Meunier
du Buisson
av. St-Rédempteur
du Bosquet
Boucher
du Sault
boul. du Père-Lamarche
St-Joseph
Côté
Bélanger
des Pins
Trembles
Belvédère
Ruisseau
du Bois-Joli
132
195
ATTRAITS
1. Seigneurie du Chevreuil
2. Passe migratoire du barrage Mathieu-D'Amours
3. Promenade des Capitaines
4. Centre d'art le Barachois
5. La couleur de la Gaspésie
HÉBERGEMENT
1. Belle Plage
2. Riôtel Matane (R)
3. Quality Inn Inter-Rives (R)
4. La Seigneurie
5. Logis-Vacances
(R) établissement avec restaurant décrit
RESTAURANTS
1. Pizzeria Italia
2. Rafiot
3. Table du capitaine gourmand
4. Tralallero
©ULYSSE

en 1850, elle fut d'abord baptisée *Sandy Beach* par les Écossais, d'où son nom actuel. On peut y observer beaucoup de maisons centenaires, comme l'ancien presbytère d'architecture victorienne et québécoise datant de 1864.

C'est à partir de Baie-des-Sables que vous pouvez emprunter la route 297 pour vous rendre à la Base de plein air de Saint-Damase, au théâtre La Pente Douce ou dans la vallée de la Matapédia *(voir p 171)*

Matane

Capitale mondiale de la crevette, Matane constitue le centre commercial et urbain de la région. L'activité économique de cette ville est liée à la pêche, à la coupe de bois et à la confection. Le nom de «Matane» provient de la langue micmaque et signifie «vivier de castors».

La dernière semaine de juin, Matane est en fête car c'est le **Festival de la Crevette ★★**. Il s'agit en fait d'une gigantesque fête en famille, à laquelle tout le monde est invité. On en profite pour saluer la parenté et organiser des spectacles d'envergure ainsi que différentes activités sociales, culturelles et sportives. La «patate frite» se transforme alors en crevette dans les kiosques, tandis que les feux de la Saint-Jean marquent la fête nationale des Québécois. Il est fortement conseillé de réserver votre place dans les hôtels longtemps à l'avance si vous comptez séjourner dans la région durant cette période.

La **Seigneurie du Chevreuil ★** *(5$; mi-mai au 1er nov 9h à 20h; empruntez la rte 195 vers Amqui, c'est à 4 km du centre-ville de Matane, surveillez bien les panneaux marqués d'une tête de chevreuil à gauche de la rte, si vous croisez un pont sur votre droite, c'est que vous l'avez dépassée, faites alors demi-tour; 131 de la Rivière, Grand Détour, ☎562-1528)* gère un enclos comptant quelque 200 cerfs de Virginie. Vous avez tout le loisir de les caresser et de les nourrir. Vous pouvez également parcourir un sentier de 3 km. La randonnée dure une heure et demie; munissez-vous de bonnes bottes, surtout s'il pleut.

À la **Passe migratoire du barrage Mathieu-D'Amours ★** *(2$)*, il est possible d'observer les saumons à travers deux baies vitrées. Vous y trouverez un centre d'interprétation.

La **Promenade des Capitaines** *(près du restaurant McDonald, en bordure de la rivière Matane)* présente, sur des panneaux, l'histoire de quelques capitaines. C'est un lieu agréable pour une balade. Au loin, sur un îlot, on peut apercevoir de nombreux oiseaux.

Le **Centre d'art Le Barachois** *(fin juin à fin août; entre la marina et le Riôtel; 200 av. du Phare Est, ☎562-6611)* est à la fois un centre d'art et un théâtre d'été. On y organise différentes activités telles que des soirées francophones, des séances de peinture et de dégustation, des rencontres amicales et divers ateliers. On reçoit des chanteurs à l'occasion, et l'on présente aussi des expositions temporaires.

La Couleur de la Gaspésie ★ *(1$; fin juin à début sept, tlj 9h à midi et 13h à 17h; Complexe Culturel, 520 av. St-Jérôme)* se compose d'une collection permanente de 50 toiles du peintre Claude Picher. Toutes les toiles représentent des paysages gaspésiens.

Sur la rivière Matane, vous pourrez évaluer les prouesses des **pêcheurs à la ligne**, et ce, en plein cœur de la ville.

Réserve faunique de Matane

La **réserve faunique de Matane** *(empruntez la rte 195 depuis Matane, et faites 40 km jusqu'au poste d'accueil John; de là, parcourez 9 km sur la rte 1-de la Rivière; renseignements; 257 av. St-Jérôme, ☎562-3700 ou 800-665-6527)* vous propose une visite «autoguidée» le long d'un sentier de 1,5 km qui vous permet d'approfondir votre connaissance du saumon.

Au parc des Îles, près de la passe migratoire, vous trouverez cinq îles reliées par des passerelles. On peut s'y baigner.

Les Méchins

Petit village côtier typiquement gaspésien, cette municipalité est sise entre les monts Chic-Chocs et le fleuve Saint-Laurent à mi-chemin entre Grosses-Roches et Capucins. Elle a une vocation essentiellement maritime, dont témoignent d'ailleurs son importante cale sèche, son chantier naval et son usine de transformation du poisson. En sillonnant les rues du village, vous remarquez que leur nom évoque celui de bateaux ayant appartenu à des pêcheurs méchinois.

La légende raconte qu'un géant, faisant près de 3 m et ne possédant qu'un seul œil, circulait sur la grève vers la fin du XIXe siècle et hurlait toujours à l'approche des tempêtes. Il logeait dans une caverne et en sortait tôt le matin. Il s'appelait «le Méchant», d'où le nom du village Les Méchins.

Cette municipalité fut également le lieu de tournage d'un feuilleton, *Rue de l'anse* (1962), et d'une série, *D'Iberville* (1967).

À la **cale sèche** ★ du chantier maritime Verreault Navigation, vous pourrez voir de nombreux bateaux en réparation.

Le **havre de pêche**, situé en face de la cale sèche, comporte une infrastructure très moderne.

Capucins

Cette municipalité tire son appellation d'un rocher en forme de capuce.

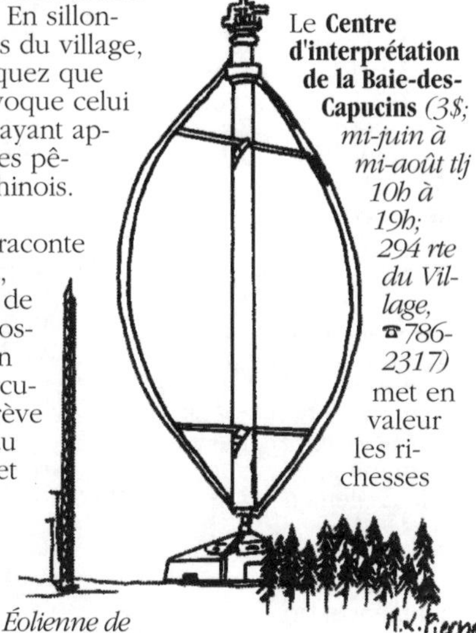

Éolienne de Cap-Chat

Le **Centre d'interprétation de la Baie-des-Capucins** *(3$; mi-juin à mi-août tlj 10h à 19h; 294 rte du Village, ☎786-2317)* met en valeur les richesses de la baie des Capucins : la faune, la flore et l'unique marais salant de la côte nord de la Gaspésie. La visite dure environ une demi-heure.

Cap-Chat

Selon les uns, le nom de cette petite ville serait attribuable à Champlain, qui a baptisé les environs «Cap de Chatte» en l'honneur du commandeur de Chatte, lieutenant général du roi, alors que d'autres affirment que c'est plutôt la forme d'un rocher rappelant étrangement un chat accroupi situé à proximité du phare qui en serait à l'origine. L'église Saint-Norbert, érigée en 1916, est le seul monument d'importance au centre de la ville. De facture néoromane, elle est une des rares églises en maçonnerie à l'est de Matane.

Les **Éoliennes de Cap-Chat** ★★*(12$; 24 juin à début sept tlj 8h30 à 17h30; rte 132, ☎786-5733)* comportent une éolienne d'une hauteur de 100 m et d'une puissance de 4 mégawatts, qui est ouverte au public et qui est le plus efficace et le plus haut aérogénérateur à axe vertical du monde, ainsi qu'un parc éolien : Le Nordais. Le parc, qui compte maintenant 73 éoliennes, devrait en contenir 133 une fois terminé.

Le **Centre vents et mer Le Tryton** ★*(7$; juin à mi-oct tlj 8h au coucher du soleil; près des éoliennes, rue du Phare, ☎786-5543)* présente un spectacle multimédia (20 min) à l'aide d'écrans disposés sur trois murs, de diapositives et de maquettes. On y raconte l'histoire de Cap-Chat, ses légendes, l'importance du vent et le fonctionnement d'une éolienne. De jolis sentiers sillonnent le bord de la mer. De ses belvédères, on peut admirer des paysages superbes.

Sainte-Anne-des-Monts

Cette municipalité, où finit l'estuaire du Saint-Laurent, fut jadis un lieu de pèlerinage sous le patronage de sainte Anne, d'où son nom. La rivière Sainte-Anne, l'une des plus importantes de la Gaspésie, y coule et s'enfonce profondément dans l'arrière-pays.

Explorama *(8$; tlj 9h à 20h; 11re Av. O., ☎763-2500)* vous propose de découvrir la péninsule gaspésienne et ses liens étroits avec la mer et la montagne grâce à des activités d'interprétation.

C'est à Sainte-Anne-des-Monts que vous pouvez emprunter la rte 299, qui mène au parc de la Gaspésie (40 km) et à la Baie-des-Chaleurs (140 km).

Parc de la Gaspésie

Situé près de Sainte-Anne-des-Monts et n'étant véritablement établi que depuis 1981, le parc de la Gaspésie, d'une superficie de 800 km^2, fut créé en 1937 dans le but de préserver le milieu naturel gaspésien et de le rendre facilement accessible. Il vise à éduquer et à faire découvrir. Composé de cirques glaciaires et de vallées profondes, il abrite les plus hauts sommets de la rive sud du fleuve Saint-Laurent. Sa végétation à ras de terre, typique de la toundra, rappelle le Grand Nord québécois.

Il se divise en zones protégées. Les zones dites de préservation extrême assurent la protection des éléments de la faune ou de la flore qui sont particuliers à la région, tel le caribou. L'accès général y est interdit. On y pratique plutôt des activités à caractère scientifique ou éducatif.

Les zones dites de préservation sont celles qui nous intéressent tout particulièrement car elles sont sillonnées de sentiers et comptent quelques emplacements de camping; elles sont donc facilement accessibles.

Enfin, la zone dite d'ambiance, qui forme la plus grande partie du parc, dispose d'un réseau de routes et de sentiers, ainsi que de lieux d'hébergement. La zone dite de services a été établie pour accueillir et renseigner les visiteurs.

Le parc compte deux principaux massifs montagneux : les monts McGerrigle, couvrant une superficie d'une centaine de kilomètres carrés et perpendiculaires à l'axe des Chic-Chocs, et les monts Chic-Chocs mêmes, qui s'étendent sur plus de 90 km depuis Matane jusqu'au mont Albert. Les deux chaînes sont scindées par la vallée de la rivière Sainte-Anne.

Le parc de la Gaspésie est situé au cœur de la péninsule le long de la rte 299. Cette route part de Sainte-Anne-des-Monts et mène à New Richmond, dans la Baie-des-Chaleurs. Il est très important de vous rappeler que vous ne trouverez qu'une station-service entre ces deux points : à Cap-Seize, non loin de Sainte-Anne-des-Monts.

Le parc se divise en trois principaux secteurs : le secteur du mont Albert (à 40 km de Sainte-Anne-des-Monts, sur la route 299), où se trouvent le Gîte du Mont-Albert (voir p 120), les deux campings et le centre d'interprétation; le secteur du lac Cascapédia (à 36 km de Sainte-Anne-des-Monts, sur la route 11, à partir de la

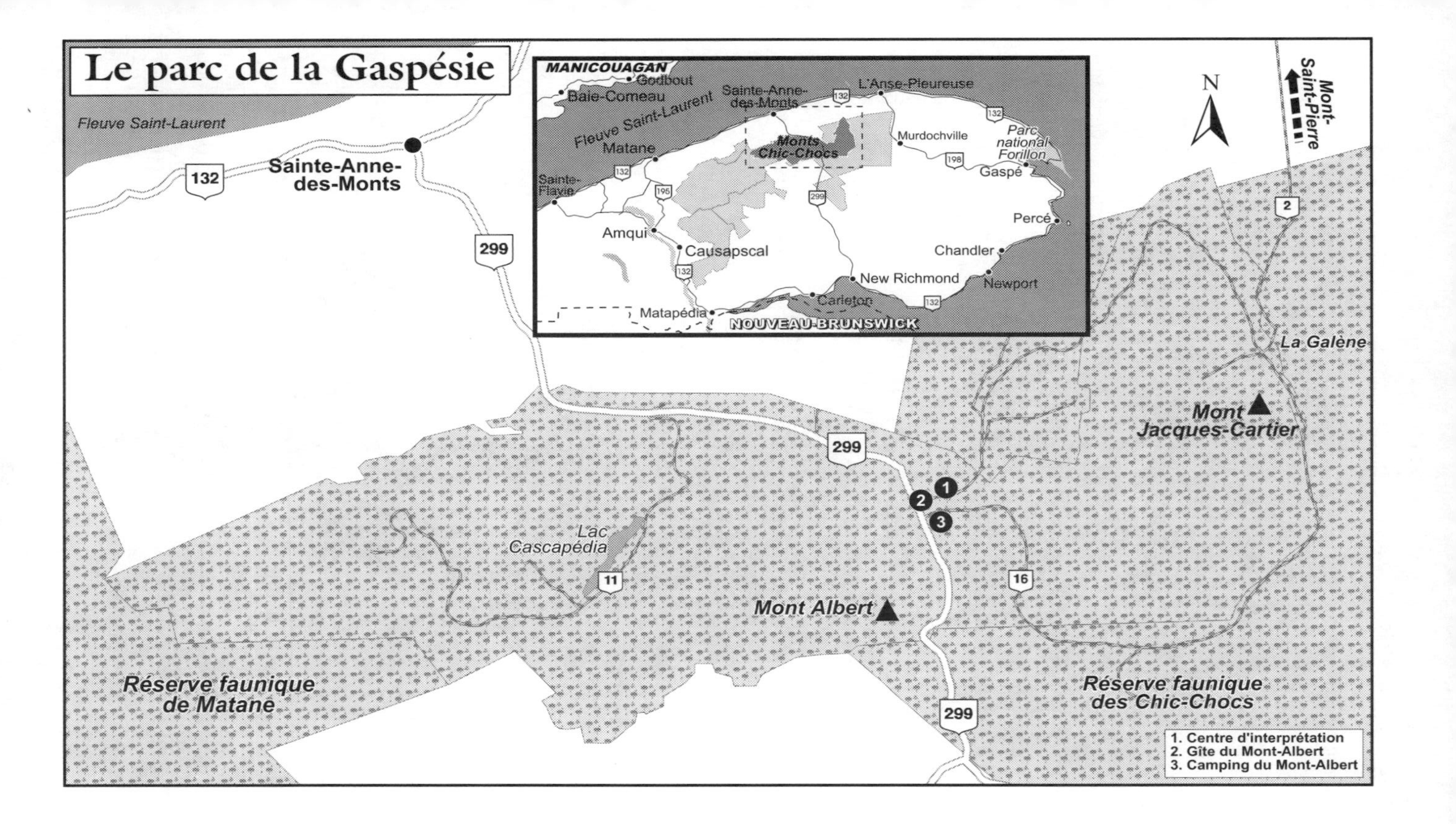

Le parc de la Gaspésie
Fleuve Saint-Laurent
Sainte-Anne-des-Monts
132
299
MANICOUAGAN
Godbout
Baie-Comeau
Fleuve Saint-Laurent
Sainte-Anne-des-Monts
L'Anse-Pleureuse
Matane
Sainte-Flavie
Monts Chic-Chocs
Murdochville
Parc national Forillon
Gaspé
198
195
Percé
Amqui
Causapscal
Chandler
New Richmond
Newport
Matapédia
Carleton
NOUVEAU-BRUNSWICK
N
Mont-Saint-Pierre
2
La Galène
Mont Jacques-Cartier
Lac Cascapédia
11
16
Mont Albert
Réserve faunique de Matane
Réserve faunique des Chic-Chocs
1. Centre d'interprétation
2. Gîte du Mont-Albert
3. Camping du Mont-Albert

Trucs pour observer le caribou

Des jumelles sont presque essentielles.
Lorsque vous en apercevez, cessez de bouger.
Si le terrain est dégagé, accroupissez-vous ou essayez de vous camoufler.
Patientez : le caribou a la vue faible et il est curieux.
Restez sur le sentier.

route 299), où se trouvent des chalets et un camping, et d'où l'on accède aux crêtes des Chic-Chocs en randonnée; le secteur de la Galène (près du mont Jacques-Cartier, accessible par la route 2 depuis Mont-Saint-Pierre et par la route de ceinture des monts McGerrigle), où se trouvent un camping et trois refuges.

Un service de navette en bus a été instauré entre le stationnement de la Galène et le pied de la montagne près du sentier du mont Jacques-Cartier. Les départs se font tous les jours, du 24 juin à la fin septembre, à 10h, 10h30, 11h, 11h30 et midi. Les retours se font à 14h15, 15h, 15h30 et 16h. Le tarif est de 5$.

Depuis 1992, un service de bus mène les visiteurs du centre d'interprétation au mont Jacques-Cartier. Le départ a lieu à 9h, et le retour, de la Galène, s'effectue à 16h. Le tarif est de 16$ pour les adultes et de 8$ pour les enfants.

Vous pouvez laisser votre animal de compagnie au **chenil du parc** *(10$; 1er juin à fin sept; Cap-Seize, ☎763-5977).*

La boutique **Chic Chocs**, située au Centre d'interprétation, fait la location, pour la randonnée, de bottes, d'imperméables, de porte-bébés et de sacs à dos. Pour le camping, vous y trouverez tentes, sacs de couchage, gamelles et réchauds. On y fait aussi la location de cannes à pêche.

Caribou

Abondante et diversifiée, la faune du parc est protégée par des lois sévères. Parmi les mammifères figurent le cerf de Virginie, l'orignal (élan), l'ours noir, le coyote, le renard roux, le castor, et, évidemment, le caribou (renne). C'est d'ailleurs le seul habitat au Québec où l'on trouve à la fois le cerf de Virginie, le caribou et l'orignal.

Les oiseaux sont présents partout; il y en a plus de 140 espèces, dont le pipit commun, la grive à joues grises, l'aigle doré, le tétras de savane, l'alouette cornue, le canard arlequin et le pic à dos noir. Les espèces de poissons recensées se limitent au saumon, à l'omble de fontaine, à l'omble chevalier et au touladi. Les reptiles et les amphibiens sont aussi présents : la couleuvre rayée, la grenouille, la salamandre et le crapaud américain.

Situées en plein milieu de la péninsule gaspésienne, les montagnes du parc de la Gaspésie sont bien sûr recouvertes de conifères; toutefois, ce qui intéresse particulièrement le visiteur est la végétation de type toundra que l'on retrouve sur les sommets. Celle-ci rappelle celle du Grand Nord québécois. On y voit des arbres rabougris et de petites plantes tellement à ras de terre qu'il faut se pencher pour les voir. C'est un parfait exemple d'adaptation au milieu (vents, froids intenses, neige). Cette végétation est qualifiée d'arctique-alpine.

Les **monts Jacques-Cartier**, **Albert** et **Xalibu** sont décrits dans la section «Activités de plein air» ci-dessous.

Le **Centre d'interprétation** *(juin à début sept tlj 7h à 20h, sept à mi-oct tlj selon un horaire plus restreint; sur la route 299, près du Gîte du Mont-Albert, ☎763-7811)* abrite la collection permanente du parc et le centre d'accueil. On y présente aussi un diaporama sur les beautés du parc. De plus, des naturalistes animent la soirée dès 20h à l'aide d'installations audiovisuelles et théâtrales (90 min). C'est ici qu'ont lieu les départs des randonnées guidées (voir p 110).

Tourelle

Cette municipalité tire son nom d'un rocher en forme de tourelle.

La Martre

Cette petite municipalité vous invite à découvrir son phare qui se dresse sur un site exceptionnel. La localité est appelée ainsi car on y retrouvait autrefois un grand nombre de martres.

Le **Centre d'interprétation des Phares** ★ *(adulte 2,50$, étudiant 2$, famille 6$; juin à début sept tlj 9h à 17h; 10 av. du Phare, ☎288-5698)* vous propose une visite guidée de ce phare à charpente de bois; de forme octogonale, il date de 1906. Vous trouverez sur place une collection permanente sur l'évolution des systèmes d'éclairage des phares et une salle accueillant des expositions temporaires. La visite dure environ une heure.

Mont-Saint-Pierre

Ce minuscule village semble avoir été mis à l'écart dans une baie tranquille. La vallée et le plateau encaissés par les montagnes faisant face à la mer constituent une toile de fond superbe.

Capitale du vol libre de l'est du Canada, Mont-Saint-Pierre accueillit les premiers vélideltistes en 1976. M. Marcel Bourrish, parti de Saint-Sauveur-des-Monts, «découvre» le mont Saint-Pierre, haut de 450 m. Depuis, il s'y est tenu trois championnats nationaux, en 1980, en 1983 ainsi qu'en 1985. C'est depuis ce village que vous avez accès au parc de la Gaspésie. Le Gîte du Mont-Albert se trouve à 60 km (dont 26 km sur route non revêtue) (voir p 120).

Le **Centre de renseignements sur le vol libre** ★ *(fin juin à fin août tlj 8h à 18h; rte 132, ☎797-2222)* informe les visiteurs sur tout ce qui a trait au vol libre, au parapente, au deltaplane et au vol en tandem. La visite dure environ 45 min. On organise une excursion au sommet du mont Saint-Pierre *(7,50$)* en tout-terrain.

La **Fête du Vol Libre** ★★★ a lieu tous les ans de la fin juillet au début août. Cette rencontre des fervents du vol libre donne lieu à des épluchettes de blé d'Inde ainsi qu'à des danses autour de feux de grève.

Carrefour Aventure *(7,50$; mi-juin à mi-sept; 106 rue Cloutier, ☎797-5033 ou 800-463-2210)* organise des **visites guidées** ★★ sur le mont Saint-Pierre. L'excursion dure 45 min et coûte 16$ pour les adultes et 8$ pour les enfants.

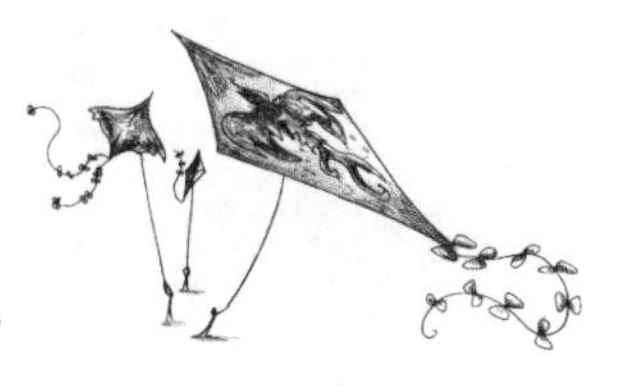

Activités de plein air

Motoneige

La Gaspésie possède quelque 2 000 km de sentiers aménagés pour la motoneige. Vous trouverez, tout le long des parcours, des dépanneurs, des hôtels et des garages prêts à vous servir. Un de ceux-ci, la route 555, longe la route 132 sur la pointe, où elle pénètre à l'intérieur des terres, de Gaspé à Chandler. L'Association touristique de la Gaspésie peut vous fournir la *Carte des sentiers de motoneige*.

Club Les Amoureux de la motoneige
M. Métivier
Matane
☎562-4400 ou 562-8257

Chasse

Pour tout renseignement concernant la chasse ou la pêche, vous pouvez composer sans frais, entre 8h30 et 16h du lundi au vendredi, le ☎800-561-1616 (ministère de l'Environnement et de la Faune). En ce qui concerne la pêche quotidienne, appelez entre 16h30 et 17h30 pour obtenir votre droit de pêche du lendemain.

Il est possible de pratiquer la chasse à l'ours, à l'élan, au petit gibier et au cerf de Virginie dans la **réserve faunique de Matane** *(☎562-3700)*. Des chalets ont été construits pour accueillir les chasseurs.

Pêche

Pour tout renseignement concernant la chasse ou la pêche, vous pouvez composer sans frais, entre 8h30 et 16h du lundi au vendredi, le ☎800-561-1616 (ministère de l'Environnement et de la Faune). En ce qui concerne la pêche quotidienne, appelez entre 16h30 et 17h30 pour obtenir votre droit de pêche du lendemain.

La **réserve faunique de la Rivière-Matane** et la **réserve faunique de Matane** vous invitent à venir pêcher dans leurs nombreuses fosses *(droit d'accès à l'entrée de la réserve faunique de Matane et au 263 av. St-Jérôme, Matane, ☎562-3700)*. Des chalets et un camping sont mis à la disposition des pêcheurs.

Pour pêcher le saumon dans la zone d'exploitation contrôlée de Cap-Chat, adressez-vous à la **Société de gestion de la rivière Cap-Chat** *(53 rue Notre-Dame, C.P. 279, Cap-Chat, G0J 1E0, ☎786-5969 ou 800-665-6527)*. Un permis de pêche au saumon *(résident 27,75$, non-résident 69,75$; il donne le droit de pêcher les autres espèces pouvant se trouver dans la rivière)* est nécessaire, et la pêche se fait à la mouche. Le permis de pêche sportive n'est pas valide. Il faut réserver à l'avance pour s'assurer d'une place.

Le **quai de Sainte-Anne-des-Monts** se prête bien à la pêche. On peut faire frire son poisson sur la plage.

Dans le **parc de la Gaspésie**, il est possible de pratiquer la pêche au saumon dans 23 fosses réparties sur une distance de 20 km le long de la rivière Sainte-Anne. Les réservations s'effectuent au bureau des réservations du ministère de l'Environnement et de la Faune à Québec *(☎800-561-1616)*.

La pêche à la truite se pratique dans une quinzaine de lacs. Les espèces les plus fréquemment pêchées sont le touladi (truite grise), l'omble de fontaine (truite mouchetée) et l'omble chevalier (truite rouge). On peut pêcher à gué ou avec une embarcation. Vous obtiendrez un droit de pêche en vous adressant aux préposés de l'accueil.

Avalanches

Les monts Chic-Chocs et les versants abrupts des montagnes de la Gaspésie offrent aux amateurs de ski alpin hors-piste des conditions de neige des plus intéressantes. D'ailleurs, d'année en année, on enregistre une augmentation de la fréquentation des endroits facilement accessibles aux sportifs avides de la sensation de liberté qu'offrent ces pentes naturelles.

Les skieurs avertis savent toutefois que les risques d'avalanche sont présents même au Québec. On entend peu parler de ces avalanches, généralement de faible à moyenne intensité, puisque les versants affectés sont peu ou pas fréquentés. Toutefois, il est facile de reconnaître les endroits où les avalanches se produisent. Les bandes sans végétation formant des trouées dans la forêt sont caractéristiques d'un déboisement par des avalanches. La neige est l'élément destructeur le plus rapide. Les sites les plus fréquemment soumis aux avalanches sont situés aux endroits où le plateau surmontant le versant est déboisé. La neige peut ainsi être soufflée et s'accumuler en surplomb, formant des corniches au-dessus des pentes. Ces corniches peuvent se décrocher au contact ou par gravité. La neige descend alors la pente et, selon le type de neige déjà présent sur la pente, le volume transporté est plus ou moins grand.

Dans le secteur du mont-Albert, un site est soumis à un type d'avalanche de neige mouillée qu'on appelle aussi *slush flow*. Ce type d'avalanche se produit toutefois lorsqu'il y a un redoux à la suite d'une forte chute de neige, et les sites affectés sont en pente faible. La plupart des sites soumis aux avalanches de neige sèche sont situés sur des terres publiques, et les conditions de pente et d'enneigement sont considérées idéales par les skieurs alpins.

Il en revient donc aux skieurs d'être attentifs à la présence de corniches pour éviter des incidents déplorables. Un programme de recherche pour déterminer les impacts écologiques et la fréquence des avalanches dans différents secteurs de la Gaspésie est en cours. On entendra donc de plus en plus parler des ces avalanches québécoises encore peu connues de la majorité des gens.

Randonnée pédestre

Vous trouverez deux beaux sentiers au Centre d'interprétation du saumon atlantique de Sainte-Flavie. La randonnée dure environ deux heures.

La **réserve faunique de Matane** *(à 40 km du centre-ville le long de la rivière Matane)* compte 8 km de sentiers dans un site vraiment enchanteur où l'on peut voir des orignaux et des paysages splendides depuis le mont Blanc.

Carrefour Aventure *(106 rue Cloutier, ☎797-5033 ou 800-463-2210)* organise des visites guidées sur le mont Saint-Pierre *(7,50$)* ainsi que des excursions au mont Jacques-Cartier *(20$ avec guide, 10$ sans guide)*.

Dans le parc de la Gaspésie, des sentiers faciles pour tout type de randonneurs bordent la rivière Sainte-Anne près du Gîte du Mont-Albert. Si vous décidez de vous rendre sur le **mont**

Albert ★★★ *(jusqu'au 30 septembre)*, l'ascension est assez difficile. Il faut respecter une consigne : se munir de bonnes bottes de randonnée, d'une collation et d'un anorak. Après avoir traversé en peu de temps plusieurs types de végétation, vous atteindrez le sommet (1 150 m) et marcherez sur un plateau de 20 km². Notez que la végétation y est arctique-alpine. La descente se fait ensuite par la Cuve du Diable. On y trouve des câbles et plusieurs aménagements qui permettent une descente sûre; celle-ci demeure tout de même difficile.

Remarquez la vallée glaciaire encaissée par des falaises hautes de 300 m. La dernière partie du trajet s'effectue par le lac du Diable. On arrive ensuite au Gîte du Mont-Albert. Une autre randonnée peut être faite au **mont Jacques-Cartier** ★★, l'un des plus hauts sommets du Québec (1 270 m), d'où vous aurez une vue imprenable sur les monts McGerrigle. On y voit fréquemment des caribous.

L'accès à ce mont est maintenant restreint; ainsi, du 24 juin à la fin septembre, la visite n'est autorisée que de 10h à 16h, et ce, dans le but de préserver le troupeau de caribous. Accessible depuis peu, le **mont Xalibu** ★★, le moins difficile à escalader des trois, présente des paysages superbes. De son sommet, on peut observer, au loin, des chutes ainsi que le lac aux Américains. On trouvera également d'autres sentiers pour la randonnée dans le secteur du **lac Cascapédia** ★. On y a aménagé trois boucles de difficulté moyenne. Vous y découvrirez une forêt boréale et pourrez atteindre les crêtes des monts Chic-Chocs.

Parvenu au sommet (900 m), après une heure et demie de marche, on peut observer, depuis quelques belvédères, de très beaux panoramas. Du côté nord, on aperçoit le plateau et la plaine appalachienne ainsi que le fleuve Saint-Laurent. Du côté est, on voit la vallée glaciaire de la rivière Sainte-Anne.

Destination Chic Chocs est un organisme à but non lucratif fondé en 1989. Il a pour objectif de faire connaître le parc par ses activités de plein air tout en préservant le milieu naturel. Cet organisme met sur pied de nombreuses randonnées pédestres guidées. Les activités ont lieu tous les jours du 24 juin au début septembre. Tous les départs se font à la boutique Chic Chocs, située au Centre d'interprétation.

Les tarifs sont de 24$ pour les randonnées d'une journée (d'une durée de sept à huit heures) ou de 15$ pour la demi-journée. Un forfait famille coûte 60$ pour une journée ou 35$ pour une demi-journée. Vous obtiendrez plus de renseignements à la boutique *(☎763-9020)*. Pour le mont Jacques-Cartier, les départs se font à 9h, tous les jours, et l'excursion de 8 km dure huit heures (niveau intermédiaire).

Pour le lac aux Américains, un départ se fait chaque jour à 13h30; le trajet de 2,8 km dure trois heures et demie (niveau débutant). Il est important de prévoir apporter de l'eau et une collation. On vous invite également à prendre place dans un minibus pour partir à la découverte de l'orignal. Ces excursions du *call* à l'orignal ont lieu les fins de semaine de septembre *(24$; ☎763-9020)*, en matinée et en après-midi, et durent près de quatre heures.

Ornithologie

Dans les **Jardins de Métis**, à Grand-Métis, on note la présence de nombreux oiseaux dans les clairières, sur les pelouses, dans les jardins, dans la zone boisée et près du fleuve.

Aux Capucins, au milieu de la grande côte, tournez vers le nord et gardez la droite. Dans la **baie des Capucins**, vous pourrez observer la grèbe, le jougri, la bernache, le grand héron et le bec-scie à poitrine rousse.

À **Pointe-au-Goémon** *(à l'est du centre sportif de Cap-Chat)*, vous pourrez apercevoir des goélands, des aigrettes, des cormorans et des canards.

À la halte routière, à l'est du **quai de Cap-Chat**, vous aurez l'occasion d'admirer le goéland et la sauvagine.

Le **parc de la Gaspésie** compte plus de 150 espèces d'oiseaux nichant sous différents climats. Vous pourrez facilement les observer en arpentant les sentiers. **Parc Ami Chic Chocs** organise, tous les lundis, une visite ornithologique; le départ a lieu dès 7h à la boutique du centre d'interprétation, et la visite dure quatre heures.

Vélo

À **Matane**, vous trouverez un service de réparation de vélos chez **Sports Experts** *(☎562-1022)*.

Vous trouverez des vélos en location *(20$ par jour, 12$ pour une demi-journée)* ainsi qu'un grand assortiment d'accessoires de vélo chez **Podium Sports** *(☎763-2141)*, à **Sainte-Anne-des-Monts**. S'y trouve également un petit atelier de réparation.

Dans le **parc de la Gaspésie**, différents sentiers sont mis à la disposition des amateurs de cyclisme. Vous devez cependant apporter votre vélo, car on n'en fait plus la location. Vous trouverez des sentiers dans le secteur du mont Albert au lac Caribou, dans le secteur du lac Cascapédia au lac Porlier, ainsi que dans le secteur du mont Logan. Les routes du parc sont également très agréables à parcourir en vélo. Les sentiers pédestres sont interdits aux cyclistes.

À **Grande-Vallée**, **Boulet Sport** *(lun-mer 9h à 17h30, jeu-ven 9h à 21h, sam 9h à midi; 46 rue St-François-Xavier, ☎393-2766)* propose un très bon service de réparation de bicyclettes ainsi qu'un grand assortiment d'accessoires pour vélo.

Baignade

Aux **Capucins**, il est possible de se baigner, bien que l'eau soit un peu froide.

On fait souvent des feux de grève à **Cap-Chat**, et la baignade y est possible en juillet.

Il est possible de se baigner à la plage Cartier, à **Sainte-Anne-des-Monts**. Pour vous y rendre, prenez la 1re Avenue, et tournez à droite après avoir longé la rue qui borde le Jardin du Souvenir.

Cueillette de géodes

Si vous êtes intéressé par la cueillette de ces pierres semi-précieuses, contactez **Val Côté** *(Cap-Chat, ☎786-2439)*.

Ski

Vous pouvez louer de l'équipement de ski de fond ou de ski alpin chez Podium Sports *(☎763-2141)*, à **Sainte-Anne-des-Monts**.

Le **parc de la Gaspésie** dévoile de très beaux paysages hivernaux composés de montagnes et de vallées enneigées; des refuges ont été aménagés pour les randonneurs. Vous trouverez plus de 170 km de sentiers.

Deux circuits de longue randonnée, «Les Crêtes» (60 km aller-retour) et «mont Logan» (110 km aller-retour), nécessitent un séjour en montagne dans un refuge ou sous la tente. Pour la courte randonnée, cinq circuits de différents niveaux permettent une excursion d'une journée.

Notez que les pistes sont souvent non damées; les skieurs devront s'attendre à retrouver des conditions rudes (grands vents, espaces ouverts, chemins forestiers). Il est également important de se munir d'une carte, d'une boussole, d'un sac de couchage, d'allumettes, de vêtements chauds et d'un excellent coupe-vent. Il ne faut pas oublier qu'une quinzaine de kilomètres séparent les refuges les uns des autres. Pour réserver, composez le ☎800-665-6527. Pour de plus amples renseignements, contactez le **Club du grand yéti** *(☎763-7782)*.

Vol libre

Mont-Saint-Pierre est un endroit unique en Amérique pour le vol libre. Pour vous initier au vol en tandem *(toute l'année)*, communiquez avec M. Yvon Ouellet *(☎797-2896)*.

Carrefour Aventure
100$ par vol; juin à fin automne
106 rue Cloutier
☎797-5033 ou 800-463-2210
Carrefour Aventure propose aux débutants des vols d'initiation en deltaplane tandem. Ce centre dispose aussi d'une boutique de sports où l'on fait la location et la vente d'articles de plein air, ainsi que d'un café «santé».

Plongée sous-marine

À **Mont-Saint-Pierre**, la baie offre un lieu sûr pour la plongée. On y voit des concombres de mer et des anémones.

Planche à voile

Location Aventure Gaspésie
10$ l'heure ou 40$ par jour
rue du Barachois
☎566-2651
À Matane, Location Aventure Gaspésie fait la location de planches à voile.

À **Mont-Saint-Pierre**, la baie se prête bien à la pratique de ce sport.

Observation de la faune

Carrefour Aventure
35$
106 rue Cloutier
☎797-5033 ou 800-463-2210
À Mont-Saint-Pierre, Carrefour Aventure organise une excursion en kayak de mer pour l'observation de l'orignal. L'équipement est fourni.

Destination Chic-Chocs
24$
fin juin à fin août
☎763-7633
Destination Chic-Chocs organise des sorties pour l'observation de l'orignal.

Kayak de mer

Location Aventure Gaspésie
10$ l'heure ou 40$ par jour
rue du Barachois
☎566-2651
À Matane, Location Aventure Gaspésie fait la location de kayaks de mer.

Carrefour Aventure
10$ l'heure ou 35$ par jour
106 rue Cloutier
☎797-5033 ou 800-463-2210
À Mont-Saint-Pierre, Carrefour Aventure fait la location de kayaks de mer (équipement inclus).

Hébergement

Sainte-Flavie

Centre d'art Marcel Gagnon
72$ pdj
mi-avr à fin déc
bp, ℜ, souvenirs
en bordure de la rte 132
☎775-2829
⇄775-9548
Le Centre d'art Marcel Gagnon loue des cham-

bres toutes simples situées dans un cadre très agréable. En effet, vous aurez tout le loisir d'examiner, depuis votre chambre, les 80 statues grandeur nature qui ponctuent la mer : *Le Grand Rassemblement*. Des forfaits vacances de trois jours, de cinq jours ou d'un mois sont aussi proposés *(respectivement 225$, 450$ et 1 600$, taxes en sus)*. Outre l'hébergement et les repas, le forfait comprend la participation à des activités artistiques.

Grand-Métis

Motel Métis
50$
⊗, ≈, tv
rte 132
☎775-6473
Le Motel Métis vous propose l'hospitalité dans de nouvelles chambres simples et modernes.

Métis-sur-Mer

Camping Annie
14$, 18,50$ pour autocaravanes
1er mai au 30 oct
≈, laverie, casse-croûte
☎936-3825
Le camping Annie est pourvue de 150 emplacements, dont 58 équipés des trois raccords pour autocaravanes. Il se trouve en bordure de sentiers pédestres et cyclables. Situé à 8 km des Jardins de Métis, cet endroit est chaleureux et très sympathique.

Auberge Métis-sur-Mer
75$
bp, ℝ, ℜ, tv
☎936-3563 ou 877-338-3683
L'Auberge Métis-sur-Mer est dotée de chambres spacieuses, bien éclairées par la lumière du jour, et d'installations simples.

Cinq **chalets** *(60$; avec ou sans* ℂ, ℑ*)* sont aussi proposés en location. Ils sont situés près de la mer sur une plage privée et disposent de foyers.

Au coin de la baie
65-80$
tv, ℝ, ℜ, ℂ, bp
☎936-3855
⇄836-3112
Le motel Au coin de la baie est surtout réputé pour son restaurant; il compte cependant 14 belles chambres rénovées.

Matane

La Seigneurie
70$
621 av. St-Jérôme, G4W 3M9
☎562-0021
L'Auberge du Passant La Seigneurie est située sur l'ancien site de la seigneurie Fraser, au confluent de la rivière Matane et du fleuve. Cet endroit tranquille se révèle parfait pour la détente. Toutes les chambres disposent d'un lavabo.

Belle Plage
64-91$
ℜ, ⊕ disponibles, ☎, tv, petites terrasses, bp
Matane-sur-Mer, bien annoncé depuis la rte 132
☎562-2323
⇄562-2562
L'hôtel-motel Belle Plage est situé, comme son nom l'indique, en bordure de la plage. Les chambres de l'hôtel sont mieux meublées que celles du motel, mais n'offrent pas d'accès direct à une terrasse ni à la plage. Le décor est plutôt vieillot. Le restaurant de l'hôtel offre une vue splendide sur la mer. Sa spécialité est le saumon fumé à la manière artisanale.

Quality Inn
80-150$
☎, bp, ℜ, ≈, ⌂, ⊘, cafetière, séchoir, tv avec chaîne de films, ⊛, bar, ℝ
rte 132
☎562-6433
⇄562-9214
réservations :
☎800-463-2466
Le Quality Inn fait partie du réseau hôtelier Gîtes. Les chambres sont très élégantes et garnies de beaux meubles en bois.

Riôtel de Matane
89-119$
ℜ, bar, mini bar, ⊘, ⊛, ≈ chauffée, ⌂, ≡, tv, bp
rte 132
☎566-2651
⇄562-7365
réservations :
☎888-427-7374
Cet établissement offre tout le chic qu'on est en droit de s'attendre à retrouver dans la chaîne d'hôtels RIOTEL. En entrant dans le hall

d'entrée, vous sentirez tout de suite le soin apporté au décor. Les fauteuils en cuir et l'escalier de bois en colimaçon ne sont qu'un avant-goût des aménagements prévus pour votre plaisir. Plus loin, le restaurant et le bar avec terrasse offrent des vues superbes sur le fleuve.

Durant la haute saison, vous y rencontrerez surtout des Européens. L'hôtel est principalement fréquenté par des gens d'affaires québécois le reste de l'année. Choisissez une des chambres donnant sur le fleuve, de préférence parmi celles du troisième étage car elles sont plus récentes. On peut exiger d'avoir une chambre non-fumeurs. L'hôtel dispose d'un court de tennis.

Cap-Chat

Fleur de lys
38-78$
ℜ, tv, ☎, bp, ℂ
184 rte 132, Cap-Chat-Est
☎786-5518
≠786-5067
Le motel Fleur de lys compte 18 chambres très confortables aux tons pastel.

Au Crépuscule
55$
mai à oct
rte 132; 239 Notre-Dame O.
☎786-5751
Le gîte Au Crépuscule propose un hébergement très convenable dans une grande maison de pierres située à deux pas du parc de la Gaspésie.

Sainte-Anne-des-Monts

Chez Marthe-Angèle
53-55$
rte 132, 268 1re Av O.
☎763-2692
Le gîte Chez Marthe-Angèle est situé à deux pas du parc de la Gaspésie.

L'Échouerie
34-38$
ℂ
295 1re Av. Est, G0E 2G0
☎763-1555 ou 800-461-8585
≠763-9229
Cette auberge de jeunesse offre l'hébergement dans 52 lits en dortoirs pour quatre personnes ainsi six chambres privées. La clientèle a accès à une cuisine ainsi qu'à une laverie.

Riôtel Monaco des Monts
79-99$
90 boul. Ste-Anne O., G0E 2G0
☎763-3321 ou 800-463-7468
≠763-7846
Cet hôtel compte 46 chambres propres et confortables situées à deux pas du parc de la Gaspésie.

Parc de la Gaspésie

Camping Mont-Albert
18$
mi-juin à fin sept
Le camping Mont-Albert propose 82 emplacements avec foyer, trois refuges avec poêle à bois et trois blocs sanitaires. Il est possible de réserver.

Camping Lac-Cascapédia
18$
mi-juin au 6 sept
Le Camping Lac-Cascapédia est doté de 49 emplacements avec foyer, d'un bloc sanitaire à proximité et de quatre chalets sans literie *(80-200)*. On y fait la location de canots et de pédalos; le port du gilet de sauvetage est obligatoire.

Camping La Galène
18$
mi-juin à fin sept
☎797-2951
Le Camping La Galène propose 26 emplacements avec foyer, un bloc sanitaire à proximité et trois refuges avec poêle à bois.

Petit-Saut
59$
22 juin à mi-sept
☎763-7633
Au Petit-Saut, vous trouverez quatre chalets avec literie.

Chalets
69-176$
ℂ, ℝ
Dix-neuf chalets, pouvant accueillir deux, quatre, six ou huit personnes, sont gérés par le Gîte du Mont-Albert.

Gîte du Mont-Albert
115$
bp, bar, ≈ chauffée, ℜ, ⌂
☎763-2288 ou 888-270-4483
Entièrement rénové à l'été 1993, le Gîte du Mont-Albert est administré par la Société des établissements de plein air du Québec. Situé à 40 km de Sainte-Anne-des-Monts, ce lieu d'hébergement est sans doute celui qui offre le

cadre le plus enchanteur. En effet, le mont Albert et les monts McGerrigle forment une toile du fond splendide et facilement accessible. La construction se présentant en fer à cheval, les 48 chambres offrent toutes une vue sur le mont Albert. L'hôtel dispose également d'un sauna intérieur.

Tourelle

Au Courant de la Mer
60$
mars à nov
bp
3 rue Belvédère
☎763-5440
Le gîte Au Courant de la Mer vous propose une vue superbe sur le fleuve Saint-Laurent. C'est un endroit très calme et serein.

Mont-Saint-Pierre

Camping du Pont
18$
trois raccords
rte 132
120 rue Prudent-Cloutier
☎797-2951
⇄797-5101
Le Camping du Pont, peu ombragé, dispose de 45 emplacements.

Motel Étoile d'or
45$
fin juin à sept
rte 132, Rivière-à-Claude
☎797-2883
Le Motel Étoile d'or fait la location de chambres donnant sur la plage, à quelques kilomètres à l'ouest de Mont-Saint-Pierre.

Restaurants

Sainte-Flavie

Restaurant du Centre d'art Marcel Gagnon
$$
☎775-2829
Le restaurant du Centre d'art Marcel Gagnon propose un menu où figurent quelques plats maison très simples et à prix abordables. La table d'hôte se compose de trois ou quatre plats principaux.

Le Gaspésiana
$$
460 rte de la Mer
☎775-7233 ou 800-404-8233
Le Gaspésiana sert de très bons plats; il est surtout réputé pour son fameux brunch du dimanche. Le menu, très varié, est composé autant de plats de fruits de mer et de poisson que de plats de viande. La table d'hôte propose habituellement quatre choix de plats principaux.

Grand-Métis

Villa Reford
$$
9h à 19h30
Jardins de Métis
☎775-3165
Le restaurant de l'historique Villa Reford vous accueille dans la maison Reford. On vous y propose tout un choix de plats métissiens ou québécois. On peut y déguster, entre autres choses, de la salade aux crevettes, de la bouillabaisse de Métis, de la soupe aux pois, des fèves au lard, du cipaille, de la tourtière, du cipâte aux fruits de mer et du pain de ménage. Un menu de restauration rapide y a été récemment ajouté. Le cachet de la salle à manger est assez particulier. Il s'agit en fait de l'ex-salon de Lord Mount Stephen.

Remarquez la boiserie de cèdre de Colombie et le foyer en pierre. Tout y est délicieux, et le service, en costume d'époque, est attentionné. Le décor est tout à fait pittoresque, et les mets, à prix très raisonnables, sont un fidèle reflet de la cuisine métissienne. On propose habituellement quatre menus du jour incluant l'entrée et le dessert. Vous aurez droit à des desserts au sirop d'érable pur et à d'autres pâtisseries maison.

Métis-sur-Mer

Auberge Métis-sur-Mer
$$
tlj 17h à 21h
juin à sept
rte 132
☎936-3563
Le restaurant de l'Auberge Métis-sur-Mer sert le petit déjeuner et le dîner. Il se spécialise dans les fruits de mer et la cuisine maison.

Au coin de la baie

$$$

mai à sept

tlj 8h à 10h et 18h à 21h

1140 rte 132

☎936-3855

Le restaurant Au coin de la baie prépare des plats raffinés tels que la betterave illusion, le saumon fumé à la royale et le sorbet au cèdre. On y apprête également le cerf, le flétan et, parfois, le wapiti. Cet établissement propose un très bon choix de vins.

Baie-des-Sables

La Meunerie

$$$

11h à 22h fin juin à début sept, 18h à 22h au printemps et en automne

202 rte 132

☎772-6808

La Meunerie est un petit restaurant tout sympa, situé dans un cadre enchanteur le long de la route 132. En arrivant sur place, on remarque d'emblée la chute, le ruisseau et le petit pont qui l'enjambe. Une fois à l'intérieur, on ne manque pas de remarquer tous les objets d'époque de cet ancien moulin à farine. Au menu figurent principalement des grillades et des plats de fruits de mer. Le menu «midi» offre le choix entre deux mets. Bonne musique d'ambiance. À l'étage, on a prévu une aire de détente pour les convives.

Matane

Pizzeria Italia

$

dim-mer 11h à 22h, jeu-sam 11h à minuit

vers le centre-ville, angle St-Pierre et St-Jérôme

☎562-3646

La Pizzeria Italia sert de la pizza vraiment hors du commun, à tel point que le restaurant constitue presque une attraction touristique en soi. Les ingrédients sont toujours frais et de première qualité. La livraison est gratuite.

La Table du Capitaine mand

$-$$

mi-juin à mi-sept tlj 11h à 14h et 17h à 22h

260 du Barachois

☎562-3131

La Table du Capitaine Gourmand attire une clientèle friande de poissons et de fruits de mer frais, car ils sont servis en grosses portions. Le restaurant dispose d'un vivier à homards. L'endroit est parsemé d'objets hétéroclytes tel qu'un coffre au trésor et un casier à homards. La pizza aux fruits de mer est très prisée et le service est sympathique.

Le Rafiot

$$

mi-fév à fin déc tlj 17h30 à 22h

1415 av. du Phare O.

☎562-8080

Dans ce resto, on sert des plats exquis dans une ambiance feutrée. Vous pourrez y déguster des spécialités de crevettes, de poisson et de fruits de mer. Le service chaleureux et les tableaux d'artistes locaux accrochés aux murs nous rappellent que nous sommes bien en Gaspésie.

La Terrasse

$$

6h30 à 14h et 17h à 22h

☎562-6433

Le restaurant La Terrasse, situé dans le Quality Inn de Matane, se spécialise dans les steaks et les fruits de mer. Vous trouverez au menu un grand choix d'entrées et de mets typiques tels que la bouillabaisse gaspésienne. La carte des vins présente un très bon choix.

Le Tralallero

$$

mi-fév à fin déc 11h à 22h

☎562-8080

Situé à côté du restaurant Le rafiot, ce resto propose des sandwichs, des pizzas, des pâtes, des viandes et des poissons, servis avec empressement et sans chichi. La carte affiche aussi un très grand nombre de bières importées et de microbrasseries.

Restaurant Riôtel

$$$

tlj 6h30 à 14h

fermé le midi en été, et 17h30 à 22h

250, av. du Phare E.

☎566-2651 ou 800-463-7468

Le restaurant Riôtel vous propose de bons plats ainsi qu'un service sympathique et empressé. Le homard est conservé vivant jusqu'à ce qu'on l'apprête. Évidemment, les plats de crevettes figurent partout au menu (on est à Matane!), mais celui-ci regorge de bien d'autres plats à base de poisson et d'autres produits de la mer. On y retrouve également des mets de volaille. La table d'hôte est composée de trois services avec 10 choix de mets principaux.

Cap-Chat

Fleur de lys
$$$
7h à 21h en hiver et 6h à 23h en été
rte 132, Cap-Chat-Est
☎786-5518
Le restaurant Fleur de lys propose des plats apprêtés simplement, très frais et savoureux. Le restaurant dispose d'un buffet de soupes et sert divers desserts. Le service est bon et l'accueil, très chaleureux. Quelques plats y sont particulièrement recommandés : la langoustine et le saumon.

Sainte-Anne-des-Monts

La Poissonnerie du quai
$
avr à mi-oct tlj 9h à 22h30
1re Av. O.
☎763-7407
Le restaurant La Poissonnerie du quai propose des plats de poisson très frais à prix vraiment honnêtes. Au menu figurent également des plats de fruits de mer, des desserts maison ainsi que quelques vins.

Parc de la Gaspésie

Gîte du Mont-Albert
$$$$
mi-fév à mi-oct, tlj 7h à 10h, midi à 14h et 18h à 21h30
☎763-2288 ou 888-270-4483
Au Gîte du Mont-Albert, une table d'hôte affiche des plats de poisson et de fruits de mer. On y sert également des plats de lapin et de canard. Les portions sont habituellement assez généreuses. Il est important de réserver pour le repas du soir.

Lors du **Festival du gibier**, en septembre, la salle à manger du Gîte du Mont-Albert propose presque exclusivement des plats composés de gibier. Des viandes aussi peu communes que la pintade, le bison et la perdrix font alors partie du menu.

Tourelle

Chez Pierre
$$$
juin à mi-oct 11h30 à 14h et 17h30 à 22h
2 km à l'est de Ste-Anne-des-Monts, 26 boul. Perron
☎763-7446
Au restaurant Chez Pierre, les fruits de mer et les poissons sont à l'honneur. On les sert en entrée, en chaudrée, fumés, en sandwich, en cocktail, en quiche... et toujours frais. L'endroit se compose en fait de deux restaurants : l'un pour les gens de passage et l'autre pour ceux veulent s'offrir de la cuisine plus recherchée. On y a une très belle vue sur le fleuve. Une boutique de souvenirs vend toutes sortes d'objets significatifs de l'état d'esprit des Gaspésiens.

Mont-Saint-Pierre

Les joyeux naufragés
$$
terrasse
mi-mai à mi-oct tlj 11h à 23h, mi-oct à mi-mai ven-dim 17h à 23h
en bordure de la rte 132
☎797-2017
Le restaurant-bar Les joyeux naufragés jouit d'une réputation solidement établie dans la région et auprès des touristes. Au menu figurent des pâtes, des pizzas et toutes sortes de poissons bien apprêtés. La «chaudrée du pêcheur» est très bonne, et les langues de morue panées ainsi que la fondue aux crevettes représentent des expériences culinaires toutes spéciales. Le service est cependant quelque peu lent.

Sorties

Matane

Billbard
dim-jeu midi à 1h30, ven-sam midi à 3h
terrasse
366 av. St-Jérôme
☎**562-3227**
Au Billbard, le bar à la mode de Matane, vous entendrez des airs de jazz et de blues. On y sert de l'express, des bières de microbrasseries et quelques plats de saucisses européennes.

Vieux Loup
angle St-Pierre et St-Jérôme, à côté du restaurant Italia Pizzeria
☎**562-2577**
Le Vieux Loup est le bar le plus couru à Matane. Vous y verrez une clientèle très diverse. Le bar ferme ses portes à 3h. On y reçoit des chansonniers les fins de semaine.

Achats

Grand-Métis

Les Ateliers Plein Soleil
tlj 9h à 18h30
☎**775-3165**
Les Ateliers Plein Soleil, un groupe d'artisans de Grand-Métis, gèrent la maison Reford; les artisants fabriquent et proposent dans leur boutique tout un assortiment de nappes tissées à la main, de serviettes de table et même du ketchup maison, de la relish, des herbes salées et du miel de la région. Un souvenir très typique serait une «pointe folle» (appelée «centon» en Belgique), soit un édredon piqué fait avec des morceaux de tissu irréguliers et multicolores.

Parc de la Gaspésie

Boutique Chic Chocs
tlj 8h à 20h, haute saison
au sous-sol du Centre d'interprétation
☎**763-9020**
La Boutique Chic Chocs vend des livres sur le plein air et du matériel de camping. On y loue également de l'équipement tel que bottes de randonnée, sacs à dos et imperméables. Vous pouvez choisir parmi une gamme de souvenirs : caribous en peluche, t-shirts, livres sur la nature, cartes postales, casquettes, etc. Vous y trouverez aussi des timbres ainsi qu'une boîte aux lettres.

Rivière-à-Claude

Artisanat Belmontagne
mi-juin à sept tlj 9h à 17h
au centre du village
☎**797-2770**
La boutique Artisanat Belmontagne dispose d'un grand choix de nappes, napperons, tricots, couvertures et tapis.

La Gaspésie : la Pointe

La Pointe est sans doute la région la plus prisée de la Gaspésie. Percé et ses environs, ainsi que le parc national Forillon, justifieraient à eux seuls cet engouement.

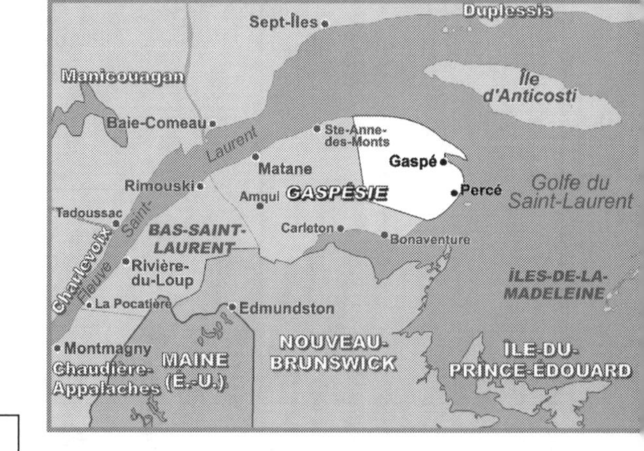

Tout le long du parcours, de superbes paysages et de nombreuses activités de plein air dans les cadres les plus enchanteurs s'offrent à vous.

Pour s'y retrouver sans mal

Pour visiter cette région, il faut continuer sa route sur la 132.

En train

Le train voyage trois jours par semaine : lundi, jeudi et samedi.

Barachois
C.P. 28, route 132
☎ ***645-3777***

Chandler
C.P. 1086, rue de la Gare
☎ ***689-6919***

Gaspé
3 boul. Marina
☎ ***368-4313***
⇄ ***368-4220***

Grande-Rivière
rte 132
☎ ***385-3535***

Percé
L'Anse-à-Beaufils
☎ ***782-2747***

En autocar

Gaspé
20 rue Adams (à l'accueil du motel Adams)
☎ ***368-1888***

L'Anse-à-Beaufils
896 rte 132 (station-service Ultramar)
☎ ***782-5417***

Vous pouvez également prendre le car à Percé en face du bureau d'information touristique.

Renseignements pratiques

Renseignements touristiques

Association touristique de la Gaspésie
8h30 à 20h tlj
357 rte de la Mer, Sainte-Flavie
G0J 2L0
☎ ***775-2223 ou 800-463-0323***
⇄ ***775-2234***

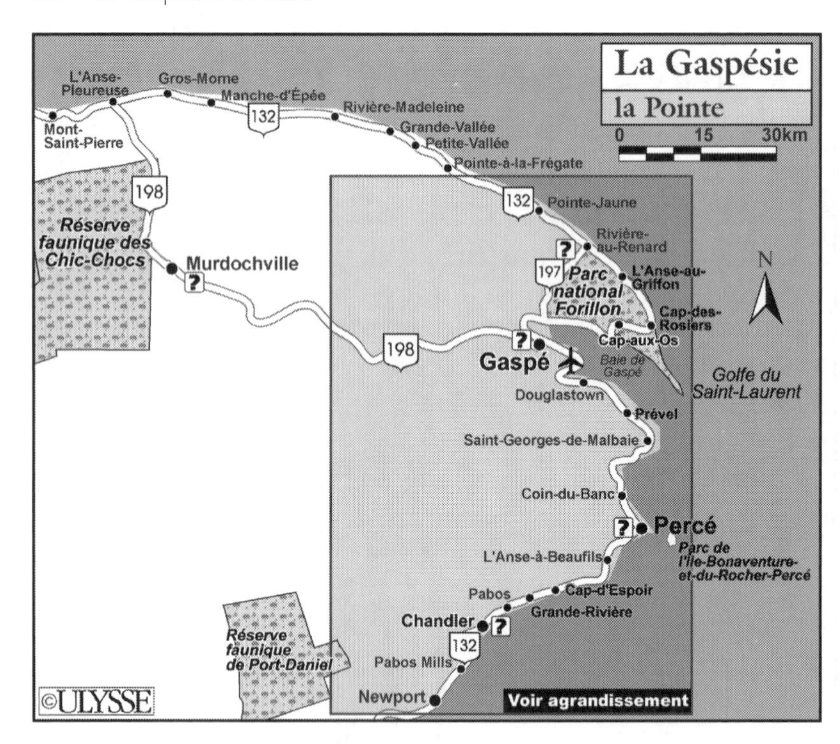

Sur place, vous trouverez deux bureaux permanents, l'un à Sainte-Flavie *(357 rte de la Mer)* et l'autre à Matane *(968 av. du Phare)*.

Plusieurs municipalités ont des bureaux de renseignements touristiques ouverts de la fin juin à la fête du Travail (premier lundi de septembre), tous les jours, de 8h à 20h. Ils sont situés en bordure de la route 132 (sauf celui de Murdochville, qui se trouve le long de la route 198) et sont très bien indiqués.

Murdochville
☎*784-2444*

Percé
☎*782-5448*

Rivière-au-Renard
☎*269-5292*

Bureau d'information touristique de Gaspé
27 boul. York E.
☎*368-6335*

Attraits touristiques

De L'Anse-Pleureuse à Newport, vous quitterez le littoral un instant pour vous enfoncer dans les Chic-Chocs. Puis vous longerez la côte jusqu'à Gaspé. C'est là, ainsi que du côté sud de la Pointe, que se trouvent la majorité des attraits touristiques de cette région, lesquels comptent parmi les plus beaux de la Gaspésie.

L'Anse-Pleureuse

Plusieurs légendes sont à l'origine de l'appellation de ce petit village. L'une d'elles raconte que, par nuit de tempête, on perçoit de longs gémissements portés par le vent. On prétend également entendre parfois, venant de la forêt, le cri plaintif de deux petites filles; cependant, les sceptiques vous diront plutôt qu'il s'agit du bruit que font deux arbres en se frottant l'un contre l'autre.

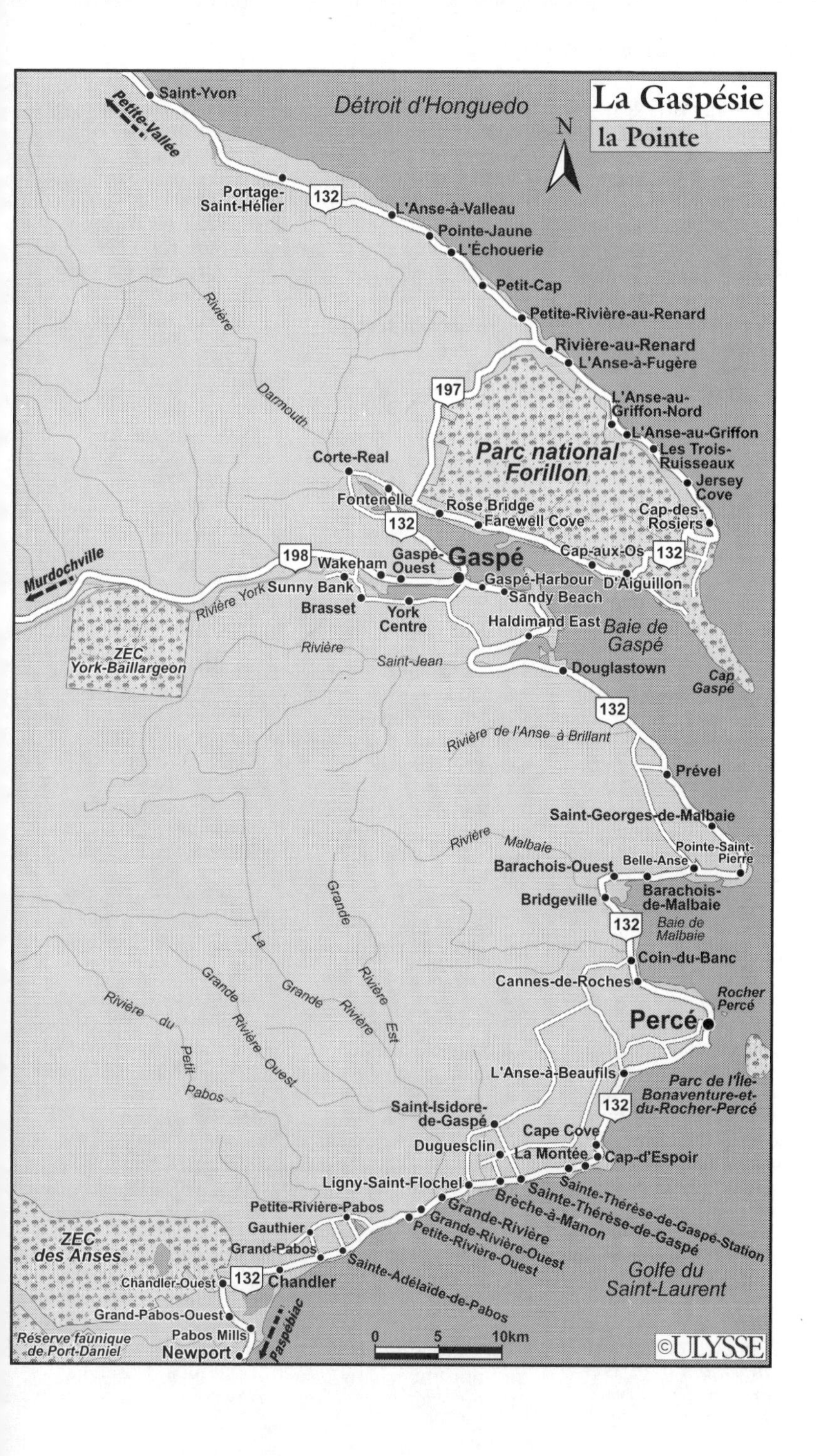
La Gaspésie
la Pointe
N
Détroit d'Honguedo
Saint-Yvon
Petite-Vallée
Portage-Saint-Hélier
132
L'Anse-à-Valleau
Pointe-Jaune
L'Échouerie
Petit-Cap
Petite-Rivière-au-Renard
Rivière-au-Renard
L'Anse-à-Fugère
197
L'Anse-au-Griffon-Nord
L'Anse-au-Griffon
Les Trois-Ruisseaux
Parc national Forillon
Jersey Cove
Cap-des-Rosiers
Rivière Darmouth
Corte-Real
Fontenelle
Rose Bridge
Farewell Cove
Cap-aux-Os
D'Aiguillon
Murdochville
198
Wakeham
Gaspé-Ouest
Gaspé
Gaspé-Harbour
Sandy Beach
Sunny Bank
Brasset
York Centre
Rivière York
Haldimand East
Baie de Gaspé
ZEC York-Baillargeon
Rivière Saint-Jean
Douglastown
Cap Gaspé
Rivière de l'Anse à Brillant
Prével
Saint-Georges-de-Malbaie
Rivière Malbaie
Pointe-Saint-Pierre
Belle-Anse
Barachois-Ouest
Barachois-de-Malbaie
Bridgeville
Baie de Malbaie
Grande Rivière Est
La Grande Rivière
Grande Rivière Ouest
Rivière du Petit Pabos
Coin-du-Banc
Cannes-de-Roches
Rocher Percé
Percé
L'Anse-à-Beaufils
Parc de l'Île-Bonaventure-et-du-Rocher-Percé
Saint-Isidore-de-Gaspé
Cape Cove
Duguesclin
La Montée
Cap-d'Espoir
Ligny-Saint-Flochel
Sainte-Thérèse-de-Gaspé-Station
Sainte-Thérèse-de-Gaspé
Brèche-à-Manon
Grande-Rivière
Grande-Rivière-Ouest
Petite-Rivière-Ouest
Petite-Rivière-Pabos
Gauthier
Grand-Pabos
ZEC des Anses
Chandler-Ouest
Chandler
Sainte-Adélaïde-de-Pabos
Golfe du Saint-Laurent
Grand-Pabos-Ouest
Pabos Mills
Paspébiac
Réserve faunique de Port-Daniel
Newport
0
5
10km
©ULYSSE

La **Station piscicole de L'Anse-Pleureuse** *(fin juin à début sept tlj 8h30 à 16h30, sept à juin lun-ven 8h30 à 16h30; rte 132, ☎797-2861)* présente un vidéo sur les mœurs du saumon atlantique et donne accès à une centaine de bassins en fibre de verre où sont élevés les saumons, lesquels se déplacent souvent à des vitesses vertigineuses.

On estime à 800 000 la population de saumons de différents âges produits dans cette station. Le poisson est capturé alors qu'il remonte la rivière pour le frai, puis transporté à la station piscicole. Vient ensuite l'étape de la reproduction artificielle, qui consiste à faire pondre la femelle et à asperger ses œufs de sperme. Ceux-ci sont alors placés dans un incubateur après avoir été désinfectés.

À la suite d'un séjour de plus d'un an dans le bassin, le saumon, parvenu au stade de tacon, sera remis dans la rivière. Ce système permet non seulement de renouveler la population des poissons de rivière, mais aussi d'améliorer le rendement dans des proportions considérables. La visite dure environ une demi-heure.

À partir de L'Anse-Pleureuse, vous pouvez emprunter la route 198 et parcourir 40 km pour vous rendre à Murdochville. Vous avez aussi la possibilité de continuer votre route vers Gaspé et de vous rendre à Murdochville par cette même route.

Murdochville

Murdochville est une «ville nouvelle» qui vit le jour en pleine forêt à 40 km de toute civilisation. Sa fondation ne remonte qu'à 1951, alors que la Gaspésie Mines entreprenait d'exploiter les importants gisements de cuivre de cette région isolée; elle porte d'ailleurs le nom de «capitale du cuivre». On peut descendre dans une galerie souterraine désaffectée depuis le centre d'interprétation et aller voir comment s'effectue l'extraction du cuivre à la mine même.

Le **Centre d'interprétation du cuivre ★** *(6$; mi-mai à fin sept tlj 10h à 16h, juil tlj 9h à 18h; 345 rte 198, ☎784-3335 ou 800-487-8601)* a pour objectifs de préserver et faire connaître aux visiteurs le patrimoine minier murdochvillois. Au fil de l'exposition «Les racines du cuivre», on explique l'histoire de Murdochville et les différents aspects de l'exploitation du cuivre; le centre cherche aussi à démontrer l'utilité de cet important minerai dans notre société.

Enfin, le visiteur peut revêtir une combinaison de mineur et descendre dans la galerie souterraine Miller; on y trouve une ancienne salle de repos pour les mineurs, et l'on peut, si on le désire, éteindre sa lampe pour expérimenter la noirceur totale. Vous pouvez poursuivre votre visite en allant faire un tour à l'usine même, où sont présentés, un à un, les procédés utilisés pour extraire le minerai de la roche. Ces deux visites durent une heure chacune.

Sainte-Madeleine-de-la-Rivière-Madeleine

Cette municipalité regroupe trois agglomérations : Manche-d'Épée, Madeleine-Centre et Rivière-Madeleine.

À la **Ferme Mélisoleil** *(tlj 8h à 20h; accès par la rte de la rivière à Manche-d'Épée, ☎393-2652)*, Daniel Charron vous propose la visite d'une ferme de produits biologiques. On peut acheter des produits sur place et profiter d'un panorama superbe. En vous y rendant, faites très attention : les virages sont dangereux.

On peut visiter le **phare** *(fin juin à mi-août tlj 9h à 17h; rte 132, ☎393-2428)* où un petit café sert de l'express et quelques desserts maison.

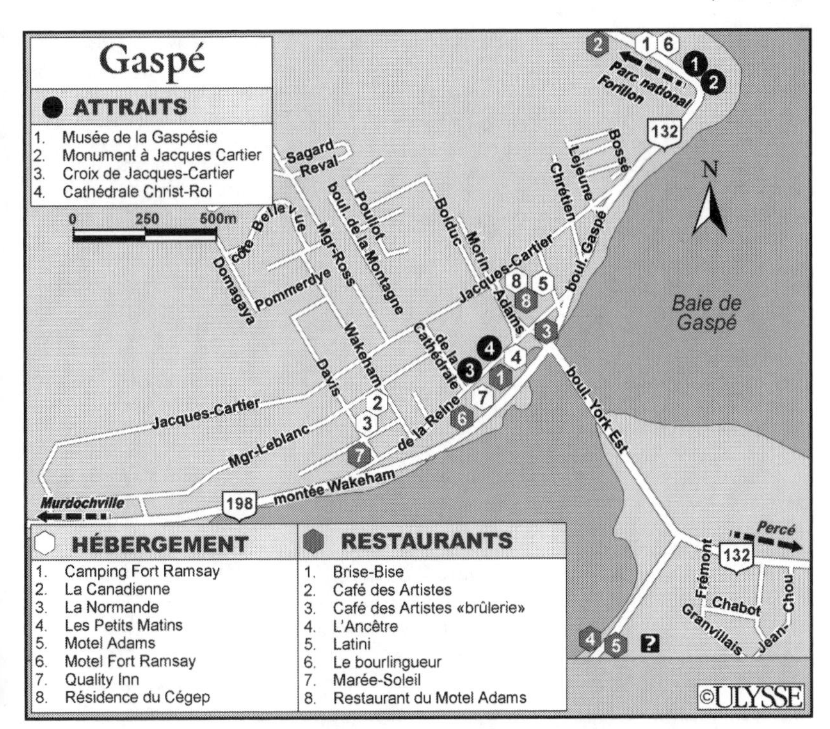

Petite-Vallée

Cette petite municipalité côtière est située aux abords d'une anse près d'une petite vallée, d'où son nom.

Le **Festival en chansons de Petite-Vallée** ★ accueille depuis déjà plus de 10 ans des artistes amateurs venus de partout en Gaspésie et au Québec pour démontrer leur talent. Nelson Minville et Isabelle Boulay s'y sont fait connaître.

Gaspé et ses villages

Gaspé se divise en 12 villages, parmi lesquels on compte Rivière-au-Renard, L'Anse-au-Griffon, Cap-aux-Os, Gaspé même et Douglastown. Par la fusion de ces différents villages en 1971, Gaspé devint la plus grande municipalité urbaine du Québec.

Une fois à Rivière-au-Renard, deux choix s'offrent à vous : vous pouvez continuer votre chemin le long de la route 132, puis contourner la Pointe en passant par L'Anse-au-Griffon, Cap-des-Rosiers et Cap-aux-Os, ou vous pouvez emprunter la route 197, qui traverse la Pointe en longeant le parc national Forillon et qui mène directement à Gaspé. Cap-aux-Rosiers et Cap-aux-Os sont les endroits idéaux où loger si vous voulez visiter le parc national Forillon. Vous serez alors à une demi-heure en voiture de Gaspé. Cap-aux-Os et Cap-aux-Rosiers ne disposent que de très peu de services.

★

Rivière-au-Renard

Cette municipalité, qui a vu naître la chanteuse Laurence Jalbert, vit essentiellement de la pêche. En fait, 80% de la population occupe des emplois reliés à la pêche. La population est en partie composée de descendants des survivants du naufrage du *Karrick* (voir p 130) en 1847. Son port est le plus important en valeur et en quantité de poissons pêchés de toute la Gaspésie. Son nom provient de la présence autrefois nombreuse des renards.

Le **Centre et circuit d'interprétation des pêches contemporaines** ★ *(5$; mi-juin à sept tlj 9h à 18h; à l'intersection des rtes 132 et 197; 1 boul. Renard E., ☎269-5292)* présente, par des vidéos, des photographies, des panneaux d'interprétation et un spectacle multimédia, les différentes facettes de l'industrie de la pêche moderne.

On vous montre les espèces pêchées dans le golfe du Saint-Laurent et leur transformation, ainsi que les méthodes et les outils de pêche. De plus, on vous donne un aperçu des contraintes législatives et normatives de la pêche; l'impact économique de la pêche et les enjeux futurs sont également abordés. Une caméra braquée sur le port (à 200 m) vous permet d'observer l'activité qui y a lieu. S'y trouve également un poste émetteur relié à la Garde côtière canadienne. La visite dure environ 45 min. On y trouve un café Internet ouvert toute l'année.

L'Anse-au-Griffon

À la suite de la conquête britannique de la Nouvelle-France en 1760, la pêche commerciale en Gaspésie est prise en charge par un petit groupe de marchands anglo-normands originaires de l'île de Jersey. L'un d'entre eux, John LeBoutillier (ou LeBouthillier), aménage à L'Anse-au-Griffon des entrepôts de sel, de farine et de morue séchée vers 1840. La morue est alors exportée en Espagne, en Italie et au Brésil.

Selon toute vraisemblance, *Griffon* aurait été le nom d'un bateau ayant longé la côte au XVIIIe siècle; certains croient cependant que le toponyme provient en fait des «gris fonds» que l'on trouve au large.

Le **Manoir LeBoutillier** ★ *(entrée libre; fin juin à début sept tlj 9h à 19h; 578 boul. Griffon, ☎892-5150)* est un fidèle témoin du patrimoine gaspésien du XIXe siècle, époque à laquelle les entreprises de pêche jersiaises eurent une influence considérable sur le développement de ce coin de pays. John LeBoutillier, originaire de Jersey, une des îles Anglo-Normandes, mit sur pied d'importants postes de pêche sur toute la côte nord de la péninsule.

Ce dernier, homme d'affaires mais aussi fervent politicien et juge de paix, laissa une marque indélébile dans l'histoire gaspésienne, notamment par la création de la John LeBoutillier Company. Le manoir, construit en 1860, lui servit à la fois de résidence secondaire, de bureau et de magasin. Dans ce monument historique classé en 1977, on propose des activités d'initiation au patrimoine ainsi que diverses activités socioculturelles. En haute saison, des expositions temporaires d'artisanat, de peinture et de photographies y sont présentées. La visite dure environ 35 min. On monte des pièces de théâtre d'été dans la grange en juillet.

Cap-des-Rosiers

Occupant un site admirable, Cap-des-Rosiers a été le théâtre de nombreux naufrages. Deux monuments rappellent un naufrage particulier, celui du voilier *Karrick*, au cours duquel périrent 87 des quelque 200 immigrants irlandais qui prenaient place à bord, et qui furent par la suite enterrés dans le cimetière local.

La plupart des autres s'établirent à Cap-des-Rosiers, donnant une couleur nouvelle et inattendue à cette communauté. Des noms d'origine irlandaise, tel Kavanagh ou Whalen, sont encore bien présents dans les environs. C'est également du haut de ce cap que les Français aperçurent la flotte du général Wolfe se dirigeant vers Québec en 1759. Cette municipalité constitue la porte d'entrée du parc national Forillon.

★★★ Le parc national Forillon

Au lieu historique de **Grande-Grave ★**, le magasin Hyman fait revivre l'action qui régnait à cet endroit, alors que les activités de pêche étaient dirigées par les entreprises des îles Anglo-Normandes (du XIXe siècle au milieu du XXe siècle). À l'aide d'objets d'époque et d'une présentation audiovisuelle, on recrée une certaine ambiance d'époque (les bancs de la salle de projection ne comportent pas de dossier et sont plutôt inconfortables).

À l'étage, vous verrez ce en quoi consistait le quotidien du pêcheur d'alors en visitant l'exposition «Vivre au rythme des saisons». À L'Anse-Blanchette, on explique les modes de subsistance d'une famille de l'époque. Il est à noter qu'aucune activité d'interprétation ne témoigne de la vie des gens qui furent expropriés de cette pointe pour la création du parc (!).

Le **monde sous-marin de Grande-Grave ★** est le thème d'une activité qui se tient sur la plage de Grande-Grave. Des plongeurs naturalistes descendent sous l'eau pour en ressortir avec toutes sortes de spécimens qu'ils commentent. L'activité n'a lieu que le mercredi et le dimanche matin.

Des **soirées à l'amphithéâtre** *(21h du 25 juin au 20 juil, 20h30 du 21 juil au 15 août, 20h du 16 août à début sept)* ont lieu à ciel ouvert aux campings Petit-Gaspé et Des-Rosiers. Par des diapositives, et parfois de petites pièces de théâtre, on vous présente certains aspects fascinants du parc. Cette activité convient bien aux familles. En cas de pluie, l'activité a lieu à l'intérieur.

D'**autres activités d'interprétation** à la fois éducatives et divertissantes vous font connaître les beautés, les richesses et différents aspects du parc. Pour connaître les lieux et les heures de ces activités, demandez le *Journal Forillon* à l'accueil du parc (voir p 138).

Cap-aux-Os

Le toponyme de cet endroit vient du fait qu'on y a trouvé de nombreux os de baleines.

★ Gaspé

C'est ici qu'au début de juillet 1534 Jacques Cartier prend possession du Canada au nom du roi de France, François Ier. Il faut cependant attendre le début du XVIIIe siècle avant que ne soit implanté le premier poste de pêche à Gaspé, et la fin du même siècle pour voir apparaître un véritable village à cet endroit. Au long du XIXe siècle, Gaspé vit au rythme des grandes entreprises de pêche des marchands jersiais, qui organisent le travail d'une population de pêcheurs canadiens-français et acadiens démunis et peu éduqués.

Au cours de la Seconde Guerre mondiale, Gaspé s'est préparée à devenir la base principale de la Royal Navy en cas d'invasion de la Grande-Bretagne par les Allemands, ce qui explique la présence de quelques installations militaires sur le pourtour de la baie. La ville de Gaspé est de nos jours la principale agglomération de la péninsule gaspésienne ainsi que son centre administratif. Elle forme un long et étroit ruban qui épouse les contours de la baie du même nom.

Dérivé du toponyme micmac *gaspeg*, qui signifie «fin des terres», Gaspé se targue très souvent d'être plutôt le début des terres et du pays, car c'est à cet endroit que Jacques Cartier «découvrit» le Canada. La ville surplombe un très beau havre dans lequel se jettent trois rivières à saumon.

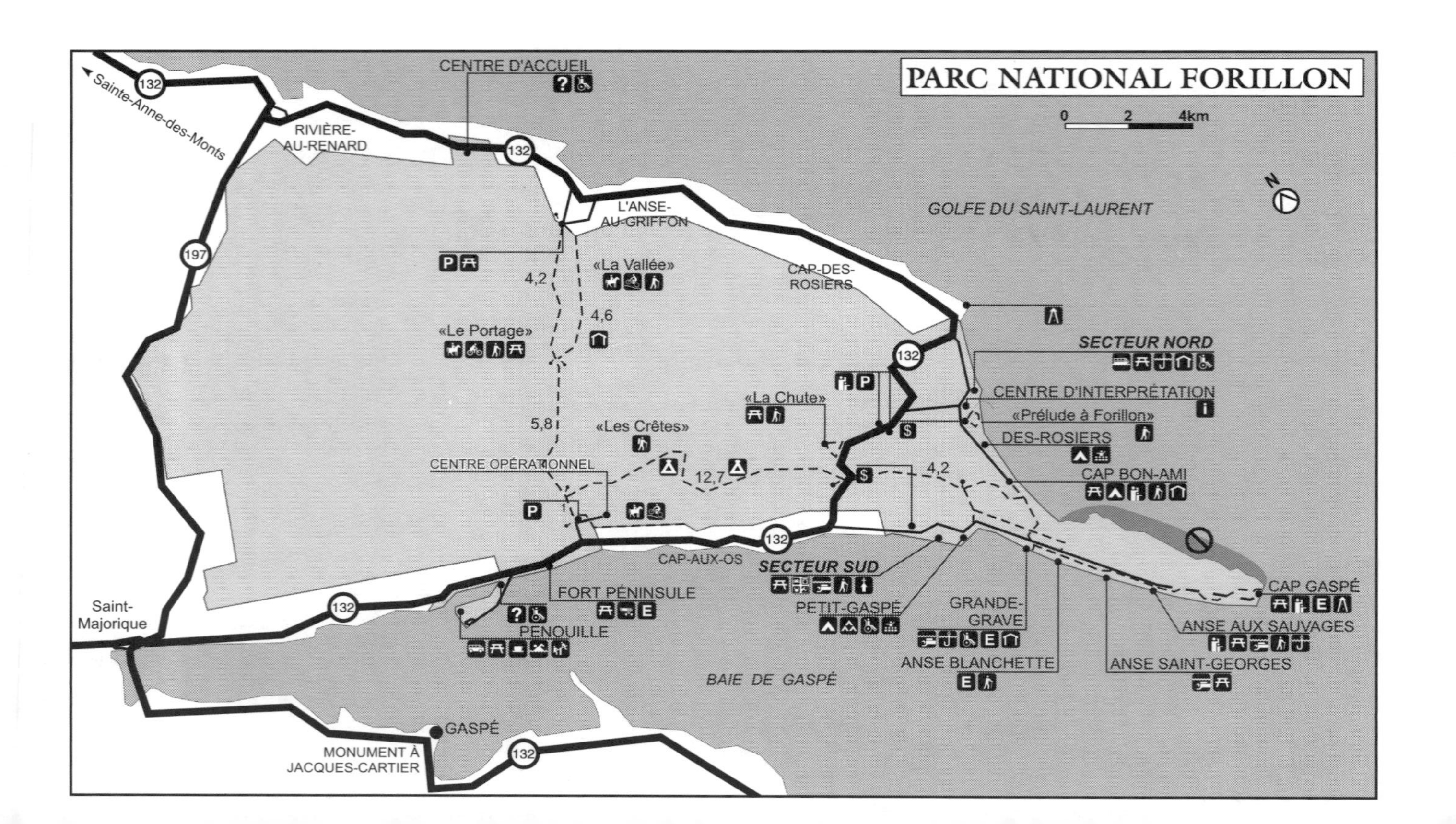
PARC NATIONAL FORILLON
0
2
4km
N
GOLFE DU SAINT-LAURENT
BAIE DE GASPÉ
CENTRE D'ACCUEIL
Sainte-Anne-des-Monts
RIVIÈRE-AU-RENARD
L'ANSE-AU-GRIFFON
CAP-DES-ROSIERS
«La Vallée»
«Le Portage»
«Les Crêtes»
«La Chute»
CENTRE OPÉRATIONNEL
4,2
4,6
5,8
12,7
4,2
SECTEUR NORD
CENTRE D'INTERPRÉTATION
«Prélude à Forillon»
DES-ROSIERS
CAP BON-AMI
CAP GASPÉ
ANSE AUX SAUVAGES
ANSE SAINT-GEORGES
GRANDE-GRAVE
ANSE BLANCHETTE
PETIT-GASPÉ
SECTEUR SUD
CAP-AUX-OS
FORT PÉNINSULE
PENOUILLE
Saint-Majorique
GASPÉ
MONUMENT À JACQUES-CARTIER
132
197

LÉGENDE

Parc national Forillon

Installations

- Centre d'interprétation
- Poste de perception
-  Abri
- Amphithéâtre
- Exposition
- Canon
- Belvédère
- Phare
- Centre d'accueil et renseignements / Poste de perception
- Route
- Route secondaire
- Sentier
- Chemin de gravier (piétons et cyclistes)
- Distance (km) entre 2 points

Services

- Stationnement
- Transport en commun
- Camping sauvage
- Terrain de camping
- Camping de groupe
- Casse-croûte
- Accessibilité aux personnes handicapées
- Église St. Peter

Activités

- Terrain de jeu
-  Plongée sous-marine
-  Pêche
- Baignade
- Sentier pédestre
-  Pique-nique
- Bateau d'excursion
- Sentier d'excursion
- Bicyclette
- Randonnée équestre
-  Vélo de montagne
- Centre récréatif

Distances

Secteur Sud - Penouille	: 13 km
L'Anse-au-Griffon - Secteur Nord	: 18 km
Secteur Nord - Secteur Sud	: 10 km
Penouille - Gaspé	: 20 km

Dans les parcs et lieux historiques nationaux, des installations facilitent l'accueil des personnes à mobilité réduite.

Zone interdite à la plongée sous-marine, à la circulation à pied et à l'accostage.

Le **Musée de la Gaspésie** ★ (4$, famille 8$; *24 juin à début sept tlj 8h30 à 20h30, début sept à mi-oct lun-ven 9h à 17h et sam-dim midi à 17h, le reste de l'année sam-dim 13h à 17h; 80 boul. Gaspé, ☎368-1534)* fut inauguré en 1977 par la Société historique de la Gaspésie dans le but de sauvegarder et de mettre en valeur le patrimoine ethnographique, historique et artistique gaspésien.

L'exposition permanente «Terre en vue» traite du développement de l'agriculture en Gaspésie depuis l'arrivée des premier colons français. De plus, trois salles présentent des expositions temporaires portant sur le patrimoine, l'histoire et la culture. Un centre de documentation sur la Gaspésie et un centre d'archives viennent couronner le tout. Des visites guidées sont proposées sur réservation (30 min).

Près du musée se dressent les six stèles en fonte du **Monument à Jacques Cartier**. Il rappelle la rencontre de Cartier et de ses hommes avec les Amérindiens. Les stèles furent créées par la famille Bourgault-Legros de Saint-Jean-Port-Joli.

Le **sanctuaire Notre-Dame des Douleurs** *(entrée libre; toute l'année tlj 7h à 20h30; 765 boul. Pointe-Navarre, ☎368-2133)* est un lieu de pèlerinage depuis 1940. Vous trouverez, outre la tombe du digne fondateur du sanctuaire, le père Jean-Marie Watier, une réplique de la grotte de Lourdes, un calvaire, l'église (rénovée en 1965), la salle des Pèlerins et la chapelle du Souvenir. La visite dure environ 30 min.

La **Station piscicole de Gaspé** ★ *(3,50$; mi-juin à mi-sept tlj 9h à 18h; 686 boul. York O., ☎368-3395)* est le complément du Centre d'interprétation du saumon atlantique (CISA) de Sainte-Flavie. Les trois rivières à saumon de la baie de Gaspé méritaient bien ce centre. Située sur un site historique, la station présente une douzaine de bâtiments à l'architecture typiquement gaspésienne.

Dans les deux bâtiments principaux, vous trouverez 81 bassins en béton, alors qu'à l'extérieur se trouvent 12 rigoles et 10 bassins servant à l'élevage du saumon, quelques autres servant à l'élevage de la truite. On y produit chaque année quelque 400 000 saumons. On y fait aussi l'élevage de l'omble de fontaine ou truite mouchetée (500 000 par année).

C'est aussi un lieu de détente par excellence. Si vous aimez la flore, vous serez heureux de vous balader dans la forêt située tout près, car on y trouve quelque 105 espèces d'arbres. Enfin, ce centre dispose de tables de pique-nique et d'installations spécialement aménagées pour les personnes handicapées. La visite guidée dure de 45 min à une heure.

Le **Monument aux braves de Gaspé** *(près du pont)* fut érigé en mémoire des 49 Gaspésiens qui perdirent la vie sur la ligne de front en Europe au cours de la Première Guerre mondiale.

La **Croix de Jacques-Cartier** *(20 rue de la Cathédrale)* symbolise la prise de possession du territoire, en 1534, par Jacques Cartier au nom du roi de France. Elle se dresse en face de la cathédrale.

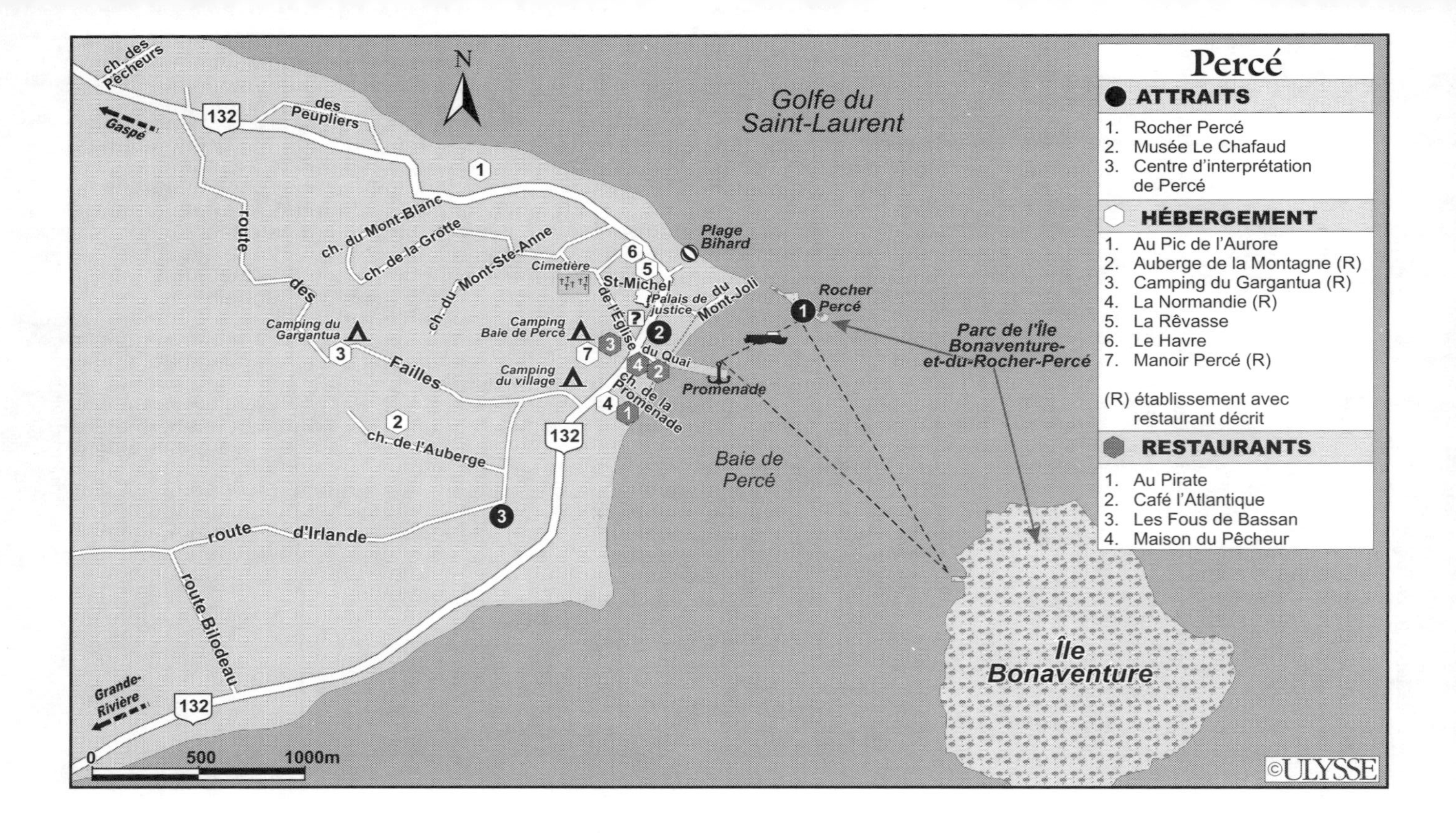
Percé
ATTRAITS
1. Rocher Percé
2. Musée Le Chafaud
3. Centre d'interprétation de Percé
HÉBERGEMENT
1. Au Pic de l'Aurore
2. Auberge de la Montagne (R)
3. Camping du Gargantua (R)
4. La Normandie (R)
5. La Rêvasse
6. Le Havre
7. Manoir Percé (R)
(R) établissement avec restaurant décrit
RESTAURANTS
1. Au Pirate
2. Café l'Atlantique
3. Les Fous de Bassan
4. Maison du Pêcheur
Golfe du Saint-Laurent
Baie de Percé
Île Bonaventure
Parc de l'Île Bonaventure-et-du-Rocher-Percé
Rocher Percé
Plage Bihard
Promenade
Gaspé
Grande-Rivière
ch. des Pêcheurs
des Peupliers
route des Failles
ch. du Mont-Blanc
ch. de la Grotte
ch. du Mont-Ste-Anne
Cimetière
St-Michel
de l'Église
Palais de justice
du Mont-Joli
du Quai
ch. de la Promenade
Camping du Gargantua
Camping Baie de Percé
Camping du village
ch. de l'Auberge
route d'Irlande
route Bilodeau
132
0
500
1000m
N
©ULYSSE

La **cathédrale du Christ-Roi** *(20 rue de la Cathédrale, ☎368-5541)* est la seule en Amérique du Nord à être construite entièrement de bois. Elle renferme un vitrail représentant la prise de possession du territoire par Jacques Cartier.

Douglastown

La **Ferme Chimo** ★ *(3$; juin à sept, tlj 9h et 16h, le reste de l'année, sur réservation; 1705 boul. Douglas, rte 132, ☎368-4102)* se spécialise dans la transformation du lait de chèvre et dans la culture de petits fruits biologiques. Vous pourrez y voir plus de 40 chèvres adultes, 10 chevrettes ainsi que deux boucs de race pure.

On peut y acheter du fromage et de petits fruits en saison. Sur réservation, il est possible de visiter en groupe les lieux où sont gardées les chèvres, la laiterie ainsi que la fromagerie; on y explique alors toutes les étapes de la transformation fromagère.

Percé et ses paroisses

Percé, comme Gaspé, regroupe plusieurs anciennes municipalités. Parmi celles-ci, figurent Prével, Saint-Georges-de-Malbaie, Coin-du-Banc, Percé même et L'Anse-à-Beaufils.

Prével

Ce village faisait office de poste de défense durant la Deuxième Guerre mondiale.

Saint-Georges-de-Malbaie

Cet ancien village de pêcheurs porte le nom de saint Georges en souvenir de son premier curé résidant, l'abbé Georges Potvin.

Tous les photographes iront bien sûr immortaliser sur pellicule le **rocher en forme de tête d'Amérindien** ★ situé un peu à l'est du Motel du Roi, à Pointe-Saint-Pierre.

★ Coin-du-Banc

Le caractère anglophone de ce village fait suite à l'établissement, vers 1850, de plusieurs familles irlandaises. D'autres sont arrivées en 1973, après que de nombreuses expropriations eurent lieu à l'île Bonaventure.

★★★ Percé

Célèbre centre de tourisme, Percé occupe un site admirable, malheureusement quelque peu altéré par une industrie hôtelière débridée. Ce décor grandiose présente plusieurs phénomènes naturels différents dans un périmètre restreint, le principal étant le fameux Rocher Percé. Depuis le début du XXe siècle, c'est en grand nombre que les artistes, charmés par la beauté des paysages et le pittoresque de la population, viennent à Percé chaque été.

En 1781, le puissant marchand jersiais Charles Robin fonde un établissement de pêche à l'Anse du Sud. Des loyalistes, des Irlandais et des immigrants de Guernesey, une des îles Anglo-Normandes, se joignent alors à la population canadienne-française.

À cette époque, la population sédentaire demeure cependant très faible en comparaison de la population saisonnière qui travaille dans les frêles bâtiments de Robin. Percé est d'ailleurs le principal port de pêche sur les côtes du Québec pendant tout le XIXe -siècle. L'industrie touristique prend la relève au XXe siècle, surtout après l'ouverture de la route 132 en 1929, mais le caractère saisonnier et précaire de la vie à Percé demeure apparent.

Le **Rocher Percé** ★★★, long de 438 m et haut de 88 m, est composé de roches calcaires qui datent de 375 millions d'années. Cet immense rocher est d'ailleurs rempli de fossiles. Chaque année, il perd 600 tonnes de roches. Du stationnement du mont

Le Rocher Percé

Joli, on a accès au rocher à marée basse. On peut même en faire le tour.

Le **Musée Le Chafaud** *(2$; juin à fin sept tlj 10h à 22h; 145 rue Principale, rte 132, ☎782-5100)*, à l'intérieur d'un établissement ayant servi aux Robin, abrite une exposition qui raconte la vocation artistique de la ville de Percé. Vous pourrez y voir de nombreux dessins, photographies, gravures et cartes, et y consulter des textes. La visite dure environ 45 min.

Le **Centre d'interprétation de Percé** *(entrée libre; juin à mi-oct tlj 9h à 17h; en venant de Gaspé, empruntez le rang de l'Irlande : après l'hôtel Bonaventure, le centre se trouve à gauche, ☎782-2721)* présente, dans un amphithéâtre, un court film plutôt intéressant sur l'île Bonaventure et ses fous de Bassan. Le centre est également doté d'aquariums d'eau salée et d'une salle d'exposition. On a aménagé deux courts sentiers pédestres.

L'Anse-à-Beaufils

Dans ce petit village, vous trouverez un **port très pittoresque** où vous pourrez ramasser des **agates**.

Cap-d'Espoir

Ce petit village est situé juste avant Grande-Rivière. Vous y verrez un beau **phare**.

Grande-Rivière

Cette ville tire son nom du grand cours d'eau qui la traverse. S'y dressaient jadis quelques installations de pêche de Charles Robin. Le Cégep de Gaspé y gère une école de pêche commerciale très réputée. On y trouve également un parc industriel où se regroupent les entreprises œuvrant dans le domaine de la pêche.

Le **Centre spécialisé des pêches de Grande-Rivière** *(entrée libre; fin juin à mi-août lun-ven 8h30 à 16h30; 167 Grande-Allée E., ☎385-2241)* vous propose une visite guidée. Les curieux peuvent ainsi en savoir plus sur la pêche commerciale. Un petit montage audiovisuel présente les services offerts par le centre et ses réalisations. La visite dure 45 min.

Pabos

Ce petit village tire son nom du mot micmac *paboc*, qui signifie «eau tranquille». On y vit principalement de la pêche au crabe, au homard et à la morue, et une usine de transformation du homard, du crabe des neiges et du poisson y a été implantée. Vous y trouverez une plage sablonneuse et des oiseaux en abondance.

Le **Bourg de Pabos** *(4,50$; juin à mi-oct tlj 9h à 17h; 75 ch. de la Plage, ☎689-6043)* est un site archéologique et historique qui relate la vie des pêcheurs de l'endroit au XVIIIe siècle. La visite dure 1 heure 30 min.

Chandler

Site du premier moulin de pâtes et papier en Gaspésie (1915), cette ville a surtout vécu des emplois de l'usine Abitibi-Price installée au centre-ville, malheureusement fermée depuis octobre 1999. Son port de mer en eau profonde permet l'exportation du papier journal destiné à l'impression des grands quotidiens d'Europe et d'Amérique. De la grève, on peut voir l'épave brisée du cargo péruvien *Unisol*, qui s'est échoué à l'entrée du port en 1983.

Newport

Lieu de naissance de Mary Travers, dite La Bolduc (première auteure-compositeure-interprète du Québec), cette petite ville bénéficie surtout des revenus de la pêche commerciale. S'y trouve une usine à la fine pointe de la technologie pour la transformation du poisson, gérée par la Société des pêches de Newport.

Le **Site Mary Travers dite : «La Bolduc»** *(3$; juin, sept et oct tlj 10h à 17h, juil et août tlj 8h à 18h; 124 rte 132; ☎777-2401)* vous fait découvrir la vie et l'œuvre de cette chanteuse grâce à une exposition et à des activités d'animation. Vous y trouverez un comptoir de restauration rapide et une boutique de souvenirs.

Parcs

Forillon

Le **parc national Forillon** *(3,75$ début juin à mi-oct tlj 9h à 16h; ☎368-5505)*, d'une superficie de 245 km², est sûrement le site qui se prête le mieux aux activités de plein air en Gaspésie. Que ce soit le vélo, la randonnée pédestre, la plongée-tuba, la plongée sous-marine ou les excursions, chacun pourra pratiquer son loisir favori dans un décor enchanteur. De plus, la possibilité d'y observer des animaux tels que l'ours noir, le castor et le phoque en attire plus d'un. Finalement, le parc national Forillon a été jugé complètement accessible aux personnes à mobilité réduite.

Créé en 1970 par l'expropriation de quelque 200 familles de pêcheurs et des autres habitants de l'endroit, ce parc vise à conserver et à faire apprécier la valeur des ressources du patrimoine naturel et culturel de la région. Il fut le premier parc national (fédéral) au Québec.

Vous trouverez deux centres d'accueil, l'un à Penouille et l'autre du côté de L'Anse-au-Griffon. On y distribue toutes sortes de dépliants et de cartes pouvant être très utiles aux visiteurs.

Ce parc fournit un bon échantillonnage de la faune québécoise. On y trouve des orignaux, des ours, des renards, des porcs-épics et bien d'autres mammifères. Les oiseaux sont représentés par plus de 240 espèces, dont le cormoran (nichant dans les falaises), la mouette (sur les corniches), le goéland argenté, le guillemot à miroir et le petit pingouin.

La falaise qui se trouve près du cap Bon Ami accueille des milliers d'oiseaux durant la période estivale; c'est un lieu d'observation par excellence, et les Croisières Forillon vous y emmèneront. Parmi les mammifères marins, on retrouve, dans les eaux bordant le parc, le populaire phoque ainsi que la baleine.

Le parc national Forillon compte une trentaine d'espèces de plantes qui sont non seulement rares, mais qu'on s'attendrait aussi à rencontrer à des latitudes beaucoup plus élevées (île de Baffin ou Yukon). Celles-ci sont d'autant plus précieuses qu'elles aident à comprendre le passé du sol dans lequel elles poussent.

Certains coins du parc constituent pour plusieurs de ces plantes un habitat privilégié, car elles sont souvent les seules à pouvoir s'y adapter. Pour en connaître quelques-unes, on peut consulter *Les plantes rares de Forillon*, disponible à l'accueil du parc.

La **tour d'observation du mont Saint-Alban** offre aux visiteurs une vue splendide sur une grande partie du parc.

Gaspé

La **plage Haldimand** ★★ *(à 7 km de Gaspé)* constitue une zone de baignade très agréable. Le sable fin s'y étend sur plus de 2 km. On y voit souvent des véliplanchistes.

Parc de l'Île-Bonaventure-et-du-Rocher-Percé

Le **Parc de l'Île-Bonaventure-et-du-Rocher-Percé** *(☎ 782-2240)*, boisé à 80%, vous invite à admirer ses colonies d'oiseaux et ses maisons anciennes le long de ses nombreux sentiers. Ceux-ci partent tous de la zone de services et mènent tous aux colonies d'oiseaux, mais tous ont leurs caractéristiques propres.

Le sentier des Mousses est boisé et idéal pour l'observation de la flore (3,5 km; 75 min); il est déconseillé de l'emprunter après la pluie. Le sentier des Colonies est le plus direct, donc le plus court (2,8 km; 60 min); traversant un sous-bois et très bien aménagé, il est idéal pour tout type de randonneur.

Fou de Bassan

Le sentier Paget (3,7 km; 60 min) traverse bois et champs; il est déconseillé de l'emprunter après la pluie. Enfin, le sentier Chemin du Roy (4,9 km; 90 min) est sans conteste le plus long, mais aussi le plus beau; il longe tout le pourtour sud de l'île. Vous pouvez en profiter pour faire un arrêt à la baie des Marigots. Le sentier traverse de très beaux paysages, et vous aurez l'occasion de voir, vers la fin du parcours, plusieurs demeures ancestrales.

Apportez votre gourde, car il n'y a aucun point d'eau le long des sentiers, lesquels couvrent au total une distance de 15 km. Si vous avez le pas rapide, vous pouvez retrancher le tiers du temps mentionné pour chaque sentier. Vu l'absence de milieu humide, il n'y a pas d'insectes piqueurs sur l'île; donc, il est inutile de s'embarrasser d'un insectifuge.

Au bout des sentiers, la vue est saisissante : s'y trouve un véritable tapis de fous de Bassan (quelque 50 000). Vous n'aurez aucune difficulté à comprendre pourquoi cette île fut choisie pour le tournage du film *Les Fous de Bassan*, tiré du roman d'Anne Hébert. Le fou de Bassan est souvent associé à la Gaspésie. En fait, cette colonie est la plus importante en Amérique du Nord.

Ils y sont présents de la première semaine d'avril à la troisième semaine d'octobre, période à laquelle ils partent en direction des côtes de la Floride et du golfe du Mexique. Ces oiseaux se tiennent en groupe, car non seulement ont-ils besoin de la proximité des autres oiseaux pour se reproduire (stimulation sociale), mais aussi parce que ce grand nombre permet d'affoler les bancs de poissons, lesquels deviennent alors plus faciles à capturer.

Achetée par le gouvernement du Québec en 1971 et devenue parc provincial en 1985, l'île fut longtemps fréquentée et habitée par des pêcheurs. En 1831, 35 familles vivent dans l'île et, pendant un siècle, la famille LeBoutillier règnera sur le commerce de la pêche. On peut encore y admirer quelques-unes de leurs installations. L'île couvre une superficie d'un peu plus de 4 km² et se trouve à 3,5 km de Percé. L'accès à l'île est assuré par des entreprises privées.

À l'anse à Butler, porte d'entrée de l'île, plusieurs bâtiments ont été aménagés pour rappeler les modes anciens de pêche.

Il est à noter qu'un bureau d'information touristique se trouve sur l'île même. On y propose également quelques activités d'interprétation. Des tables de pique-nique sont disposées au bout des sentiers.

Activités de plein air

Formant une péninsule, la Gaspésie donne la possibilité de pratiquer de nombreuses activités nautiques. Les eaux de Gaspé se prêtent particulièrement bien à la planche à voile. Cette ville, tout comme celle de Percé, est un lieu de rêve pour la plongée et les excursions en mer. La randonnée pédestre est une autre activité de plein air très en vogue en Gaspésie; le parc national Forillon s'y prête merveilleusement. Ce parc accueille en outre de nombreux fervents de ski de fond en hiver.

Motoneige

Les Bons Copains du Grand Gaspé
C.P. 142 Petit-Cap, G0E 1X0
☎269-5764 ou 368-6384
Le club de motoneigistes Les Bons Copains du Grand Gaspé entretient quelque 145 km de pistes, le long desquelles se trouvent deux relais chauffés.

Club de motoneige «Étoile des Monts»
Arthur Tapp et Jacques Gauthier
Murdochville
☎784-3798

Les As de la motoneige
Jean Pelchat
Grande-Vallée
☎393-2726

Club Les Sentiers Blancs
Renault Chouinard
Chandler
☎689-3399

Chasse

Pour tout renseignement concernant la chasse ou la pêche, vous pouvez composer sans frais, entre 8h30 et 16h du lundi au vendredi, le ☎800-561-1616 (Ministère de l'Environnement et de la Faune). En ce qui concerne la pêche quotidienne, appelez entre 16h30 et 17h30 pour obtenir votre droit de pêche du lendemain.

On pratique la chasse à l'orignal et à l'ours, ainsi qu'à la gélinotte et au lièvre, dans la **ZEC Baillargeon** *(15$ pour petit gibier, 25$ pour gros gibier, 30$ pour forfait chasse; ☎368-6996).*

Pêche

Pour tout renseignement concernant la chasse ou la pêche, vous pouvez composer sans frais, entre 8h30 et 16h du lundi au vendredi, le ☎800-561-1616 (ministère de l'Environnement et de la Faune). En ce qui concerne la pêche quotidienne, appelez entre 16h30 et 17h30 pour obtenir votre droit de pêche du lendemain.

Camping du Pont
Murdochville
☎797-2951
Au Camping du Pont, vous trouverez deux chalets bien équipés et quatre embarcations pour la pêche à la truite mouchetée.

L'Étang du Domaine
toute l'année
à 30 m de la rte 132
87 rte Principale,
Madeleine-Centre
☎393-2451
À Sainte-Madeleine-de-la-Rivière-Madeleine, L'Étang du Domaine est idéal pour la pêche à la truite. Les services proposés s'énumèrent comme suit : cannes, appâts, glace, table pour éviscérer, évier, tables pique-nique et foyers pour cuisiner.

Pourvoirie Beauséjour
160$ incluant les trois repas, 60$ sans repas
mi-mai à nov
☎393-2347 ou 800-795-2347
⇄393-3072
www.pourvoiriebeausejour.com
Pour la pêche à la truite, la Pourvoirie Beauséjour, près de Petite-Vallée, met à votre disposition cinq lacs avec débarcadères, chaloupes, moteurs, équipement de pêche et guides. L'auberge peut accueillir 20 personnes.

ZEC de la rivière Madeleine
2 rte du Phare, Rivière-Madeleine, G0E 1P0
☎393-2626
Pour la pêche au saumon, la ZEC de la rivière Madeleine dispose de plusieurs fosses à saumon *(25-45$ résident, 38-68$ non-résident)*. On peut y accéder entre 8h et 20h.

Dans le **parc national Forillon**, si vous avez apporté votre canne à pêche, vous pouvez pêcher gratuitement et sans permis le maquereau et la plie aux quais de Grande-Grave, de Cap-des-Rosiers et de l'Anse aux Sauvages. Aussi, des bateaux quittent quotidiennement le port de Cap-des-Rosiers pour aller à la pêche à la morue *(☎892-5629 pour réservation)*.

ZEC de la rivière York
35-75$
Société de gestion des rivières Grand Gaspé, C.P. 826, Gaspé, G0C 1R0
☎368-2324 ou 368-6838
La ZEC de la rivière York est divisée en 10 zones de pêche au saumon, dans lesquelles se trouvent 73 fosses. Les prix varient selon la zone choisie. La pêche au saumon se pratique du 1er juin au 31 août.

ZEC de la rivière Darmouth
35-75$
Société de gestion des rivières Grand Gaspé, C.P. 826, Gaspé, G0C 1R0
☎368-2324
La ZEC de la rivière Darmouth compte 32 fosses pour la pêche au saumon, réparties dans trois zones.

On peut pêcher depuis les **quais de Gaspé** pendant toute la saison estivale.

Randonnée pédestre

À moins de 1 km au sud de Petite-Vallée, un sentier vous mènera sur le **mont Didier**, d'où vous aurez une vue sur toute la région.

Dans le **parc national Forillon**, les plus beaux paysages à voir en randonnée se trouvent au cap Bon-Ami et au cap Gaspé. Le parc propose le guide *Les sentiers du parc national Forillon*, dans lequel se trouve une carte des huit sentiers, avec leur longueur et leur durée approximative. Le sentier La Chute est le plus facile (1 km; 30 min). Les randonneurs aguerris seront charmés par le sentier Les Crêtes (17,9 km; 6 heures).

Les six autres sentiers destinés aux randonneurs intermédiaires sont Les Graves (7,8 km aller-retour; 2 heures 30 min), Mont-Saint-Alban (9 km en boucle; 3 heures 30 min), Le Portage (11 km aller seulement; 3 heures 30 min), La Vallée (9,2 km en boucle; 2 heures 30 min), Une tournée dans les parages (3 km en boucle; 2 heures) et Prélude à Forillon (6 km; 30 min).

Plusieurs sentiers offrent des parcours très agréables sur l'**île Bonaventure**. Apportez de l'eau car il n'y a pas d'eau potable sur l'île. Vous pouvez aussi faire une randonnée d'une heure à la Crevasse. Demandez un plan détaillé au bureau d'information touristique, ou empruntez le chemin des Falls, en face de l'hôtel Bonaventure, et le sentier des Pieds croches, derrière l'auberge Gargantua.

Vélo

Dans le **parc national Forillon**, un sentier débute au centre de services, près de Fort-Péninsule, et mène à la limite nord du parc. Ce sentier, Le Portage, traverse la seule vallée du parc, dans laquelle il n'est pas rare de voir un cerf ou un orignal, et il est très fréquent d'y apercevoir des ours noirs.

Le plus beau coin est sans contredit le côté ouest de la boucle nord. On peut parcourir tout le sentier en vélo de route, mais le côté est de la boucle (le sentier La Vallée) convient davantage aux vélos de montagne. On trouve également un petit sentier pour les vélos de montagne à l'est du centre de services, et un autre au chemin piétonnier menant au cap Gaspé. Il y a en tout plus de 30 km de sentiers pour le vélo de montagne.

Vous pouvez louer des vélos à l'**Auberge de jeunesse de Cap-aux-Os** (voir p 147) de la mi-juin à la fin septembre, de 8h à 16h30. Le coût de location quotidien pour un vélo de montagne est de 15$; un vélo de route se loue 10$.

Baignade

Dans le **parc national Forillon**, la plage de sable fin de Penouille et celle de Cap-aux-Os constituent des lieux propices à la baignade.

Vous trouverez, à 12 km à l'est de **Gaspé**, la plage de Haldimand.

Ski

Le **parc national Forillon** ouvre ses portes en hiver aux fervents de ski de fond et leur offre 40 km de sentiers entretenus. Les amants de bord de mer seront comblés.

Le **mont Béchervaise** *(cafétéria, bar; du centre-ville de Gaspé, faites 5 km en direction de Murdochville, ☎368-1457, conditions des pistes ☎368-1126)*, avec ses 280 m de dénivelée, compte 12 pistes de ski alpin qui conviennent tant aux débutants qu'aux experts. Quatre remontées mécaniques réduisent les temps d'attente, et le système d'enneigement artificiel garantit une bonne couverture quel que soit le temps. Six pistes sont éclairées en soirée.

Plongée

Base de plongée Forillon *(50$ équipement fourni; mi-juin à mi-sept tlj 8h30 à 17h30; 371 boul. Forillon, St-Majorique, ☎368-7034, en été ☎892-5172)*. Dans le Parc national Forillon, Grande-Grave et la plage Petit-Gaspé sont des sites exceptionnels pour la plongée-tuba. La Base de plongée Forillon propose plusieurs cours d'initiation à la plongée sous-marine ainsi que plusieurs services. On peut ainsi goûter aux joies de la plongée en étant accompagné d'un personnel qualifié.

Pour ceux et celles qui sont déjà certifiés, on organise des excursions en embarcation dans les eaux du parc national Forillon. La visibilité varie de 7 m à 20 m selon la saison. On peut observer des algues microscopiques formant des surfaces roses, des éponges jaunes et vertes, des anémones brunes, oranges et blanches, des oursins verts, des moules, des étoiles de mer, des crabes et des homards.

Parmi les autres services proposés figurent la location, la réparation et la vente d'équipement de plongée. Les cours et les excursions se limitent à la saison estivale (du

24 juin à la fête du Travail). Durant cette période, la base se situe à Cap-aux-Os, près du parc national Forillon et en face de l'auberge de jeunesse. Non loin de là, vous trouverez un service de chargement de bouteilles à la **station-service Esso** *(tlj 8h à 21h; 2103 boul. Grande-Grave, rte 132, Cap-aux-Os, ☎892-5777)*. Les sites qui se prêtent bien à la plongée sous-marine sont l'Anse Saint-Georges, l'Anse aux-Sauvages, Grande-Grave et le secteur Sud. La plongée est impossible plus à l'ouest à cause de la présence de sable. Il est strictement interdit de plonger du côté nord. La plongée à Forillon est une expérience vraiment inoubliable. Les fonds marins et les falaises escarpées excitent la curiosité par la richesse aussi bien de leur faune que de leur flore. Ceux et celles qui pratiquent la plongée de nuit seront fascinés par la bioluminescence.

Club Nautique de Percé
mi-juin à mi-sept tlj 8h30 à 19h
☎782-5403
⇄782-5624
Le Club Nautique de Percé organise des sorties sur une douzaine de sites tout autour de l'île Bonaventure, mais également au cap Blanc et au Rocher Percé. La visibilité est excellente, et les fonds marins sont littéralement tapissés d'étoiles de mer et de végétation de toutes sortes. De nombreux tunnels permettent d'explorer des coins plus sombres du monde sous-marin. Évidemment, les homards, les crabes et les bernard-l'ermite se trouvent toujours sur le parcours pour vous saluer. Un site protégé par les rochers permet de jeter l'ancre dans un endroit où les eaux sont calmes et sans vague. Le club propose un service de chargement de bouteilles et la location d'équipement.

Planche à voile

Près du parc national Forillon, on peut pratiquer la planche à voile à 12 km à l'est de Gaspé, soit à **Haldimand**.

Cueillette de petits fruits

À **Murdochville**, vous trouverez dans les forêts, en saison, des framboises, des fraises sauvages, des myrtilles (bleuets), des groseilles et des pimbinas (petits fruits amers).

Croisières

Les Croisières 3D
25$
mi-juin à fin sept tlj 9h à 16h
2172 boul. Grande-Grève, Cap-aux-Os
☎892-6088
croisieres3d@yahoo.com
Les Croisières 3D vous emmènent voir les baleines à bord d'un bâteau moderne et rapide, coiffé d'un toit de bateau-mouche. La croisière dure 2 heures 30 min. Il faut se présenter 20 min avant le départ.

Les Croisières aux Baleines Forillon
30$
juin à oct 9h30 à 17h
64 boul. de la Montagne, Gaspé
☎892-5500
parcscanada.risq.qc.ca/forillon
Les Croisières aux Baleines Forillon vous convient à une belle excursion en mer en compagnie de guides sympathiques. Vous aurez l'occasion d'observer à souhait des dos et des queues de baleines et parfois même de voir sautiller des dauphins. Les départs se font sur le Narval à Grande-Grave (secteur Sud).

Croisières Découverte ★★
20$
mi-juin à mi-sept
au havre de Cap-des-Rosiers, tournez à droite au panneau indiquant le «secteur Nord Forillon»
☎892-5629
L'entreprise Croisières Découverte vous propose d'aller voir une colonie de phoques et les oiseaux qui nichent dans la falaise à bord du *Félix-Leclerc*. Un animateur est présent à chaque croisière, qui dure près de deux heures. On voit des baleines à l'occasion. Il faut s'habiller chaudement car les vents sont souvent très froids. L'heure et le nombre (de un à cinq) des départs varient énormément selon les dates; il est nécessaire de téléphoner au préalable.

Les Bateliers de Percé ★
11-16$
du printemps à mi-oct
comptoir sur la rue du Quai et 162 place Charles Robin, Percé
☎782-2974
Les Bateliers de Percé organisent des excursions autour du Rocher Percé et à l'île Bonaventure avec ou sans escale. La flotte compte en tout trois navires. Les départs ont lieu dès 9h, et toutes les 30 min jusqu'à 17h. Les passagers peuvent alors descendre sur l'île et revenir aux demi-heures. Le dernier retour depuis l'île a lieu à 17h. Ne manquez pas le bateau!

Croisières Duval
16$
mi-mai à mi-oct tlj
12 de l'Église, Percé
☎782-5355
Les Croisières Duval vous proposent une excursion en mer à bord d'un catamaran autour de l'île Bonaventure (avec débarquement). Les départs se font au quai de Percé. Ce qui est très impressionnant, c'est de voir, en contournant l'île, tous les oiseaux qui nichent dans les falaises. On peut également observer les phoques.

Observation Littoral Percé ★
30$
mi-mai à mi-oct
près de l'hôtel Normandie rte 132, Percé
☎782-5359
Des excursions d'observation des baleines sont organisées par Observation Littoral Percé. Lors de ces excursions, vous aurez l'occasion de voir des baleines et, avec un peu de chance, vous croiserez peut-être un banc de dauphins à flancs blancs.

Des jumelles sont fortement recommandées car on voit très rarement ces spécimens de près. Il ne faut pas s'attendre à voir des queues de baleines comme sur les photographies; on ne voit généralement que le dos de la baleine, et elle est souvent très loin. Des lois sévères régissent d'ailleurs les organisateurs d'excursions, et de lourdes amendes leur sont imposées lorsqu'ils ne tiennent pas leurs distances. Les départs se font tôt le matin et l'excursion dure toute la matinée (de deux à trois heures). Le bateau fait du surplace pendant une demi-heure avant de faire demi-tour. Il n'y a pas d'animation en tant que telle. L'excursion est très agréable lorsqu'il fait beau. N'oubliez pas de vous munir de vêtements chauds et d'un bon coupe-vent.

Observation de phoques

Dans le **parc national Forillon**, vous pouvez monter à bord d'un bateau de croisière pour observer les phoques ou encore en apercevoir depuis la grève. Vous en verrez surtout le long des caps. Pour ce faire, rendez-vous au cap Bon-Ami et à Cap-des-Rosiers à marée basse.

Observation de la faune

Toujour au **parc national Forillon**, en vous rendant de l'autre côté du stationnement du sentier La Chute tôt le matin ou à la tombée du jour, vous verrez un ou plusieurs castors s'affairer à restaurer un barrage. Ils traversent parfois la route sous vos yeux. À quelques pas de là (1 km), en continuant vers **Cap-des-Rosiers**, on peut en apercevoir de chaque côté de la route. Sur le sentier La Vallée, on remarque un gros barrage de castors. Ils sont aussi parfois présents près du sentier Le Portage ou au stationnement Le Castor, le long de la route 132.

La plaine de **Cap-des-Rosiers** et la vallée de **L'Anse-au-Griffon** sont d'excellents sites pour observer le cerf de Virginie (chevreuil) et l'élan d'Amérique (orignal) à la levée et à la tombée du jour.

L'observation du saumon est un spectacle extraordinaire qu'il faut immortaliser à tout prix sur pellicule. De la mi-juillet à la fin septembre, vous pouvez vous rendre à la fosse n° 71, la Maison Blanche, pour y voir sauter le saumon. Cette fosse est située sur un chemin secondaire accessible de la route 198, à 15 min de **Murdochville** et à 45 min de Gaspé. Si vous arrivez de Gaspé, tournez à droite dans le chemin secondaire peu après l'endroit où se croisent la route 198 et la rivière York. La fosse est à droite à la première courbe.

Hébergement

Murdochville

Centre de plein air du lac York
15$
les trois raccords
☎784-3755
Le camping du Centre de plein air du lac York est situé en plein cœur de la Gaspésie, c'est-à-dire à Murdochville. Vous pourrez y louer une chaloupe, un canot ou encore un pédalo.

Base de plein air du lac York
80$
☎784-3755
en basse saison, communiquez avec la municipalité
☎784-2536
⇄784-2607
La Base de plein air du lac York, à Murdochville, compte six beaux chalets *(literie non fournie)*. On y loue des chaloupes ainsi que des pédalos et des canots *(3$/heure)*.

Sainte-Madeleine-de-la-Rivière-Madeleine

Le Bon Accueil
75$
bp, ≡, ℝ, ℜ
☎393-2323
⇄393-2842
Le Bon Accueil a peut-être une allure un peu vieillotte, mais la vue qu'on y a sur la côte gaspésienne est superbe. De plus, l'endroit est bien entretenu et très propre. Choisissez une chambre avec vue sur la mer.

Petite-Vallée

La maison LeBreux
60-80$
2 Longue-Pointe, G0E 1Y0
☎393-2662
⇄393-3105
bscetjoe@globetrotter.qc.ca
La maison LeBreux est une auberge du Passant tout à fait charmante et située en retrait de la route principale près de la mer. Le petit déjeuner est délicieux; il se compose de crêpes «trois grains», de sirop d'érable, d'une dizaine de variétés de confitures maison, de cretons dégraissés, d'œufs, de jus et de café. Le panorama est splendide.

Tout en mangeant, on peut parfois voir des baleines au loin ou encore des phoques en train de s'ébattre ou de se prélasser sur les rochers à fleur d'eau. On a installé des balançoires extérieures pour les enfants et l'on a aménagé un terrain de jeu. L'auberge possède huit chambres.

On y fait également la location de trois chalets *(100$ par nuitée ou 600$ par semaine; ⊗, ℂ; juin à sept)* tout neufs. On peut aussi louer ces chalets en basse saison; il faut réserver plusieurs mois à l'avance en haute saison. Ces chalets sont situés directement sur la grève; ils sont très espacés les uns des autres et, en plus d'être très bien meublés, ils sont équipés d'appareils modernes. On y retrouve notamment une cuisinière avec hotte et four, une cafetière électrique, un buffet, des casseroles et de la vaisselle. Les chambres à coucher se trouvent à l'étage, d'où la vue est superbe. Chaque chalet dispose également d'une terrasse avec une table de pique-nique. Une laverie automatique est aussi accessible. Cet endroit paisible est apprécié de tous en été, mais également des motoneigistes et des amateurs du ski de fond en hiver.

Pointe-Jaune

Gaietè
50$
bp, ℜ, ℂ, ℝ, *tv*
rte 132, à quelques km à l'ouest de Pointe-Jaune
865 Anse-à-Valleau
☎269-3371
L'hôtel-motel Gaieté est un lieu d'hébergement tout simple avec terrasse ayant vue sur la baie et sur une colline.

Rivière-au-Renard

Caribou
75$
à 5km de Forillon
☎269-3344
⇄269-3237
L'auberge Caribou compte 39 chambres un peu vieillottes mais propres.

Parc national Forillon

Vous trouverez quatre campings dans le parc. Pour réserver un emplacement, composez le ☎368-6050 *(mai à fin juil lun-ven 9h30 à midi et 13h à 15h30, ou écrivez à partir d'avril : Parc national Forillon, C.P. 1220, Gaspé, G0C 1R0).* Pour tout le parc, on dénombre 368 emplacements de camping. Notez que seulement 50% de ces emplacements sont disponibles sur réservation; le reste suit la politique du «premier arrivé, premier servi». Il est presque essentiel de réserver, surtout en juillet, et ce, au moins 10 jours à l'avance.

Camping Des-Rosiers
20$
mi-juin à mi-oct
secteur Nord
Le Camping Des-Rosiers est doté de 155 emplacements pour tentes et autocaravanes *(42 d'entre eux avec électricité : 18$).* Il est situé sur un terrain semi-boisé en face de la mer. La surface de campement est gazonnée et le camping dispose d'un terrain de jeu. Un conteneur à déchets est situé à l'entrée du camping.

Camping Bon-Ami
20$
mi-juin à début sept
secteur Nord
Le Camping Bon-Ami compte 42 emplacements, pour tentes seulement, situés sur un terrain semi-boisé.

Camping Petit-Gaspé
20$
mi-juin à début sept
secteur Sud
Le Camping Petit-Gaspé propose 135 emplacements pour tentes et autocaravanes sur un terrain boisé recouvert de gravier fin. On y trouve un terrain de jeu et des installations aménagées pour les personnes à mobilité réduite. Une laverie, situé à proximité, est ouverte 24 heures par jour.

Trois **campings sauvages** *(début mai à fin oct)* se trouvent le long des sentiers Les Crêtes et Les Lacs. S'y trouvent des toilettes sèches et des tables de pique-nique. Vous devez apporter votre eau potable et votre réchaud car il est interdit de faire des feux à ciel ouvert.

Cap-des-Rosiers

Le pharillon
75$
ℂ, *tv*, ℜ
☎892-5200
L'hôtel-motel Le pharillon est un pied-à-terre idéal pour qui veut passer quelques jours dans le parc national Forillon. Situé juste à l'entrée du parc et en bordure de la mer, Le pharillon est caressé par les vents chargés d'air marin du large. On y trouve des tables de pique-nique. Le motel est confortable et spacieux.

Cap-aux-Os

Auberge de jeunesse de Cap-aux-Os
34-38$
ℜ
2095 boul.Grande Grève
☎892-5153
Si vous ne recherchez pas le grand luxe et que vous surveillez vos dépenses, l'Auberge de jeunesse de Cap-aux-Os vous conviendra parfaitement. D'ambiance vraiment conviviale, tant à la cafétéria (fermé en hiver) qu'au grand salon, l'auberge est située aux portes du parc national Forillon et propose de nombreuses activités à proximité, entre autres le vélo de montagne, la plongée et la randonnée. De juin à septembre, on sert les trois repas de la journée. Il en coûte de 1,50$ à 4$ pour le petit déjeuner, 5$ pour le déjeuner et 7,50$ pour le repas du soir. En basse saison, on permet l'accès à la cuisine. Elle est ouverte toute l'année, 24 heures par jour, et l'on propose des tarifs réduits pour les groupes.

Vous pouvez y louer des vélos de montagne ou de route pour visiter le parc national Forillon. Les installations de l'auberge sont prévues pour accueillir les handicapés, et une laverie automatique se trouve à proximité. On présente assez souvent des diaporamas en soirée *(entrée libre)*. Si vous avez de la chance, le gérant vous emmènera voir des phoques et peut-être même des castors; il ne faut cependant pas insister car il offre cette visite par plaisir seulement.

Gîte du levant
65$ pdj
1626 boul. Forillon
☎892-5814
Vous serez accueilli à bras ouverts au Gîte du levant, situé en bordure de la baie de Gaspé. On vous y préparera un petit déjeuner copieux et varié *(servi de 8h à 9h)*. Cet établissement a l'avantage d'être très près du parc national Forillon. On y organise des sorties d'observation des oiseaux.

Maison de campagne
695$ par semaine
2045 rte 132
☎892-5864
La Maison de campagne vous propose le coucher à deux pas du parc national Forillon en face d'une très belle plage sablonneuse. Ce gîte offre l'avantage de vous permettre de cuisiner vous-même le repas du soir.

Gaspé

Camping Fort Ramsay
15$ pour les tentes, 20$ pour les autocaravanes
☎368-5094
Le camping Fort Ramsay est doté de beaux emplacements avec accès à la plage.

Résidence du Cégep de la Gaspésie et des Îles
37$ par nuitée ou 185$ par semaine dans un pavillon
74$ par nuitée ou 370$ par semaine dans un appartement
mi-juin à mi-août
ℝ, ℂ
94 rue Jacques-Cartier, G4X 2P6
☎368-2749
⇄368-7003
La Résidence du Cégep de la Gaspésie et des Îles dispose de pavillons dotés d'une cuisine équipée et d'une salle commune pouvant héberger six personnes. La literie, la vaisselle et les serviettes sont fournies. Par contre, les ustensiles et le nécessaire pour cuisiner ne sont pas inclus, de même que les petits appareils électriques tels que bouilloire ou grille-pain. On trouve des laveries dans chaque section et à l'entrée de la résidence.

Fort Ramsay
45-70$
ℂ, ℝ, ℜ, *bp, tv*
254 boul. Gaspé
☎368-5094
Le motel Fort Ramsay est un lieu d'hébergement fort simple situé en bordure de la route à mi-chemin entre le centre-ville de Gaspé et le parc national Forillon. Cet établissement peut être bruyant en haute saison à cause de la proximité de la route. Demandez la télécommande du téléviseur de votre chambre à l'accueil.

Les Petits matins
50-60$ pdj
129 de la Reine, G4X 1T5
☎**368-1370**
Les Petits matins, situé à deux pas du café Le Brise-Bise, vous accueille dans une de ses trois chambres, bien jolies et très bien éclairées, et ce, au cœur du centre-ville. Les petits déjeuners sont copieux. Ce gîte est strictement réservé aux non-fumeurs.

La Normande
55$ pdj
≈ creusée
19 rue Davis
☎**368-5468**
⇄**368-7336**
Le gîte La Normande occupe une grande maison chaleureuse et bien éclairée.

La Canadienne
55$ pdj
bp, ℂ, laverie
201 Mgr-Leblanc, G4X 1S3
☎/⇄**368-3806**
Le gîte La Canadienne vous propose l'hospitalité dans une de ses cinq chambres, bien équipées et très propres. Maison canadienne située près de tous les services.

Baie Jolie
55-60$ pdj
270 montée Wakeham
☎**368-2149**
Vous serez accueilli chaleureusement au gîte Baie Jolie, qui occupe un beau bungalow situé près de la route. Les petits déjeuners y sont très copieux.

Chalets Darmouth
75-80$
ℝ, ℂ
602 montée Corte-Real
☎**368-1627**
Les chalets Darmouth sont tout indiqués pour les pêcheurs et ceux qui recherchent la tranquillité. Ces chalets neufs et biens meublés disposent de vaisselle, de casseroles, d'une cafetière, d'une terrasse et d'une table de pique-nique. Ils se trouvent à 10 min de Forillon ou de Gaspé. À proximité de points d'eau où l'on peut se baigner.

Adams
85$
☎, ≡, ℜ, *bar*
20 rue Adams
☎**368-2244**
⇄**368-6963**
réservations :
☎**800-463-4242**
Le motel Adams reçoit surtout la clientèle d'affaires en basse saison. En haute saison, gens d'affaires et touristes s'y mêlent sans qu'on puisse les distinguer. Les chambres sont spacieuses, confortables et très propres. Le motel est situé de façon on ne peut plus centrale dans la ville.

Quality Inn des commandants
178 rue de la Reine
☎**368-3355**
⇄**368-1702**
Le Quality Inn des commandants possède des chambres d'hôtel *(85$; ☎, bp, bar, ℜ, ≡, tv)* et de motel *(85$; ☎, bp, tv)* situées au centre-ville près d'un centre commercial. Les chambres sont très confortables et elles offrent une belle vue. La réception est ouverte 24 heures par jour.

Prével

Auberge de la Vieille École
57-67$
bp
☎**645-2323**
On vous accueillera chaleureusement à l'Auberge de la Vieille École. Les 11 chambres sont propres et confortables. On y trouve une collection permanente de toiles et de sculptures. Vous pouvez également profiter du salon pour une lecture paisible, fouiner dans la petite bibliothèque ou encore visionner un vidéo des activités proposées. L'auberge propose une foule de forfaits, d'une durée d'une semaine pour la plupart, de la visite à la cabane à sucre, au printemps, à la randonnée en traîneau à chiens, en hiver. Renseignez-vous lors de votre visite.

Auberge Fort-Prével
90$
≈, tv
à mi-chemin entre Gaspé et Percé, à 30 min de Forillon
☎**368-2281 ou 888-377-3835**
⇄**368-1364**
Tout comme le Gîte du Mont-Albert (voir p 120), l'Auberge Fort-Prével est administrée par la Société des établissements de plein air du Québec. La batterie de Fort-Prével servit lors de la Deuxième Guerre mondiale; un circuit d'interprétation

nous rappelle son rôle. On y trouve 54 chambres et 13 chalets tout équipés *(135$)*. On y a une très belle vue sur la mer.

Coin-du-Banc

Auberge le Coin du Banc
42-60$
bp
8 km au nord de Percé sur la rte 132
☎645-2907
L'Auberge le Coin du Banc est un véritable musée historique de la Gaspésie. On y trouve en effet une quantité impressionnante de meubles, d'instruments aratoires et de bric-à-brac qu'on prend plaisir à examiner. Les 11 chambres portent un nom différent; toutes ont un cachet particulier et offrent un confort incontestable. L'auberge se situe près de la mer et de la montagne. Par temps pluvieux, vous pouvez tout simplement demeurer à l'intérieur et visiter ce «musée-auberge». On dispose d'équipements pour rincer et faire sécher les vêtements de plongée. Il est préférable de réserver en haute saison.

Sept **chalets** *(50-90$)* revêtus de clins de bois, tout équipés et avec terrasse, sont également proposés en location à l'Auberge le Coin du Banc. Ils sont situés près de la plage et bordés de sentiers menant jusqu'à celle-ci. La plage, de galets à marée haute, devient sablonneuse à marée basse. On peut y observer de nombreux oiseaux. Le terrain entourant les chalets est parsemé de balançoires et de framboisiers sauvages. C'est un lieu très serein.

Percé

Camping du Gargantua
16$
222 rte des Failles
☎782-2852
Le Camping du Gargantua est sans contredit le plus beau camping de Percé et de ses environs. Il offre une vue non seulement sur le Rocher Percé et sur la mer, mais aussi sur les montagnes verdoyantes environnantes. Vous y trouverez 70 emplacements.

Le Havre
25-40$
fin mai à fin oct
114 rte 132
☎782-2374
La maison Le Havre occupe une ancienne demeure très bien tenue.

La Rêvasse
50-55$ pdj
mi-mai à fin sept
16 rue St-Michel **☎782-2102**
La Rêvasse vous propose le gîte dans une de ses cinq chambres situées en plein cœur du centre-ville.

La Normandie
58-127$
bar, bp, ℜ, ≡, *tv*
221 rte 132 O.
☎782-2112
⇄782-2337
réservations :
☎800-463-0820
L'hôtel-motel La Normandie bénéficie d'une réputation bien établie à Percé. D'un grand luxe, cet établissement est souvent complet durant la haute saison, aussi est-il toujours sage de réserver. La vue sur le Rocher Percé est superbe depuis les chambres ou le restaurant. De nombreux forfaits y sont proposés, certains incluant des excursions à l'île Bonaventure ou une visite de Percé.

Pic de l'Aurore
76-107$
mi-juin à mi-sept
Les chalets et les unités de motel du Pic de l'Aurore profitent d'un site avec vue extraordinaire sur tout Percé. Les chalets sont pourvus d'un terrasse, idéale pour prendre l'apéro; prévoyez faire vos emplettes au village. Tous les vendredis, on y recoit des groupes de jazz ou de blues.

Manoir Percé
118$
mai à mi-oct
⊗, *bp, tv*
212 rte 132
☎782-2022 ou 800-463-0858
Malgré son allure un peu vieillotte, le Manoir Percé vous accueille chaleureusement au centre-ville de Percé. On y organise des visites guidées à la Grotte

et au mont Sainte-Anne.

Riôtel Percé
139$ pdj
juin à fin sept
bp, tv
10 ch. de l'Auberge
à l'ouest de Percé
☎782-5535 ou 800-463-7468
Le Riôtel Percé, juchée sur une colline, offre une vue imprenable sur Percé dans un cadre enchanteur. Les chambres sont spacieuses et bien éclairées.

Chandler

Motel Fraser
85$
bp, ☎, ℜ, ≈
à 40 km de Percé, à l'extrémité ouest de Chandler, sortie Pabos Mills
☎689-2281
⇄689-6628
réservations :
☎800-463-1404
Le Motel Fraser offre un bon rapport qualité/prix.

Restaurants

Murdochville

Copper Pier
$
700 5e Rue
☎784-2566
À Murdochville, le restaurant de l'hôtel-motel Copper Pier propose un menu très complet composé de plats simples à bas prix. Ce restaurant est souvent fréquenté par les travailleurs de la mine. Outre les salades, les soupes, les sandwichs et différentes entrées de fruits de mer, on sert des plats de poulet, des mets italiens, des hamburgers, des steaks et des fruits de mer. Le service peut être assez lent au déjeuner en raison de l'affluence des mineurs.

Sainte-Madeleine-de-la-Rivière-Madeleine

Bon Accueil
$$
juin à mi-oct
tlj 18h à 21h
☎393-2323
Le restaurant de l'hôtel Bon Accueil rappelle le milieu des années soixante-dix avec ses meubles et son décor. Les tables d'hôte se composent surtout de produits de la mer et de viande rouge. La sélection de vins est très bonne.

Pointe-Jaune

Gaieté
$$
rte 132, 865 Anse-à-Valleau
☎269-3371
Le restaurant de l'hôtel Gaieté est l'endroit idéal si vous désirez prendre un repas à la sauvette. Le menu affiche des mets très simples et variés à prix raisonnables. Le soir, on y propose trois tables d'hôte ***($$)***.

Rivière-au-Renard

Caribou
$
☎269-3344
L'auberge Caribou a un menu composé de plats simples mais très copieux. Ces mets, toujours très frais, sont presque toujours à base de poissons ou de fruits de mer.

L'Anse-au-Griffon

Café du Manoir
$
juin à mi-oct tlj 8h à 21h
☎892-5150
Le Café du Manoir vous invite à déguster des pâtisseries et des rafraîchissements au manoir LeBoutillier, de L'Anse-au-Griffon.

Gaspé

Café des Artistes «brûlerie»
$
7h à 22h30
Près du pont de Gaspé
☎368-3366
On y sert de très bons cafés, des pâtisseries et quelques plats simples.

Brise-Bise
$
terrasse
2 rue Carter
☎368-1456
Le bistro-bar Brise-Bise vous propose l'ambiance de café la plus chouette de Gaspé. Le menu se compose de quiches, de saucisses, de sandwichs, de salades et de quelques plats de fruits de mer. Vous pouvez y

siroter une bière de microbrasserie en bouteille ou en fût. De plus, on sert de l'express, du cappuccino et du café au lait. Le 5 à 7 est des plus animés; on y danse en fin de soirée. Le bistro présente des spectacles tout l'été; rendez-vous sur place l'après-midi pour connaître la programmation ou pour acheter vos billets.

Le bourlingueur
$
place Jacques-Cartier
207 de la Reine
☎**368-4323**
Le bourlingueur est un restaurant spacieux, chaleureux et très animé, rappelant quelque peu un pub anglais avec ses tables et ses chaises en bois verni. Situé sur la place Jacques-Cartier, cet endroit est somme toute assez chouette. On y sert un très grand nombre de mets canadiens et chinois (le homard à la cantonnaise est recommandé). Le service n'est pas très rapide.

Latini Rétro
$
terrasse
tlj dès 11h, ferme à 3h jeu-sam
35 boul. York E.
☎**368-2068**
Le bistro Latini Rétro est un petit restaurant de style rétro situé à deux pas du bureau d'information touristique. L'atmosphère est des plus animées. Au menu figurent des plats de pâtes fraîches, des salades et de la soupe maison. On y prépare des mets à emporter.

Adams
$$
2 rue Adams
☎**368-4949**
Situé au centre-ville de Gaspé, le restaurant Adams vous propose des repas simples servis avec empressement. Il est surtout fréquenté par les gens d'affaires, mais les touristes y viennent assez fréquemment en été.

L'Ancêtre
$$-$$$
tlj 17h à 22h
55 boul. York
☎**368-4358**
Le restaurant L'Ancêtre vous propose ses spécialités de steaks sur gril et de fruits de mer servis dans une très belle maison de style anglo-normand. On y a une très belle vue sur la ville. On y sert le meilleur brunch du dimanche en ville. Le service manque peut-être un peu de coordination.

Café des Artistes
$$$
juin à fin sept 16h à 22h
☎**368-2255**
Les propriétaires du Café des Artistes, artistes il va de soi, proposent un concept tout à fait original et sympa. Dans ce centre d'art, vous pourrez, à votre aise, vous offrir une table d'hôte composée de gibier, de viande, de poisson ou de fruits de mer, pour ensuite aller admirer les œuvres de divers artistes. On vend bon nombre de vins au verre. Après trois ans de rénovation, on a ouvert cette magnifique demeure aux boiseries apparentes. Les salles de bain sont superbes. Les glaces maison (celle à l'avocat plus particulièrement) et les sorbets sont excellents. Le café présente une impressionnante carte de vins et de bières. Au menu figurent des plats à la carte ainsi qu'une petite section pour enfants.

La Marée-Soleil
$$$
lun-ven 6h à 22h, sam 7h à midi et 17h à 22h, dim 7h à 13h et 17h à 22h
178 rue de la Reine
☎**368-3355**
La Marée-Soleil est le restaurant du Quality Inn des commandants. On y trouve des tables d'hôte simples ainsi qu'un menu se composant de nombreux plats de résistance et de trois suggestions pour enfants. On y sert des mets de poisson et de viande, entre autres d'agneau.

Prével

Auberge de la Vieille École
$$
11h30 à 14h30 et 17h30 à 21h
☎**645-2323**
L'Auberge de la Vieille École vous invite à venir déguster ses plats de poisson et de fruits de mer. On y propose des services alternatifs de santé holistiques. La salle à manger loge dans ce qui fut jadis l'école de Prével, construite en 1896. Le Festi-

val du gibier s'y tient en automne.

Fort-Prével
$$
terrasse
☎368-2281 ou 888-377-3835
L'auberge Fort-Prével vous invite à venir déguster sa fine cuisine dans sa belle salle à manger. Les plats, servis en table d'hôte, sont toujours élaborés et très copieux. Le restaurant se spécialise surtout dans les plats de poisson et de fruits de mer. Le seul hic est le service, plutôt froid et expéditif (voir p 148).

Coin-du-Banc

Auberge le Coin du Banc
$$-$$$
8h à 22h30
8 km au nord de Percé, rte 132
☎645-2907
Le restaurant de l'Auberge le Coin du Banc (voir p 149) vous propose une vingtaine de tables d'hôte où le poisson et les fruits de mer sont à l'honneur. Les mets sont tous apprêtés simplement, mais quel goût! On y mange très bien, et les desserts sont exquis.

Percé

Café l'Atlantique
$$
fin juin à fin août tlj 8h à 1h
☎782-5331
Situé à l'étage au-dessous de la Maison du Pêcheur, cet établissement reçoit les visiteurs jusqu'à très tard dans la soirée. La pizza cuite sur feu de bois et les raclettes sont très appréciées. Les portions et le service sont tous deux généreux.

La table du Capitaine
$$
à l'ouest de Percé; 10 ch. de l'Auberge
☎782-5535
À La table du Capitaine (voir p ?), on propose des menus «midi» et des tables d'hôte où figurent des mets simples tels que salades, potages, fruits de mer, pâtes, brochettes et autres.

Au pirate
$$-$$$
bar
8h à minuit
1 rue Promenade du bord de mer
☎782-5055
L'auberge Au pirate dispose d'un emplacement de choix tout près de la plage. On y sert les trois repas, et le pain maison est très bon; c'est un bon endroit pour le petit déjeuner. Cette maison est une des plus vieilles de la Gaspésie puisque sa construction date de 1775. Elle a jadis servi de chef-lieu à l'entreprise Robin. Un grand choix de vins et de cafés est proposé. Si vous avez aimé le pain de ménage, vous pourrez en rapporter car on en vend sur place. Le service, la musique et l'ambiance sont très détendus. On y a une très belle vue sur le quai.

Les Fous de Bassan
$$-$$$
début juin à la mi-oct 7h à 22h
terrasses, bar
162 rte 132
☎782-2266
Au restaurant Les Fous de Bassan, on vous servira des plats très copieux et très frais. Les frites, le pain, les glaces et les pâtisseries sont faits maison. L'atmosphère de bistro qui y règne est très agréable. On vous y propose quelques tables d'hôte à très bon prix. Essayez le *ceviche* de turbot, la paella ou encore la bouillabaisse : de purs délices! Vous pouvez aussi vous régaler d'un crabe des neiges au beurre citronné ou encore d'une crêpe au crabe des neiges. Le menu affiche, outre les plats de fruits de mer et de poisson, des pâtes, des hamburgers et des sandwichs. Le restaurant propose un bon choix de bières importées. On a prévu un menu pour enfants.

La Normandie
$$$
mai à fin sept tlj 7h30 à 10h et 18h à 21h
221 rte 132 O.
☎782-2112
Le restaurant La Normandie est sûrement l'une des meilleures tables de Percé. Vous y découvrirez des plats succulents, présentés de façon imaginative dans une ambiance charmante, le tout avec le Rocher Percé pour toile de fond. Le feuille-

té de homard au champagne ainsi que le feuilleté de pétoncles à l'ail, miel et poireaux, ont mérité de grands éloges. On sert un buffet continental de 7h30 à 10h. De 16h à 17h, vous pouvez prendre le thé gratuitement au salon du 23 juin à la mi-septembre. Le soir, durant la haute saison, on propose des tables d'hôte et des menus pour enfants. Le choix des vins est très varié; un tableau permet même aux convives de choisir le vin convenant le mieux au plat qu'ils ont commandé.

Auberge du Gargantua
$$$
juin à l'Action de grâce tlj 7h à 22h
bar
222 rte des Failles
☎782-2852
L'Auberge du Gargantua satisfait à la fois les gourmets et, comme son nom l'indique, les gourmands. Les plats savoureux et les énormes portions réussiront sûrement à détourner votre regard, jusque-là rivé sur le panorama grandiose qu'on a de la salle à manger.

Le repas commence en général par une dégustation de bigorneaux, qu'on sort de leur coquille à l'aide d'une aiguille. La gargantuesque assiette de hors-d'œuvre est ensuite servie, suivie d'une soupière remplie de potage à ras bord, dans laquelle on a disposé une louche afin que les convives puissent se servir à volonté. Alors que vous croyez déjà avoir terminé votre repas, on vous apporte le plat principal en double portion avec des légumes.

Après un tel festin, vous n'aurez sûrement plus le courage de commander un dessert. On y apprête des poissons comme le loup et la lotte. Les plats sont surtout composés de fruits de mer, de poissons et de gibier. Vous avez le choix entre plus de 24 tables d'hôte...

Maison du Pêcheur
$$$$
juin à mi-oct, tlj 11h30 à 14h30 et 17h à 22h; hors saison, 17h30 à 21h30
place du Quai
☎782-5331
On y reçoit, dans la grande salle à manger, une clientèle nombreuse. D'une fraîcheur exceptionnelle, les plats se composent surtout de poissons et de fruits de mer. La pizza cuite sur feu de bois est également très appréciée.

Manoir de Percé
$$$$
mai à mi-oct tlj 17h30 à 22h
☎782-2022
Ce restaurant offre des plats de produits frais et spécialités de la mer. On y trouve en autres la quiaude (langues et bajoues de morue). En tout, on compte plus de 20 tables d'hôte.

Sorties

Petite-Vallée

Théâtre du Café de la Vieille Forge ★
12$
juin à fin août, mar-dim midi à minuit
4 Longue-Pointe
☎393-2222
Le Théâtre du Café de la Vieille Forge vous propose des pièces à saveur gaspésienne ou québécoise interprétées par des comédiens locaux. De plus, les humoristes et les chanteurs professionnels en tournée y donnent des spectacles tout l'été.

Gaspé

La Voûte
15h à 2h
114 rue de la Reine
☎368-1219
Le bar La Voûte reçoit surtout une clientèle étudiante. Les heures d'affluence sont de 18h à minuit. On y accueille des chansonniers régulièrement. À l'étage, vous trouverez un lieu de rencontre pour les 25 ans et plus.

Le Joker
172 rue de la Reine
☎368-1534
Vous découvrirez une atmosphère agréable et une clientèle très jeune au bar Le Joker.

D'autres bars se trouvent dans presque tous

les hôtels et auberges de Gaspé.

Percé

L'homme au chapeau
162 rte 132
☎*782-5350*
De plus en plus populaire auprès des touristes et des résidants de Percé, le bar-terrasse L'homme au chapeau vous offre une atmosphère des plus animées.

Achats

Sainte-Madeleine-de-la-Rivière-Madeleine

Le Goéland
tlj juin à sept
près du phare, rte 132
☎*393-2356*
La boutique Le Goéland vend entre autres des sculptures et des tissus.

Pointe-Jaune

Galerie d'art Marie-Josée Gagnon
Ouverte depuis 1991, la Galerie d'art Marie-Josée Gagnon propose plusieurs œuvres de la propriétaire, de sœur Denise Rioux ainsi que d'Estelle et Ferdinand Francœur.

Rivière-au-Renard

Au **quai d'Amour**, vous pouvez acheter du poisson frais tous les jours vers 10h ou 11h.

Cap-aux-Os

Boutique Souvenirs Forillon
dim-ven 9h à 21h, sam 9h à 17h
1259 rue Cap-des-Rosiers
La Boutique Souvenirs Forillon, située près du parc national Forillon, vend toutes sortes de cadeaux, t-shirts, produits d'artisanat et coquillages.

Percé

En raison de la situation très centrale de la place du Quai, vous ne pourrez pas manquer de la voir une fois que vous serez rendu à Percé. Regroupement de plus de 30 commerces, elle compte de nombreux restaurants, des boutiques, une laverie et un comptoir de la Société des Alcools du Québec.

Vous trouverez nombre de boutiques au centre-ville de Percé. En voici quelques-unes :

Cormoran
153 rue Principale
☎*782-2397*
La boutique Cormoran dispose d'une énorme sélection de cadeaux et de souvenirs de toutes sortes reflétant l'artisanat gaspésien.

Écume de mer
155 place du Quai
☎*782-2209*
La boutique Écume de mer regorge de toutes sortes d'objets décoratifs et de cadeaux à rapporter à des amis.

Au fou de Bassan
194 boul. Perron
☎*782-2304*
Vous trouverez à la boutique Au fou de Bassan un énorme choix de souvenirs.

Au Bon Secours
150 boul. Perron
☎*782-2011*
Au Bon Secours dispose d'un très grand choix de t-shirts et de diapositives.

Le Macareux
tlj 8h à 22h
262 rue Principale
☎*782-2414*
Le Macareux vous propose des souvenirs très diversifiés tels que sculptures de bois, agates et pierres semi-précieuses, t-shirts ainsi que gravures sur verre.

Maison du Capitaine
170 rte 132
À la Maison du Capitaine, vous trouverez des pierres, des bibelots, des t-shirts et des sculptures, le tout dans une charmante maison historique.

La Gaspésie : la Baie-des-Chaleurs

Jouissant d'un microclimat, la Baie-des-Chaleurs offre des températures estivales très agréables. Jacques Cartier, lors de son passage au mois de juillet 1534, lui donna d'ailleurs son nom : «baye de Chaleurs».

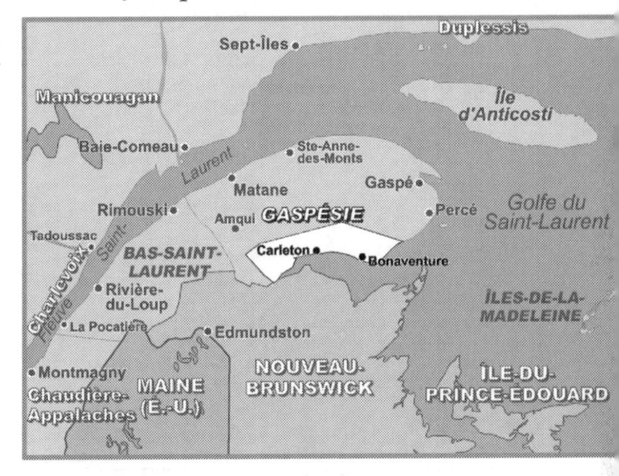

L'apport acadien dans la population de la Baie-des-Chaleurs revêt une très grande importance. On évalue à 65% la proportion des résidants de descendance acadienne. Ils ont façonné cette région par leur mode de vie, leurs habitudes, leur caractère et leur langue.

Ainsi, il est permis de supposer que si cette région est la plus agricole de la Gaspésie, c'est que les ancêtres acadiens étaient avant tout des agriculteurs. On y trouve également plusieurs descendants de loyalistes.

Pour s'y retrouver sans mal

Pour suivre cet autre circuit de la péninsule gaspésienne, poursuivez votre route sur la 132 en direction est.

En autocar

L'Anse-aux-Gascons
☎396-5659

Bonaventure
☎534-2053

Carleton
☎364-7000

Caplan
☎388-5714

Maria
☎759-3488

New Carlisle
☎752-3217

New Richmond
☎392-5115

Nouvelle
☎794-2833

Port-Daniel
☎396-2145

Saint-Godefroi
☎752-3837
Saint-Omer
☎364-3878

Saint-Siméon
☎534-3649

En train

Pour :
Bonaventure
Carleton
New Carlisle
Nouvelle
Port-Daniel
☎800-361-5390

New Richmond
boul. Perron
☎392-6214

Traversier

Miguasha

Dalming Marine
13$ avec voiture
mi-juin à mi-sept
quai de Miguasha
☎794-2792
C'est ici que vous pouvez prendre le traversier se rendant au Nouveau-Brunswick (Dalhousie). Le *Dalming Marine* effectue la traversée tous les jours, toutes les heures, à partir de 8h30 et jusqu'à 18h30 depuis Miguasha. Pour le retour, le bateau part toutes les heures de 10h à 20h. La traversée dure 15 min et vous épargne quelque 70 km de route (ne sera pas opérationel à l'été 2000).

Location de voitures

Location d'autos B.C.
☎368-1541
Location d'autos B.C. offre son service à l'aéroport de Gaspé.

En avion

Aéroport de Bonaventure
☎800-363-7530

Aéroport de Charlo
Nouveau-Brunswick
☎800-363-7530

Aéroport de Gaspé
Air Alliance
☎800-361-8620
Inter-Canadien
☎800-363-7530

Gaspé

Les Ailes de Gaspé
☎368-1995
Les Ailes de Gaspé dessert toute la région.

Renseignements pratiques

Renseignements touristiques

Association touristique de la Gaspésie
357 rte de la Mer, Ste-Flavie
G0J 2L0
☎775-2223
≠775-2234
Sur place, vous trouverez deux bureaux permanents, l'un à Sainte-Flavie *(357 rte de la Mer)* et l'autre à Matane *(968 av. du Phare)*.

Plusieurs municipalités ont des bureaux de renseignements touristiques ouverts de la mi-juin à la fête du Travail (premier lundi de septembre) tous les jours de 8h à 17h. Ils sont situés en bordure de la route 132 et sont très bien indiqués.

Carleton
☎364-3544

Chandler
☎689-2414

New Richmond
☎392-6113

Percé
☎782-5448

Pointe-à-la-Croix
☎788-5670

Port-Daniel
☎396-3215

Bonaventure
mi-juin à fin oct
Le bureau d'information touristique se trouve à l'arrière du Musée acadien.
☎534-4014

Attraits touristiques

La région de la Baie-des-Chaleurs, qui va de Port-Daniel à Restigouche, est surtout réputée pour ses barachois, ses plages et ses rivières à saumon.

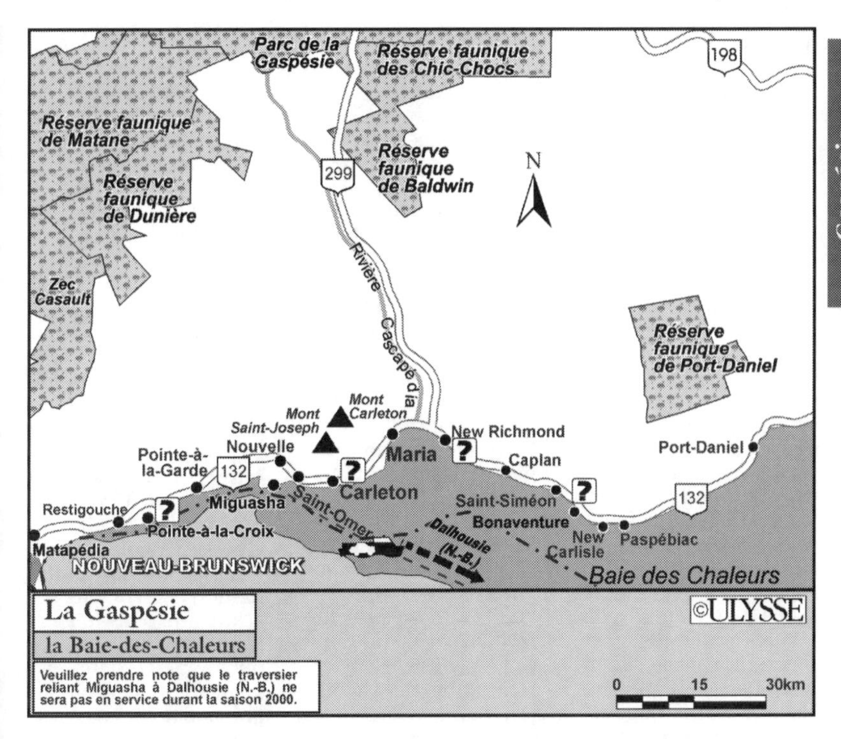

Port-Daniel

C'est dans cette petite municipalité que se jettent, dans une belle anse, les eaux de la rivière Port-Daniel. En plus d'offrir une belle plage de sable aménagée pour recevoir les baigneurs, Port-Daniel recèle quelques bâtiments intéressants, entre autres l'**église anglicane St. James** de 1907 et son presbytère (1912) doté d'une tour octogonale et de larges galeries de bois qui rappellent l'architecture des villas de bord de mer de la Côte Est des États-Unis.

Un **tunnel ferroviaire** de 190 m se trouve sous la route du quai.

Paspébiac

Cette petite ville industrielle était autrefois le quartier général de l'entreprise Robin, spécialisée dans la transformation et le commerce de la morue. Celle-ci a été fondée dès 1766 par le marchand Charles Robin, originaire de l'île de Jersey. Son entreprise sera implantée par la suite en plusieurs points de la côte gaspésienne, et même sur la Côte-Nord. En 1791, Robin ajoute un chantier maritime à ses installations de Paspébiac, où l'on construit les bateaux qui livreront le poisson jusqu'en Europe. Vers 1840, l'entreprise de John LeBoutillier, l'un de ses anciens employés, lui fait une féroce concurrence. La faillite de la banque de Jersey, en 1886, affectera durement les entreprises de pêche de la Gaspésie, qui ne retrouveront d'ailleurs jamais leur puissance d'antan.

Le **Site historique du Banc-de-Paspébiac ★** *(5$; mi-juin à début sept tlj 9h à 18h, sept à mi-oct horaire plus restreint; 3e Rue, C.P. 430, G0C 2K0, ☎752-6229, ⇄752-6408, shbp@globetrotter.net)* présente les différents outils et bâtiments qui servaient jadis à la transformation du poisson. Vous vous promènerez ainsi de l'un à l'autre de ces lieux historiques situés en bordure de la baie des Chaleurs. Différentes expositions et des sentiers aménagés au bord de la mer vous permettront de bien scruter ce milieu.

Vous y trouverez aussi un restaurant servant des mets typiques ainsi qu'une boutique proposant des produits régionaux. Sur place, un forgeron et un charpentier vous expliquent leurs métiers tels qu'ils étaient pratiqués à l'époque. Sur le site, il est possible d'observer deux bateaux dénommés *Gaspésienne* (numéros 3 et 38). La visite dure environ 1 heure 30 min.

L'**église Notre-Dame** *(tlj midi à 17h; ☎752-3122)* est dotée d'un magnifique orgue Casavant comportant 2 400 tuyaux. Le mercredi, un récital *(entrée libre)* est donné par un artiste renommé. La visite dure environ 30 min.

New Carlisle

La région de New Carlisle fut colonisée par des loyalistes américains qui s'y établirent à la suite de la signature du traité de Versailles, reconnaissant l'indépendance des États-Unis en 1783. Le coquet village, avec quatre églises de diverses dénominations, n'est pas sans rappeler les hameaux de la Nouvelle-Angleterre. Il faut faire le tour des trois églises protestantes, qui font la fierté des gens de New Carlisle; elles sont alignées le long de la route 132, qui devient la rue Principale au centre du village. La ville est également connue parce qu'y a grandi René Lévesque, ancien premier ministre du Québec.

La **Maison Hamilton** *(2,50$; mi-juin à fin août tlj 10h à midi et 13h à 16h30; 115 rue Principale, ☎752-6498)* fut construite en 1852 pour John-Robinson Hamilton, député du comté de Bonaventure à l'époque du Bas-Canada. On peut y voir 14 pièces meublées. Visites guidées.

Beaucoup plus modeste que la résidence précédente, la **maison natale de René Lévesque** (1922-1987) *(16 Mount Sorel)*, premier ministre du Québec de 1976 à 1985 et fondateur du Parti québécois, témoigne du brassage des populations dans la région au XIXe siècle, alors que New Carlisle était le centre administratif de la Baie-des-Chaleurs.

Le **Domaine du juge Thompson** (voir p 166) *(2$; juil à fin août tlj 13h à 16h; 105 rue Principale, ☎752-6308)* vous propose une visite commentée dans cette impressionnante villa d'antan. Vous pourrez y voir, entre autres, une bibliothèque garnie d'une collection de livres d'époque. La visite dure environ 30 min.

Bonaventure

Lieu d'origine du politicien Bona Arsenault et de l'actrice Geneviève Bujold, cette localité, qui servit de refuge aux Acadiens en 1755, est le cœur de l'Acadie au Québec. Aujourd'hui, Bonaventure est un des bastions de la culture acadienne dans la Baie-des-Chaleurs ainsi qu'une petite station balnéaire bénéficiant à la fois d'une plage sablonneuse et d'un port en eau profonde. On y fabrique des objets en cuir de poisson uniques au monde (porte-monnaie, sacs à main, etc.).

Le **Musée acadien du Québec** ★ *(5$; fin juin à début sept tlj 9h à 20h, hors saison lun-ven 9h à midi et 13h à 17h et sam-dim 13h à 17h; rte 132; 95 av. Port-Royal, ☎534-4000)* retrace l'histoire des réfugiés acadiens de 1755. Inauguré en 1960 à l'occasion du bicentenaire de Bonaventure, ce musée présente l'exposition «L'autre Acadie» (diaporama multimédia, photographies d'époque), qui permet de connaître l'histoire tragique des Acadiens et l'importance de la souche acadienne dans la société québécoise, le Québec ayant été une terre d'accueil pour de nombreux réfugiés acadiens. Le musée abrite plus de 3 500 objets issus de collections privées.

Après avoir raconté la Déportation de 1755, l'exposition dépeint la spécificité acadienne (architecture, agriculture, forêt, religion, langue). La dernière partie de l'exposition brosse un portrait des Acadiens dans le Québec actuel. On en profite alors pour nous citer quelques célébrités de descendance acadienne telles que Geneviève Bujold et Gilles Vigneault. La visite du musée dure environ une heure.

Le **Musée des cavernes de Saint-Elzéar** ★ *(2$; juin à mi-oct tlj 8h à 20h; à 18 km de Bonaventure, empruntez le chemin près du Musée acadien et de l'église, et suivez les panneaux bleus; 198 rue de l'Église, St-Elzéar, ☎534-4335)* vous fera découvrir un demi-million d'années d'histoire gaspésienne. On vous expliquera l'importance que revêt cette grotte et l'immense mine de renseignements qu'elle représente. La visite du musée dure 30 min.

Des visites de quatre heures se font à la **grotte** ★★ *(37$; juin à fin oct tlj; ☎534-4335, ≠534-2626, www.lagrotte.qc.ca)*, à 17 km du Musée des cavernes de Saint-Elzéar. Les départs ont lieu à 8h et ensuite toutes les deux heures; les réservations sont obligatoires. Vous n'aurez besoin de rien d'autre que de vêtements chauds. Dans la grotte, il fait environ 4°C et l'humidité relative est de 100%. Ce véritable safari spéléologique et géomorphologique est des plus impressionnants. Après avoir profité de vues imprenables sur la baie des Chaleurs d'une tour d'observation de 500 m de hauteur, vous découvrirez les deux plus grandes salles souterraines du Québec.

Saint-Siméon

Les résidants de ce petit village vivent principalement de la pêche. Le site de Saint-Siméon offre des vues imprenables sur la baie, et l'on y assiste à de très beaux couchers de soleil.

Caplan

Cette municipalité vous invite à flâner sur ses plages et à admirer les falaises rouges qui se dressent devant la baie. L'agriculture revêt une grande importance pour les gens de l'endroit.

New Richmond

Les premiers colons anglais de la Gaspésie s'installent ici au lendemain de la conquête de 1760 et sont bientôt rejoints par des loyalistes, puis par des immigrants écossais et irlandais. La forte présence anglo-saxonne se reflète dans l'architecture de cette ville aux rues proprettes, ponctuées de petites églises protestantes de diverses dénominations.

Le **Centre de l'héritage britannique de la Gaspésie** ★ *(6$, famille 12$; mi-juin à oct tlj 9h à 18h; 351 boul. Perron O., ☎392-4487)* fut fondé en 1984 afin de préserver le patrimoine britannique gaspésien. Ce centre, qui présente le village de New Richmond tel qu'il était jadis, est un véritable voyage dans le temps, de 1700 à 1900. Vous pourrez ainsi visiter plusieurs bâtiments, entre autres un magasin général, une grange et une école.

L'histoire, le patrimoine architectural et les coutumes de tous les immigrants (Anglais, Irlandais, Gallois, Écossais et Jersiais) y sont très bien relatés. C'est aussi un endroit de détente où l'on peut se rendre avec les enfants et parcourir des sentiers dans les sous-bois. Le site est d'ailleurs doté d'un terrain de jeu.

D'ici, vous pouvez poursuivre votre itinéraire en direction de Maria ou encore faire une escapade au parc de la Gaspésie (100 km) en empruntant la route 299 Nord.

Maria

Dans cette petite municipalité dynamique se trouvent le Centre hospitalier de la Baie-des-Chaleurs et un centre d'hébergement pour personnes âgées. Elle doit son appellation à Lady Maria, épouse de Guy Carleton, le gouverneur de l'époque.

Dans le bâtiment de l'entreprise **Miels de la Baie** *(fin juin à août 10h à 17h30; 1059 Dimock Creek ou rte de la réserve amérindienne, ☎759-3027)*, on nous apprend les différentes étapes de la fabrication du miel. Vous y verrez, à travers des vitres, l'activité qui règne dans une ruche. On y vend de nombreux produits dérivés du miel dont l'hydromel, un vin de miel, qu'on peut même déguster.

Carleton

Comme Bonaventure, Carleton est un important centre de la culture acadienne au Québec ainsi qu'une station balnéaire pourvue d'une belle plage de sable caressée par des eaux calmes, relativement plus chaudes qu'ailleurs en Gaspésie. Les montagnes qui s'élèvent derrière la ville contribuent à lui conférer un cachet particulier. Carleton a été fondée dès 1756 par des réfugiés acadiens auxquels se joignirent des déportés de retour d'exil. Connue à l'origine sous le nom de «Tracadièche», la petite ville a été rebaptisée au XIXe siècle par l'élite d'origine britannique, en l'honneur de Sir Guy Carleton, troisième gouverneur du Canada.

Le **Centre d'interprétation Penouil** ★ *(tlj 8h à 20h; rte 132, 629 boul. Perron, ☎364-3544)* abrite une collection d'oiseaux de la région fabriqués au moyen d'os de poissons et de coquillages.

L'**oratoire Notre-Dame-du-Mont-Saint-Joseph** ★★ *(3$; 20 juin à mi-sept tlj 8h à 19h; ☎364-3723)* présente des verrières et des mosaïques très intéressantes. L'observatoire, situé à côté, offre une vue sur la baie des Chaleurs et sur toute la côte du Nouveau-Brunswick, ainsi que sur le littoral de la Gaspésie. Situé à 555 m d'altitude, il est doté de lunettes d'approche. On y offre des visites guidées (30 min).

Le **Centre de thalassothérapie Aqua-Mer** ★ *(en retrait de la rte 132; 868 boul. Perron, ☎364-7055 ou 800-463-0867, ≠364-7351)* propose des demi-journées de soins ou d'autres forfaits incluant les repas et l'hébergement. Les menus, préparés par des diététistes, sont réguliers, diététiques ou végétariens. Parmi les soins proposés figurent le massage à sec, le massage avec pluie, le drainage lymphatique, le jet sous-marin, la douche sous-marine, les jets galéens, l'algothérapie et l'application de boues minérales ou marines.

Miguasha

Le **parc de Miguasha** ★★ constitue sans doute l'attraction historique la plus fascinante de la Gaspésie. Rénové en 1991 au coût de deux millions de dollars, ce musée paléontologique, ouvert depuis 1978, présente les fossiles découverts dans les falaises qui constituaient jadis le fond d'un delta à l'ère dévonienne, il y a 370 millions d'années.

Le centre d'interprétation présente sa collection; vous aurez ainsi tout le loisir d'examiner plusieurs spécimens. Plus loin, au laboratoire, vous apprendrez comment on s'y prend pour dégager les fossiles et les identifier. Enfin, vous pourrez vous rendre sur les falaises où sont prélevés les fossiles.

Autrefois, il était possible de chercher soi-même des fossiles de fougères, mais aujourd'hui cette pratique est rendue impossible

Des formes inusitées et des couleurs chaudes sculptent des paysages prenants sur les îles de la Madeleine, qui flottent dans le golfe du Saint-Laurent. - *E. Dugas*

Guidant les bateaux au large des côtes,
un des phares du parc national Forillon monte la garde. - *E. Dugas*

La présence amérindienne en Gaspésie

On a trop souvent tendance à penser que l'histoire de la Gaspésie commence avec l'arrivée des Européens. La péninsule était pourtant habitée depuis des millénaires par les Amérindiens. Ceux-ci, venus de si loin, ont failli disparaître avec l'arrivée des Européens.

C'est du côté nord de la Gaspésie qu'on a trouvé les plus vieux vestiges de la présence humaine en Gaspésie. La péninsule accueillait ses premiers habitants des milliers d'années avant la construction des pyramides d'Égypte. Ceux-ci étaient d'origine asiatique. On pense qu'ils ont profité de la présence d'un pont de glace entre la Russie et l'Alaska pour atteindre le continent. À l'arrivée des Blancs, ils devaient être plus de 10 000 en Gaspésie. On notait quatre groupes principaux dans la péninsule : les Micmacs (algonquins), les Montagnais (qui y venaient occasionnellement), les Etchemins et les Kwedechs (nation iroquoise).

Les rapports avec les Blancs furent d'abord cordiaux, mais, très rapidement, les Européens changèrent radicalement l'équilibre qui existait entre ces nations autochtones, créant dépendance, asservissement, guerres entre nations autochtones et européennes, et apportant de nombreuses maladies qui décimèrent les populations indigènes. On faisait même parfois exprès d'envoyer des bateaux mis en quarantaine à cause de la petite vérole près de villages d'Amérindiens pour s'en débarrasser. Des villages entiers d'Amérindiens furent ainsi décimés. Après 100 ans, les Micmacs avaient perdu 90% de leur population.

Les Britanniques allèrent même jusqu'à pratiquer une véritable politique d'extermination, ce qui plaça les Micmacs dans une situation très précaire, ceux-ci ayant historiquement été associés aux Français. Les Britanniques firent venir des Mohawks et leur donnèrent 10 livres sterling pour chaque tête de Micmac (1725-1750).

Aujourd'hui, les Amérindiens de la Gaspésie se trouvent dans la réserve de Restigouche (1 700 hab.), qui couvre 365 ha de territoire, et dans la réserve de Maria (500 hab.), qui s'étend sur 180 ha de terres, aux trois quarts marécageuses. Quelque 160 Micmacs sont aussi éparpillés dans la région de Gaspé. Bien qu'ils subissent les influences nord-américaines, les Amérindiens continuent à pratiquer leurs activités ancestrales, comme la vannerie et la pêche au saumon. La réserve de Restigouche connut, au début des années quatre-vingt, de violents affrontements entre la police et les résidants au sujet de la saison de pêche.

Les deux réserves possèdent maintenant leur propre service de police, et l'on y enseigne l'histoire, la langue et la fierté traditionnelle aux enfants.

Pour le village et la réserve amérindienne, on écrit «Restigouche» avec un *e*; pour la rivière ou la bataille, on écrit «Ristigouche» (avec un *i*).

par le recul rapide de la falaise qu'entraînaient les nombreuses fouilles.

Pour couronner le tout, dans un amphithéâtre pouvant accueillir un centaine de personnes, on projette des montages audiovisuels.

Au musée, vous pourrez voir la deuxième forme de vie la plus étudiée après l'humain sur notre planète. Il s'agit de l'*Eusthenopteron foordi*, un fossile qui fit connaître Miguasha de par le monde. La visite du musée dure environ 1 heure 30 min. Miguasha est le deuxième plus important site fossile du monde.

Pointe-à-la-Garde

Sis à l'embouchure de la rivière Ristigouche, ce village a vu s'illustrer l'officier français Donat de la Garde lors du combat naval entre l'Angleterre et la France en 1760. Le village est réputé pour son auberge de jeunesse (voir p 167) qui se dresse à travers les arbres.

Pointe-à-la-Croix

Le 10 avril 1760, une flotte française quitte Bordeaux à destination du Canada afin de libérer la Nouvelle-France, assiégée par les Anglais. Seuls trois navires atteignent la baie des Chaleurs, les autres ayant été victimes des canons anglais à la sortie de la Gironde; ce sont le *Machault*, le *Bienfaisant* et le *Marquis-de-Malauze*, des vaisseaux de 350 tonneaux en moyenne. Peine perdue, les troupes anglaises rejoignent les Français dans la baie des Chaleurs à l'embouchure de la rivière Ristigouche. La bataille s'engage. Les Anglais, beaucoup plus nombreux, déciment la flotille française en quelques heures...

Le **lieu historique national de la Bataille-de-la-Ristigouche** *(4$; juin tlj 9h à 17h; suivez les indications; ☎788-5676)* présente une exposition et un montage audiovisuel assez captivants pour quiconque s'intéresse à l'histoire. Des vestiges de la bataille que se livrèrent en ces lieux Français et Britanniques ont été repêchés et servent désormais de base à l'exposition. De nombreux textes accompagnent ces épaves. La visite dure une heure.

Listuguj (Restigouche)

Le **Fort Listuguj** ★★ *(5$; mi-juin à fin oct tlj 10h à 19h; 1 Riverside E., ☎788-1760, www.johnco.com/~fortlistuguj)* présente une petite exposition qui cherche à faire connaître les coutumes et les traditions des Micmacs. Vous découvrirez l'histoire de ce peuple amérindien qui, avant l'arrivée des Blancs, habitait un territoire s'étendant de la Nouvelle-Écosse actuelle à la péninsule gaspésienne. Un petit restaurant sert des mets traditionnels.

Parcs

Réserve faunique de Port-Daniel

Créée en 1953, la **réserve faunique de Port-Daniel** *(à 8 km de la rte 132 depuis Port-Daniel, ☎396-2789, ou ministère de l'Environnement et de la Faune, ☎752-2211)* présente un intérêt certain pour quiconque s'intéresse à la nature. Vous y trouverez une faune et une flore particulièrement riches. La réserve, d'une superficie de 65 km^2, est sillonnée de sentiers et parsemée de lacs et de chalets. Certains belvédères offrent de très belles vues.

Bonaventure

Le **Bioparc de la Gaspésie** *(10$; juin à mi-oct tlj 9h à 18h; 123 rue des Vieux-Ponts, ☎534-1997)* est un lieu idéal à visiter en famille. À l'aide de présentations multimédia et de guides interprètes, vous découvrirez avec ravissement les secrets d'animaux vivant en Gaspésie tels que l'ours, le phoque, la loutre, le lynx et le caribou. Sur un parcours d'environ 1 km, on a recréé les milieux naturels où vivent ces animaux, soit la toundra, la rivière, le barachois, la forêt et la baie. La visite dure deux heures.

Activités de plein air

La Baie-des-Chaleurs est un endroit unique pour s'adonner à une foule d'activités de plein air. Parmi celles-ci, on compte, en été, la randonnée pédestre, la pêche, la plongée, le canot, le kayak, l'ornithologie ainsi que le vélo, et en hiver, le ski de fond, le ski alpin et la motoneige.

Motoneige

À Carleton, l'**Hôtel-Motel Baie Bleue** propose de nombreux forfaits pour les motoneigistes (voir p 167).

Centre Plein Air Monticole de Paspébiac
Gérald Duguay
Paspébiac
☎752-9923

Club Plein Air Tourbillon
Maurice Arseneault
Bonaventure
☎534-3469

Club des Chevaliers de la motoneige
Michel Cyr
New Richmond
☎392-4239

Club de motoneige Mont Carleton
Rodrigue Bernier
Carleton
☎364-7113

Club sportif Marquis-de-Malauze
Jacqueline Bourdages
Pointe-à-la-Croix
☎788-5681

Chasse

Pour tout renseignement concernant la chasse ou la pêche, vous pouvez composer sans frais, entre 8h30 et 16h du lundi au vendredi, le ☎800-561-1616 (ministère de l'Environnement et de la Faune). En ce qui concerne la pêche quotidienne, appelez entre 16h30 et 17h30 pour obtenir votre droit de pêche du lendemain.

La **Pourvoirie des lacs Robidoux** *(120$ plan européen ou 210$ plan américain pour la chasse au petit gibier pour trois jours; 700$ plan américain seulement pour la chasse à l'ours pour six jours; 300$ plan européen ou 650$ plan américain pour la chasse à l'orignal pour sept jours; ☎392-4312)* accueille chaque année les chasseurs dans des chalets bien équipés.

Pêche

Pour tout renseignement concernant la chasse ou la pêche, vous pouvez composer sans frais, entre 8h30 et 16h du lundi au vendredi, le ☎800-561-1616 (ministère de l'Environnement et de la Faune). En ce qui concerne la pêche quotidienne, appelez entre 16h30 et 17h30 pour obtenir votre droit de pêche du lendemain.

La **réserve faunique de Port-Daniel** est parsemée d'une vingtaine de lacs dans lesquels il est possible de pêcher la truite. Les réservations s'effectuent par téléphone au Service de réservations et de renseignements du ministère de l'Environnement et de la Faune à Québec *(☎418-890-6527)*. Vous avez le choix entre la pêche quotidienne et la pêche avec hébergement dans les chalets situés au bord des lacs. Dix lacs, répartis sur le plateau de la réserve, sont réservés à ceux qui veulent pratiquer la pêche quotidienne, et des chaloupes sont mises à la disposition des usagers. Pour ce type de pêche, il faut réserver 48 heures à l'avance à Québec *(☎418-890-6527)*, ou encore 24 heures à l'avance au poste de la réserve *(☎396-2789)*.

Vous pouvez pêcher la plie et l'éperlan à la **marina du havre de pêche de Saint-Siméon**.

Au **quai de New Richmond**, vous pourrez pêcher la plie, le maquereau et l'éperlan.

Située à 5 min de la rivière à saumon, la **Pourvoirie des lacs Robidoux** *(30$ incluant droit de pêche et chaloupe, 50$ avec chalet, 80$ avec les trois repas; ☎392-4312)* loue des chalets aménagés pour les pêcheurs à 40 km de New Richmond, en plein cœur de la Gaspésie. Vous devez parcourir les vingt derniers kilomètres sur un chemin de gravier. Un dépôt de 30% du prix est requis.

Randonnée pédestre

La **réserve faunique de Port-Daniel** est pourvue d'un joli sentier de 7 km longeant la rivière Port-Daniel. Celle-ci, outre ses cascades et ses gorges, compte des fosses où frétille le saumon durant la saison de frai, en automne, au grand plaisir des visiteurs qui peuvent y pêcher.

À **New Richmond**, vous trouverez des kilomètres de sentiers au Centre d'interprétation de la Baie-des-Chaleurs. Le Centre de l'héritage britannique est doté de plusieurs sentiers traversant des sous-bois.

À **Carleton** et **Maria**, un **réseau de sentiers pédestres** *(☎759-3883)* sillonne les monts Carleton et Saint-Joseph sur près de 30 km. Sur une dizaine de sentiers de niveau facile à intermédiaire, vous aurez l'occasion de voir des chutes et des paysages splendides depuis les belvédères. L'accès est indiqué de la route 132.

Ornithologie

À l'embouchure de la **rivière Port-Daniel** se trouve une zone marécageuse dans laquelle il n'est pas rare d'apercevoir un grand héron ou un bihoreau à couronne noire.

Le **barachois de Carleton** est un lieu privilégié pour l'observation de la sauvagine, de la sterne et du grand héron. Vous verrez une grande colonie de sternes à l'extrémité sud du banc de Carleton. Une petite tour d'observation a été construite. En saison, un naturaliste donne des explications sur la faune ailée.

Vélo

Tabagie Poirier
tlj 9h à 21h
16 rte 132
☎388-2096
La Tabagie Poirier de **Caplan** se double d'un petit atelier de réparation qui peut s'avérer salutaire pour les cyclistes dont le pneu du vélo a crevé.

Podium
lun-mer 9h à 17h30, jeu-ven 9h à 21h, sam 9h à 17h
720 boul. Perron
☎364-7496
Podium de **Carleton** fait la location de vélos et de patins à roues alignées. On y vend aussi des vélos et des accessoires de vélo.

Ski

Pin Rouge
23,50$ ou 43,50$ avec location d'équipement complet
bar, cafétéria
☎392-6091
À **New Richmond**, la station de ski alpin Pin Rouge convient très bien aux skieurs intermédiaires et aux experts, mais n'est pas vraiment aménagée pour les débutants. Elle est dotée d'équipements très modernes dont un télésiège quadruple et un système d'enneigement artificiel. Pour les experts, la piste Le mur représente un défi de taille.

Club de ski de fond de Maria
4$
tlj 9h30 à 16h
rang 2
☎759-5401
Le Club de ski de fond de Maria vous propose quatre pistes situées dans les sous-bois. La plus petite piste est d'une longueur de 2 km et la plus grande de 7 km. Le tour complet dure environ deux heures (16 km).

Plongée sous-marine

Garage Jacques-Boudreau
6$
143 boul. Perron O.
☎759-3251
À **Maria**, vous trouverez un service de chargement de bouteilles au garage Jacques-Boudreau.

Club Le Copain Plongeur
juin à sept
1646 boul. Perron
☎364-7668
À **Carleton**, vous pouvez vous adresser au Club Le Copain Plongeur pour connaître les heures et les jours de sortie pour la plongée sous-marine. On y fait la vente, la réparation et la location d'équipement de plongée. Il en coûte 25$ pour obtenir la carte de membre, mais on peut plonger une première fois sans celle-ci.

Planche à voile

Club La Bordée
499 boul. Perron
☎364-7155
À **Carleton**, le Club La Bordée met un bâtiment à la disposition des véliplanchistes. Vous y trouverez une salle d'habillage, des toilettes, des douches et des installations pour le lavage et l'entreposage des voiles.

Croisières

Croisières à Fleur de Côte
20$
famille 50$
marina de Carleton
☎364-7663 ou 364-7887
Les Croisières à Fleur de Côte vous propose, tous les jours, trois excursions dans la baie des Chaleurs à bord de l'*Anna Lucie*. Vous partirez soit en excursion de pêche *(9h30)*, soit en voyage de plaisance *(13h30)*, ou encore profiterez de l'excursion du soir *(19h)* pour admirer le soleil couchant.

Kayak de mer

Cime Aventure
☎534-2333 ou 800-790-2463
À **Bonaventure**, Cime Aventure organise des excursions d'une durée allant de quelques heures à six jours.

Canot et pédalo

Cime Aventure
220-1 000$
☎534-2333
cime@quebec.com
www.cime.qc.ca
Cime Aventure est une entreprise qui se spécialise dans les activités de plein air. Différents forfaits de balades en

canot sont proposés, allant de quelques heures à quelques jours; ils comprennent l'équipement de canotage et de camping, ainsi que le transport depuis Bonaventure et les guides accompagnateurs. Les départs se font à date fixe.

À **Saint-Siméon**, vous trouverez des pédalos en location à la marina du havre de pêche.

Patin à roues alignées

Hippocampe Aventure
☎364-6636
À **Carleton**, on peut louer des patins à roues alignées chez Hippocampe Aventure.

Hébergement

Réserve faunique de Port-Daniel

Le ministère de l'Environnement et de la Faune propose 45 emplacements de camping dans la réserve faunique de Port-Daniel. Vous y trouverez une aire de pique-nique pourvue de foyers et de tables.

Dans la réserve, cinq chalets bien équipés sont également loués en bordure des lacs. Ils peuvent accueillir jusqu'à six adultes chacun, et l'un d'eux est situé sur une petite île. Chacun coûte 160$ par jour. En réservant sept jours à l'avance, et selon les disponibilités, on peut louer un chalet pour deux personnes pour 80$.

Pasbébiac

Auberge du parc
forfaits à compter de 500$
bp, ☎, tv, ≈ à l'eau de mer, courts de tennis, ⌂, ℜ
☎752-3355
réservations :
☎800-463-0890
Manoir construit par l'entreprise Robin au XIXe siècle, l'Auberge du parc propose des soins de thalassothérapie.

New Carlisle

Domaine du juge Thompson ***60$ pdj***
juil et août
105 rue Principale
☎752-6308 ou 752-5744
Le Domaine du juge Thompson vous propose de séjourner dans une jolie chambre, car elle occupe une très belle villa d'antan (1844). Vous y trouverez des sentiers et un beau jardin anglais d'époque. Vous pourrez vous détendre à votre aise et admirer la mer sur la véranda. On y sert de bons petits déjeuners à l'anglaise.

Bonaventure

Cime Aventure
☎534-2333 ou 800-790-2463
L'entreprise Cime Aventure dispose de 30 emplacements de camping *(16$)* ainsi que de quatre tipis *(12$)* situés au bord de la rivière Bonaventure.

Camping Plage Beaubassin
15$
18$ avec trois raccords
154 rue Beaubassin
☎534-3246
Le camping Plage Beaubassin est doté de 160 emplacements et d'une plage surveillée. Vous y trouverez aussi une laverie, un magasin et une salle communautaire. Il est situé sur une presqu'île au bord de la baie des Chaleurs.

Caplan

Camping Beaubassin
21$
154 rue Beaubassin
☎534-3246
⇌534-4336
bonavent@globetrotter.qc.ca
Le Camping Beaubassin possède plus de 200 emplacements situés près de la mer.

Le Ruisselet
70-80$
bp, tv, ⊗, ☎, ℜ
rte 132; 324 boul. Perron
☎388-5286
⇌388-2600
Le Ruisselet propose en location 20 nouvelles chambres bien équipées; de petites bouilloires sont disponibles dans chaque

chambre. Les installations sont adéquates pour les personnes à mobilité réduite.

New Richmond

Francis
82$
≈, ⊗, ⊛
210 ch. Pardiac
☎***392-4485 ou 800-906-4485***
⇄***392-4819***
L'hôtel-motel Francis vous accueille aux abords de la rivière Petite Cascapédia dans une de ses 38 chambres. Vous trouverez dans chacune d'elles une cafetière et du café *(gratuit)*. Les salles de bain sont assez petites. Choisissez une chambre du côté de la rivière pour profiter de la vue. Quelques sentiers et une passerelle vous permettront d'apprécier la présence de la rivière. Des kayaks de rivière sont aussi votre disposition.

Maria

Quality Inn Maria
88$
≈, bar, terrasse, ℜ, ≡
rte 132
☎***759-3488 ou 800-463-0833***
Le Quality Inn Maria compte 60 chambres propres et confortables.

Carleton

Camping Carleton
18$ ou 23$ avec raccords
mi-juin à début sept
banc de Larocque
☎***364-3992***
Le Camping Carleton compte très peu d'emplacements ombragés, mais la proximité de la mer et de la plage en fait un lieu très agréable et calme. Il est doté de 250 emplacements (dont 48 possèdent les trois raccords) et est situé sur la pointe Tracadigash. La propreté des lieux est irréprochable.

Chalets de la baie
95$ par nuitée
620$ pour sept nuitées
bp, ℂ, ℝ
209 rue du Quai
☎***364-7810***
Les Chalets de la baie sont situés près de la plage de Carleton. Ils offrent un bon confort et se trouvent près de tous les services.

Hôtel-Motel Baie Bleue
100$
bp, ℜ, ≈, bar, court de tennis
☎***364-3355***
⇄***364-6165***
réservations :
☎***800-463-9099***
L'Hôtel-Motel Baie Bleue procure un grand confort aux visiteurs séjournant dans la Baie-des-Chaleurs. De nombreux forfaits y sont disponibles.

Centre de thalassothérapie Aqua-Mer
410$ ½p et traitements
mai à oct
bp, ≈
☎***364-7055 ou 800-463-0867***
⇄***364-7351***
aquamer@globetrotter.qc.ca
Le Centre de thalassothérapie Aqua-Mer, situé dans un cadre enchanteur, propose plusieurs fortaits traitements d'une semaine.

Miguasha

Parc Fleurantide
14$
À Escuminac, dirigez-vous vers l'embarcadère du traversier de Miguasha et bifurquez à droite au chemin Pointe-Florent : c'est au n° 67.
☎***788-5442***
⇄***788-5919***
Le camping Parc Fleurantide occupe un beau site près de la plage de la baie des Chaleurs. Les terrains sont gazonnés et l'atmosphère se révèle très sereine. On y trouve des tables de pique-nique, un terrain de jeu et des foyers. Il y a 20 emplacements dotés des trois raccords et 40 autres sans services.

Pointe-à-la-Garde

L'**Auberge de jeunesse** et le **château Bahia** de Pointe-à-la-Garde *(45$ pdj; bc/bp; ☎/⇄ 788-2048)* sont situés à mi-chemin entre Carleton et Matapédia. En haute saison, l'endroit est surtout fréquenté par des Européens; ainsi, si vous êtes Européen, vous n'y trouverez de dépaysement que dans le cadre, et non chez les convives. Vous avez le choix de dormir à l'auberge ou au château Bahia, situé derrière celle-ci. On sert un banquet du soir, vers 20h30, dans la grande salle à manger.

Restaurants

Paspébiac

L'Ancre
$$
mi-juin à début sept
tlj 9h à 22h
3e Rue
☎***752-6280***
L'Ancre, situé au Site historique du Banc-de-Paspébiac (voir p 157), propose un large menu de plats de poisson et de fruits de mer. À la table d'hôte, il y a toujours un choix entre un mets de viande et un plat de poisson.

Le Romaco
$$
dim-mer 8h à minuit, jeu-sam 8h à 4h
83 boul. Notre-Dame
☎***752-5320***
Au restaurant Le Romaco, on vous servira de généreuses portions de fruits de mer, de poissons, de brochettes et de mets chinois et italiens. En saison, vous pourrez y déguster du poisson et du homard très frais.

Bonaventure

Café acadien
$$
début juin à mi-sept
tlj 8h à 23h
168 rue Beaubassin
☎***534-4276***
Le Café acadien sert, dans un cadre tout à fait charmant, de bons petits plats de poisson frais ou fumé ainsi que des mets de fruits de mer. On trouve au menu une section pour enfants, un grand choix de petits déjeuners et quelques desserts exotiques telle que la tarte au beurre d'arachide. Cet établissement est très populaire, tant auprès des gens de l'endroit qu'auprès des touristes; vous comprendrez que les prix y soient un peu élevés.

Caplan

Le Ruisselet
$$
6h à 22h
324 boul. Perron
☎***388-5286***
Le Ruisselet propose en semaine des menus du jour, midi et soir; la fin de semaine, les tables d'hôte sont à l'honneur. Vous y trouverez surtout un choix de grillades en hiver et de fruits de mer en été. Le menu est varié et les plats sont simples. Le pain de ménage est délicieux.

New Richmond

Les têtes heureuses
$
près du viaduc, 104 ch. Cyr
☎***392-6733***
Le café-bistro Les têtes heureuses vous charmera tant par son atmosphère que par son menu. Vous y trouverez une foule d'entrées, de croissants, de *bagels*, de croûtes, de pâtes, de quiches et de riz, tous aussi exquis les uns que les autres. Le pain de ménage et les desserts maison sont délicieux. On y propose un très grand choix de bières importées et de bières de microbrasseries.

La Détente
$$$
210 ch. Pardiac
☎***392-4485***
La salle à manger La Détente de l'hôtel-motel Francis sert des plats très simples composés de fruits de mer ou de viande. Le service est très courtois.

Maria

Café Forêt noire
$
tlj 8h à 21h
à l'est de l'église de Maria
☎***759-5774***
Le Café Forêt noire est un établissement fort sympathique situé au cœur de la municipalité de Maria. On y sert des fruits de mer, des pizzas, des salades, des spaghettis, des sandwichs, des croissants maison et des mets mexicains accompa-

gnés de 27 bières importées. Un menu du jour vous est proposé en semaine à 7,50$. Le jeudi, c'est le «festival pizza», pendant lequel vous obtenez une deuxième pizza gratuite à l'achat de la première. Ne manquez surtout pas la «fiesta mexicaine» du samedi, de 11h à 22h. Au menu figure une énorme sélection de cafés (dont l'express).

L'auberge Honguedo vous invite à ses deux restaurants. **Le Duo** *($$; lun 6h à 22h, mar-ven 6h à 23h, sam 7h à 23h et dim 7h à 22h; ☎759-3488)* sert à bon prix des mets simples tels que poissons, grillades, pâtes et hamburgers; **Le Barachois** *($$; tlj 18h à 22h; ☎759-3488)* propose des mets plus élaborés tels que l'étoile de pétoncles au poivre rose, le veau savoyarde, les rosettes de mignon de porc à l'érable, tous servis en table d'hôte. Le restaurant présente une très bonne liste de vins. Les portions sont bonnes et le service s'avère très attentionné.

Carleton

Le héron
$$
rte 132
☎364-3881
Le restaurant Le héron sert des mets simples et variés à la portée de toutes les bourses.

La Seigneurie
$$
tlj 7h à 10h30 et 18h à 21h
☎364-3355
La Seigneurie est située à l'étage de l'Hôtel-Motel Baie Bleue à Carleton. On y sert une large gamme de mets délicieux à base de gibier, de poissons et de fruits de mer. La vue depuis la salle à manger est superbe. La présentation des plats est très originale et le service, courtois.

La Maison Monti
$$$
verrière
fermé lun de mi-juin à mi-sept, période des Fêtes sur réservation, 17h à 21h
840 boul. Perron E.
☎364-6181
La Maison Monti vous accueille dans la maison où est né Honoré Bernard, dit Monti, un riche prospecteur qui revint s'installer à Carleton après un séjour fructueux dans l'Ouest. La salle à manger, située dans la maison même de ce personnage, offre un confort douillet et une belle ambiance.

Au menu, vous aurez un grand choix de poissons, de fruits de mer et de gibiers. Les plats sont fins et rehaussés de petites attentions. Ainsi, les petits pains sont cuits sur place et servis en double miche comprenant un pain blanc et un pain complet, le tout sur une planche dans laquelle on a prévu un espace pour le couteau et le beurrier. Le service est sympathique, attentionné et empressé, et la présentation des plats, très soignée. Les réservations sont appréciées.

Pointe-à-la-Garde

Cantine chez Claudine
$
rte 132
☎788-2333
La Cantine chez Claudine est ouverte 24 heures par jour. On y sert du poulet, de la pizza, des fruits de mer et des plats de viande fumée.

Sorties

Paspébiac

Don-Lynn
18h à 3h30
rte 132
☎752-3138
Le bar Don-Lynn, en activité depuis 1978, est devenu une véritable institution à Pasbébiac. Les gens viennent parfois de très loin pour s'y divertir la fin de semaine. Des chansonniers s'y produisent à l'occasion.

Carleton

Théâtre La Moluque
20$
juil à fin août, mar-sam 20h30
rte 132, centre-ville
586 boul. Perron
☎364-7151
Le Théâtre La Moluque présente du théâtre professionnel de création et de répertoire.

Pointe-à-la-Croix

Le bar de la **Brasserie Restigouche** sert de la bière en fût. Des activités s'y tiennent le jeudi, le vendredi et le samedi soirs.

Achats

Bonaventure

Cuirs fins de la mer
76 rte 132 E.
☎534-3821
Cuirs fins de la mer est une boutique spécialisée dans les articles en cuir de poisson. Vous y trouverez, entre autres choses, des porte-monnaie, des porte-clés, des bijoux, des sacs à main et même des vêtements tels que cravates, vestons et jupes.

Atelier de Céramique
115 rte 132
☎534-2723
L'Atelier de Céramique est une boutique de souvenirs qui fabrique ses pièces sur place.

Saint-Siméon

Grenier de l'Artisan
117 rte 132
☎534-4700
Au Grenier de l'Artisan, on trouve des produits d'artisanat gaspésiens, des souvenirs et des accessoires décoratifs.

Maria

Coop Micmac Handicraft
rte 132, en bordure de la réserve amérindienne
☎759-3504
Vous aurez un très grand choix d'articles de vannerie à la Coop Micmac Handicraft. Fondée en 1963 par les artisans de la réserve de Maria, la boutique a été entièrement reconstruite en 1980 après qu'un incendie l'eut ravagée.

La Boîte aux Belles Choses
525 rte 132
☎759-5663
La Boîte aux Belles Choses propose un grand choix de pierres naturelles, de bijoux importés et de cristaux.

Carleton

La Héronnière
rte 132, près de la rue du Quai
La boutique La Héronnière dispose d'un grand choix d'articles fabriqués par les artisans de la région. Vous y verrez des tissus, des étoffes, des tricots et des broderies, ainsi que des sculptures en bois d'oiseaux de mer.

Miguasha

L'Échoppe
1er juin au 2 oct, tlj 9h à 18h
parc de Miguasha
☎794-2069
L'Échoppe propose un choix intéressant de bijoux et de reproductions de fossiles.

Listuguj (Restigouche)

Le **Fort Listuguj** abrite une petite boutique.

La Gaspésie : la Vallée

La Vallée offre un spectacle naturel enivrant. Vallons, lacs, rivières à saumon, champs et forêts y forment une mosaïque fascinante et, l'automne venu, les arbres s'habillent de mille couleurs au plus grand plaisir des photographes.

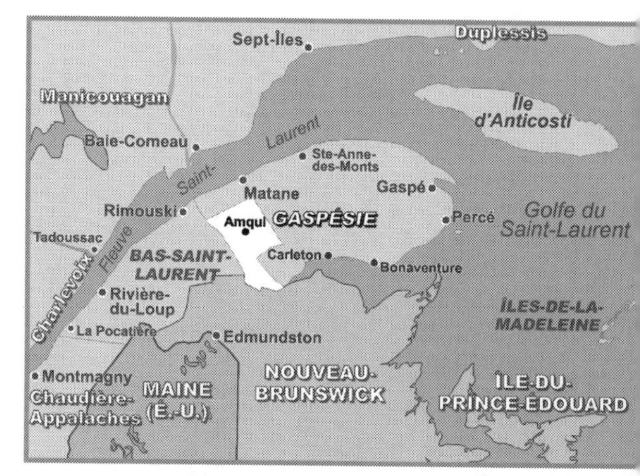

La Matapédia, c'est d'abord et avant tout une vallée de plein air. La région peut se vanter de posséder les plus beaux sites naturels pour la pratique des sports extérieurs. Elle bénéficie d'un climat doux à l'abri des rigueurs et des vents du Saint-Laurent. C'est également en son sein qu'habitent 20 000 chaleureux Matapédiens, répartis dans 20 municipalités.

Jusqu'en 1830, aucun colon ne s'était encore établi dans la vallée de la Matapédia, pour la simple et bonne raison qu'il n'y avait pas de route pour s'y rendre. De plus en plus, la nécessité d'une route carrossable entre Québec et le Nouveau-Brunswick se faisait sentir. Depuis la dernière guerre (celle de 1812 contre les Américains), on avait compris que cette route serait nécessaire en cas d'invasion. On décida donc de construire un chemin militaire.

Les Micmacs prétendent alors que le meilleur tracé pour une route suivrait le lac Matapédia jusqu'à Restigouche, à l'ouest des montagnes qui bordent la rivière Matapédia.

On entreprend alors la construction du chemin Kempt, qui, à la hauteur du lac Matapédia, faisait place à un couloir maritime où un immense bac à fond plat transportait hommes et bêtes d'une rive à l'autre. Ce n'est que 30 ans plus tard que le chemin Kempt sera terminé. Celui-ci constituait une première brèche dans la vallée, jusqu'alors vierge. Il permit l'établissement des tout premiers colons. Ces derniers agissaient alors en tant que gardiens des postes du chemin Kempt.

Le premier colon, Pierre Brochu, érigea sa maison à la pointe du lac Matapédia, à Sayabec, en 1883; il était secondé, sur le reste du parcours, par Noble, Evans et Lowe, un Écossais. Ces gardiens avaient pour fonctions d'accueillir les voyageurs et d'assister les préposés au service postal. De plus, ils offraient au besoin le gîte pour la nuit ainsi que des victuailles, pour permettre aux voyageurs d'atteindre le poste suivant.

Après la mise en place de cette infrastructure s'amorça la construction du chemin de fer Intercolonial, qui devait donner le véritable coup d'envoi à la colonisation de la vallée.

C'est alors que Français, Écossais, Acadiens et bien d'autres vinrent fonder Saint-Moïse, Val-Brillant, Amqui, Causapscal et d'autres communautés.

La vallée était une région essentiellement rurale, sillonnée de petits chemins paisibles qui se perdent à l'intérieur des terres. On n'y dénombrait alors que quelques villes centenaires, en raison des difficultés d'accès. La compagnie ferroviaire Intercolonial (1876) régla cependant vite ce problème. Elle favorisa en outre le commerce du bois, et la colonisation s'ensuivit.

La vocation forestière de la région est toujours évidente; pour s'en rendre compte, il suffit de regarder les énormes camions chargés de billes qui parcourent les routes. Le territoire de la municipalité régionale de comté (MRC) de Matapédia compte d'ailleurs 4 946 km^2 de forêt!

Pour s'y retrouver sans mal

La vallée de la Matapédia est située au cœur de la péninsule gaspésienne et fait partie intégrante de la chaîne de montagnes des Appalaches. Ce sont les glaciations de l'ère quaternaire qui ont façonné la physionomie du paysage matapédien. On y accède soit de la rive nord de la Gaspésie, par la route 132 Ouest ou la route 195, soit du sud, par la route 132 Est.

En train

Amqui
209 boul. St-Benoît
☎***629-5121***

Causapscal
142 St-Jacques S.
☎***756-3618***

Matapédia
10 rue MacDonell
☎***865-2327***

En autocar

Amqui
9 boul. St-Benoît
☎***629-4898***

Renseignements pratiques

Renseignements touristiques

Association touristique de la Gaspésie
357 rte de la Mer, Ste-Flavie
G0J 2L0
☎***775-2223 ou 800-463-0323***
⇄***775-2234***

Causapscal

Bureau d'information touristique
5, rue St-Jacques S., rte 132
☎***756-6099***

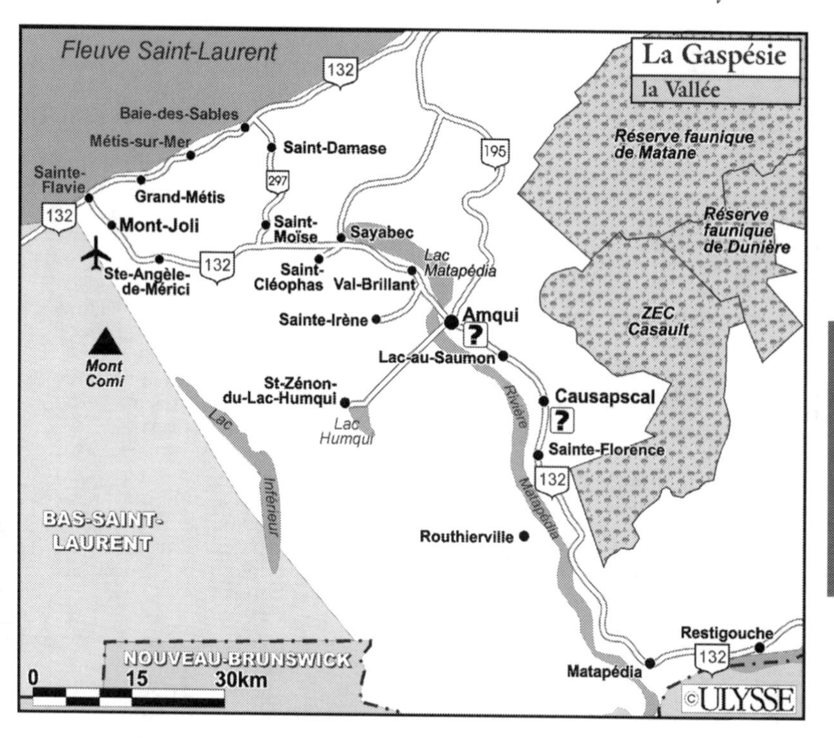

Amqui

Bureau d'information touristique
606, rte 132 Ouest
☎*629-5715*

Attraits touristiques

Depuis la baie des Chaleurs jusqu'à Causapscal, souvent appelée «Causap», vous longerez la rivière Matapédia. Elle vous accompagnera donc tout le long de votre parcours, de la baie au lac Matapédia. Elle coule sur une distance totale de 48 km.

En quittant la route 132 pour emprunter n'importe quelle route secondaire, vous trouverez à tout coup un chemin forestier (apportez votre vélo de montagne). La vallée produisit d'abord des bardeaux de cèdre et des lattes (plus grande productrice au Québec); on y fabrique maintenant jusqu'à des baguettes chinoises.

Sainte-Florence

Avant d'arriver à Sainte-Florence, vous apercevrez le dernier **pont couvert** de la vallée de la Matapédia. Près de là, la rivière Matapédia se jette dans la Ristigouche, qui elle-même afflue, après un parcours tortueux, vers la baie des Chaleurs.

Parvenu à Sainte-Florence, un village situé à 113 km de Carleton qui vit surtout de l'industrie du bois et de la pêche au saumon, vous aurez couvert suffisamment de territoire pour avoir une idée plus claire de ce qu'est la Vallée. C'est en effet entre Matapédia et ce village que se dressent les montagnes surplombant la rivière. Les pêcheurs y louent fréquemment des gîtes et des chalets, car ils ont alors un accès direct à la rivière Matapédia. Vous pourrez d'ailleurs les voir dans le feu de l'action.

Causapscal

Les scieries de Causapscal dominent le village, traversé en son centre par la rivière Matapédia. Celle-ci est une des meilleures rivières à saumon d'Amérique. Chaque année, les amateurs de pêche sportive séjournent dans la région afin de pratiquer leur activité favorite.

Longtemps source de conflits entre la population locale et les clubs privés qui détenaient l'exclusivité des droits de pêche sur la rivière, la pêche au saumon représente de nos jours un apport économique régional appréciable. Causapscal, qui signifie «pointe rocheuse» en langue micmaque, a été fondée en 1839 à la suite de l'ouverture d'un relais baptisé «La Fourche», au confluent des rivières Matapédia et Causapscal.

Vous pourrez y observer une **longue cheminée conique** ou «enfer», où l'on brûle les résidus des scieries. Vous remarquerez d'ailleurs que l'air est chargé d'odeur de résine.

Le **Site historique Matamajaw** ★ *(3,75$; 10 juin à mi-oct tlj 9h à 18h; 53 rue St-Jacques S., ☎756-5999)* est géré par la Corporation de développement touristique, faunique et culturel (FAUCUS).

C'est un arrêt obligatoire pour quiconque s'intéresse à la pêche ou à l'industrie qu'elle a engendrée au cours des siècles. On vous y propose un voyage dans le temps où les riches propriétaires du très exclusif club de pêche Matamajaw occupaient une part d'histoire étroitement liée à la ressource naturelle qu'est le saumon.

Saumon atlantique

Dans une visite divisée en six étapes, le guide vous entraîne vers le pavillon principal, la berge, la cabane des Indiens, la maison du gardien, la remise à canots et la neigière (bâtiment où se conservait le saumon à l'époque). La présence d'un guide est essentielle et ses services sont gratuits; il vous fournira des renseignements sur chaque emplacement et répondra à vos questions.

Il est important de mentionner qu'au Québec l'abondance du saumon a vite donné lieu à la création de clubs privés qui s'arrogèrent des droits de pêche exclusifs dont ils firent très souvent bénéficier des Américains et des Canadiens anglais, ce qui ne manqua pas de jeter la consternation dans le village, si bien que le braconnage s'ensuivit. Les rivières à saumon n'ont été ouvertes au grand public que vers le début des années soixante-dix. La rivière Matapédia comporte maintenant une centaine de fosses, dont près des deux tiers sont publiques.

Vous ne serez donc pas étonné, lors de votre visite, d'apprendre qu'il en coûtait 4 000$ pour faire partie de l'ancien Matamajaw Salmon Club, alors qu'à l'époque le salaire moyen d'un ouvrier était de quelques centaines de dollars par année!

Le pavillon principal compte six salles; il fut construit au début du XXe siècle par le Matamajaw Salmon Club, et on l'appelait alors «le Lodge». En parcourant les salles, vous découvrirez les plaisirs de la pêche sportive sous un angle historique, et l'on vous fera connaître le saumon de l'Atlantique ainsi que les constructeurs de ce bâtiment. Les salles servaient jadis de chambres à coucher, de salle à manger et de salon.

À La Berge (l'autre pavillon), vous découvrirez les techniques du lancer pour la pêche à la mouche : commun, roulé, en *S*, déporté ou à distance.

La cabane des Indiens servait, comme son nom l'indique, à abriter les Amérindiens de Restigouche qui servirent de premiers guides aux amateurs de pêche sportive.

La maison du gardien était jadis la résidence hivernale du gardien du club sportif. Il devait veiller à la sécurité et à l'entretien des lieux. Aujourd'hui, cette maison est le plus vieux bâtiment du Matamajaw Salmon Club.

La remise à canots était le lieu d'entreposage et de réparation des canots du club sportif, sans cesse grandissant. Les chaloupes et les canots étaient alors indispensables, la rivière étant la seule véritable voie d'accès aux fosses éloignées.

Enfin, la neigière, on s'en doute, servait à la conservation des saumons pêchés par les membres du club sportif. En entassant dans la neigière un bon 3 m de flocons blancs dès les premiers signes du printemps, on pouvait conserver le saumon jusqu'à l'automne et y entreposer le saumon frais. Les saumons étaient mis dans des boîtes qu'on portait à la gare le soir venu, d'où ils étaient transportés par wagon réfrigéré jusqu'à Montréal, puis New York, Chicago, Boston et d'autres grandes villes américaines.

Si vous ne désirez faire que la visite **Falls et Marais ★**, vous pouvez obtenir une carte à l'accueil ou encore au bureau d'information touristique. Vous verrez beaucoup plus de saumons sauter si vous vous y rendez dans la matinée.

L'emplacement du Site Matamajaw est idéal pour pique-niquer, en face des Fourches, l'endroit où confluent les rivières Causapscal et Matapédia. À proximité, observez les pêcheurs, habiles et gracieux, fouetter l'air audessus de la rivière pour y déposer la mouche qui saura séduire ce magnifique poisson qu'est le saumon.

La **réserve naturelle Les Falls** (Les Chutes), située à 16 km du centreville, est un site qui plaît habituellement beaucoup aux visiteurs. Du belvédère de la rivière Causapscal, ceux-ci peuvent admirer les saumons faisant des sauts et des pirouettes spectaculaires alors qu'ils s'efforcent de remonter les chutes. C'est une bonne occasion d'observer le saumon dans son milieu. Un demi-millier de saumons sont en effet immobilisés dans la fosse en saison, en attente du frai. Au marais, on observe la frayère à saumons ainsi qu'une barrière de rétention et de comptage. De là, des sentiers aménagés mènent les visiteurs vers des paysages superbes. On peut facilement pique-niquer aux Chutes.

Amqui

Située à 151 km de Carleton et à 74 km de Mont-Joli, chef-lieu de la Vallée, Amqui est un centre d'industries, de commerces et de services. Son nom, en langue autochtone, signifie «ami».

Amqui est aussi le lieu de naissance de la magnifique rivière Matapédia, que vous avez longée depuis votre entrée dans la Vallée. Elle est réputée mondialement pour la pêche au saumon qui s'y pratique.

C'est à Amqui que se croisent les deux principaux axes routiers, la 132 et la 195. Continuez sur la route 132 Ouest pour aller vers Rimouski, ou empruntez la route 195 pour aller à Matane (à 65 km de là).

La route 195 Sud longe la rivière Humqui jusqu'au lac Humqui, à Saint-Zénon-du-Lac-Humqui. S'y trouve un camping, et l'on peut se baigner dans le lac.

En vous rendant à Matane, par la route 195 Nord, vous traverserez les municipalités de Saint-Tharcisius (600 hab.) et de Saint-Vianney (690 hab.), toutes deux juchées sur des plateaux d'où l'on voit poindre les monts Chic-Chocs.

Près du bureau d'information touristique, vous pouvez voir le **pont couvert** de l'Anse Saint-Jean.

Si vous voulez admirer une **église** témoin à la fois du passé et du présent, prenez la rue du Pont jusqu'au centre-ville. Le monument que vous y verrez fut partiellement détruit par les flammes en 1984 et reconstruit à l'aide des pierres restantes.

Les **chutes à Philomène**, à Saint-Alexandre-des-Lacs, constituent un endroit rêvé pour un pique-nique. Ces chutes de 30 m offrent en effet un spectacle naturel d'une grande beauté. Pour vous y rendre, depuis la route 132 entre Amqui et Lac-au-Saumon, prenez la direction de Saint-Alexandre-des-Lacs (6 km à parcourir).

Val-Brillant

Val-Brillant, surnommée «la reine du lac Matapédia», se situe à 59 km de Mont-Joli. D'ici, vous n'êtes qu'à 10 km de la Station de ski Val-d'Irène.

Dans ce paisible village, vous pourrez admirer une **église** à double clocher de style gothique flamboyant.

En continuant votre route vers Sayabec, vous longerez le lac Matapédia (sur votre droite), immense étendue d'eau de 20 km de long et de 3,5 km de large où nichent nombre d'oiseaux.

Sayabec

Sayabec (prononcez «sébec») se trouve à 48 km de Mont-Joli. C'est une ville agricole et de services.

Saint-Moïse

Saint-Moïse, située à 12 km de Sayabec et à 32 km de Mont-Joli, est une petite municipalité, la plus vieille de la Vallée (1873); elle vit principalement de l'agriculture et de l'exploitation forestière.

Vous pouvez y visiter une imposante **église** de style Renaissance érigée au début de la Première Guerre mondiale.

C'est à partir d'ici que vous pouvez emprunter la route 297 pour vous rendre au théâtre La Pente Douce ou à la base de plein air de Saint-Damase (à 16 km de là). Si vous poursuivez votre chemin, vous aboutirez au fleuve à Baie-des-Sables. Sur ce chemin se trouve également l'Hôtel du Lac-Malcolm.

Sinon, poursuivez votre chemin sur la route 132 Ouest, et vous aboutirez à Mont-Joli, puis au fleuve.

Saint-Damase

Nommé ainsi en l'honneur du chanoine Damase Morisset, ce

petit village vit principalement de l'agriculture, mais aussi de l'élevage et de la foresterie. Le lac Saint-Damase, entouré de collines, se prête bien à des activités telles que la baignade et le canotage.

Sainte-Angèle-de-Mérici

Cette municipalité, qu'on appelle plus simplement «Sainte-Angèle», se trouve en bordure de la route 132 et peu avant Mont-Joli. Située dans un site vallonné, elle vit principalement de l'agriculture et de l'élevage.

La **Foire régionale de l'agneau de l'Est du Québec** ★ a lieu chaque année l'avant-dernière fin de semaine de juillet. Durant cette période, on organise bon nombre d'activités qui attirent des touristes de partout au Québec. Tout d'abord, on commence, cela va de soi, par inviter tous les producteurs ovins à Sainte-Angèle. Ils viennent en grand nombre visiter les fermes de la région et, par la même occasion, s'amusent tout en ne manquant pas de parler de la production et de l'élevage de l'agneau. Une équipe de bénévoles, un comité organisateur et les producteurs ovins se concertent et veillent à ce que tous les invités soient toujours bien rassasiés et bien divertis.

Au cours de cette fin de semaine, vous aurez tout le loisir, quand bon vous semblera, d'aller voir l'exposition de béliers, de brebis et d'agneaux à la bergerie de la foire, d'observer la transformation de la laine (lavage, cardage, filage, tissage, tricotage, feutrage) et de visiter la mini-ferme avec les «bébés» de la ferme.

Lors des visites guidées *(13h30 et 15h)*, on peut admirer différents spécimens de race pure, examiner du matériel d'élevage et assister à une séance de tonte, ainsi qu'à une démonstration du savoir-faire des chiens de berger.

Activités de plein air

Motoneige

Quel coin se prête mieux à la motoneige que la vallée de la Matapédia avec ses immenses forêts? La Gaspésie cache bien des trésors hivernaux; les touristes ont tort de ne la visiter qu'en été. La Vallée jouit d'un microclimat qui lui assure des chutes de neige abondantes. L'auberge **La Coulée Douce** *(laissez la Trans-Québec 555, et faites 4 km en suivant les indications vers l'auberge La Coulée Douce)* propose aux motoneigistes des forfaits incluant le gîte et le couvert (voir p 180).

Ceux qui ne possèdent pas de motoneige seront heureux d'apprendre que l'auberge organise des forfaits de trois ou cinq jours avec guides expérimentés pour les groupes composés de cinq personnes ou plus. Le forfait «clé en main» comprend la motoneige, l'équipement, l'hébergement et la restauration. Le prix est de 350$ par personne par jour. Les motoneiges sont des modèles récents.

Vous pouvez aussi opter pour le forfait «hébergement-restauration» *(178$, incluant les trois repas, le coucher et le service)* et choisir parmi les nombreuses activités suivantes : motoneige, pêche sur la glace (pêche blanche), raquette, piégeage, survie en forêt, nuitée dans un camp, patinage, ski alpin, ski de randonnée, randonnée en calèche, soirée musicale, dégustation de tire d'érable sur neige, visites industrielles (scierie, production laitière, etc.).

L'**Hôtel du Lac-Malcom** est un autre relais pour les motoneigistes. À deux pas de la Trans-Québec (555), on y organise des compétitions sur le lac (voir p 180).

Enfin, la **Base de plein air de Saint-Damase** propose aussi l'hébergement aux motoneigistes.

Club de motoneige d'Amqui
Francis Lee
Amqui
☎629-4518

Club sportif populaire de motoneige du Bas-St-Laurent
Laurent Desrosiers
Mont-Joli
☎775-8735

Chasse

Pour tout renseignement concernant la chasse ou la pêche, vous pouvez composer sans frais, entre 8h30 et 16h du lundi au vendredi, le ☎800-561-1616 (ministère de l'Environnement et de la Faune). En ce qui concerne la pêche quotidienne, appelez entre 16h30 et 17h30 pour obtenir votre droit de pêche du lendemain.

À 20 km de Causapscal, à la **ZEC Casault**, il est possible de chasser (en saison) l'orignal, le cerf, l'ours et le petit gibier. Pour plus de détails, composez le ☎756-3670 ou 756-5377.

Pêche

Pour tout renseignement concernant la chasse ou la pêche, vous pouvez composer sans frais, entre 8h30 et 16h du lundi au vendredi, le ☎800-561-1616 (ministère de l'Environnement et de la Faune). En ce qui concerne la pêche quotidienne, appelez entre 16h30 et 17h30 pour obtenir votre droit de pêche du lendemain.

À **Causapscal**, le poste d'accueil *(☎756-6174)* des rivières Matapédia et Patapédia, situé en face du Site Matamajaw, émet des permis de pêche pour ces deux rivières.

Pour la pêche au saumon dans la vallée, du début juin à la fin août, vous pouvez bénéficier d'un service de location d'équipement et de la présence d'un guide. On vend des droits d'accès quotidiens, et il y a possibilité de forfaits. Pour plus de renseignements, composez le ☎756-6174 ou 756-5787.

La rivière Matapédia représente un véritable trésor pour les pêcheurs de saumons. On y prend des spécimens pesant jusqu'à 20 kg! L'ex-président des États-Unis Jimmy Carter est d'ailleurs déjà venu y jeter sa ligne. Si vous êtes patient et que vous passez quelques jours à Causapscal, peut-être aurez-vous la chance de profiter des services du guide de pêche Richard Adams, une légende vivante dans la région.

Pour la pêche à la truite mouchetée en lac, neufs lacs ponctuent la **ZEC Casault**, à 20 km de Causapscal. Il est possible d'y louer des canots et d'y faire du camping sauvage. Pour réserver, composez le ☎756-3670.

Randonnée pédestre

Un réseau de sentiers longe la **rivière Causapscal**. Si vous faites l'excursion Les Falls, vous les emprunterez pour vous rendre aux sites d'observation du saumon (voir p 175).

Vélo

En été, la **Station de ski Val-d'Irène** *(115 rte Val-d'Irène, Ste-Irène, ☎629-3450)* aménage des sentiers pour le vélo de montagne.

Équitation

Le **Centre équestre de la Vallée** *(15$ l'heure; du centre-ville d'Amqui, faites 8 km en direction de Ste-Irène, ☎629-1339)*, propriété d'une diplômée en technologie équine, organise des randonnées à cheval de courte et de longue durée dans les champs et les bois avoisinants. Il est préférable de réserver à l'avance. Les enfants âgés de 12 ans ou plus peuvent partir en randonnée avec leurs parents.

Ski

La vallée de la Matapédia est vraiment choyée, car elle possède la plus belle station de ski alpin de toute la région : Val-d'Irène. Pour connaître les conditions de neige, composez le ☎629-3101. La **Station de ski Val-d'Irène** *(25$; ℜ, bar, garderie; 115 rte Val-d'Irène, rang 3, Ste-Irène, ☎629-3450, ⇒629-3550)* est dotée de trois remontées mécaniques et offre 274 m de dénivellée sur 13 pentes. Les pistes, très différentes les unes des autres, conviennent à tous les skieurs. La saison de ski, avec neige naturelle, s'étend de novembre à mai. L'attente est rarement de plus de 5 min. La station, ouverte toute l'année, propose différentes activités selon la saison. Au printemps, l'Aqua-neige attire les skieurs canadiens mais aussi américains. Ils viennent tenter de traverser en skis le lac Picalo, long de 55 m, après avoir dévalé la montagne de Val-d'Irène. Le soleil est toujours de la partie; donc, que vous observiez la compétition ou que vous skiiez, n'oubliez surtout pas votre écran solaire.

De nombreux forfaits incluant l'hébergement, la restauration et l'accès aux pentes de ski sont proposés. Vous en dénicherez sûrement un qui convient à vos besoins. Le vendredi, le samedi et le dimanche, les remontées mécaniques fonctionnent de 8h30 à 15h30, alors que, du lundi au jeudi, elles se mettent en branle une demi-heure plus tard.

De plus, la **Station de ski Val-d'Irène** *(7$; ℜ, bar, garderie; 115 rte Val-d'Irène, Ste-Irène, ☎629-3450, conditions de neige ☎629-3101)* compte 15 km de sentiers en forêt et en montagne pour le ski de fond.

Cueillette de petits fruits

La **région de Causapscal** est particulièrement choyée en ce qui a trait aux champs de fraises sauvages. En vous promenant dans les sentiers près du village, vous en trouverez en abondance. Demandez aux gens du village où se trouvent les plus belles «talles».

Balade en montgolfière

Évasions
Amqui
☎566-2992
Évasions vous propose, lorsque les vents sont favorables, de vous envoler très haut pour avoir une vue sur la Vallée tout entière.

Patin à glace

On peut patiner sur le lac Picalo, à la **Station de ski Val-d'Irène**. Accompagnement musical et éclairage en soirée.

Hébergement

Causapscal

Camping municipal St-Jacques
18$
début juin à début sept
≈, laverie
21, rue Boudreaurte 132
601 rue St-Jacques N.
☎756-5621 ou 888-756-5270
Le Camping municipal St-Jacques est doté de 48 emplacements pour les tentes et les autocaravanes. Les fervents de randonnée pédestre ou de vélo de montagne apprécieront ses sentiers.

La Coulée Douce
50$
66-75$ bp
juin à mi-sept tlj 7h à 23h, en hiver selon l'affluence
ℜ, court de tennis
☎756-5270 ou 888-756-5270
⇄756-5271
La Coulée Douce, un ancien presbytère reconverti en gîte, est une charmante petite auberge familiale située en retrait de la route 132 au cœur de la vallée de la Matapédia. Dans cette ancienne résidence de frères, vous trouverez de belles chambres meublées à l'ancienne et un grand salon où il fait bon échanger avec les voyageurs et les hôtes.

On y pratique plusieurs activités de plein air telles que la randonnée pédestre et la pêche en été, et la motoneige, le ski, la marche en raquettes et la pêche sur la glace (pêche blanche) en hiver. On y propose également un service de massothérapie.

Motel du Vallon
55$
ℂ, bp, ☎, tv, ℝ
rte 132
609 rue St-Jacques N.
☎756-3433
⇄629-5058
Le Motel du Vallon compte 16 chambres situées dans un site luxuriant et paisible.

Amqui

Au Camping 195 Sud
14-18$ avec les 3 raccords
d'Amqui, empruntez la rte 195 Sud; 229 rte des Étangs, Lac-Humqui
☎743-5417
Au Camping 195 Sud, vous pourrez vous installer sur un emplacement paisible en retrait de la route 132. Sur place, vous noterez la présence de deux cerfs roux.

Camping Amqui
15-19$ avec les 3 raccords
juil à sept
≈, laverie
686 rte 132 O.
☎629-3433
Le Camping Amqui est doté de 122 emplacements très bien situés en bordure d'étendues d'eau et de forêts. Trente emplacements sont pourvus des trois services. On peut y louer des pédalos, des canots, des chaloupes ainsi que des vélos.

Domaine du lac Matapédia
50$ pdj
mi-juin à fin sept
780 rte 132 O.
☎629-5004
Au Domaine du lac Matapédia, vous trouverez un joli *bed and breakfast* pour vous prélasser sur une plage privée, faire une baignade ou encore examiner les antiquités agricoles, tout cela dans un cadre de ferme d'antan.

Au Camping 195 Sud
50$
mi-mai à mi-sept
rte 195 Sud
229 rte des Étangs, Lac-Humqui
☎743-5417
Au Camping 195 Sud, on fait la location de chalets au bord du lac Humqui, dans lequel il est agréable de se baigner. On y loue aussi de l'équipement nautique.

Selectôtel Amqui
70$
≈, ⊛, tv, ≡, △, ⊘, ℜ, terrasse, ℂ
340 boul. St-Benoît
☎629-2241 ou 800-463-0831
selamqui@globetrotter.net
Le Selectôtel Amqui compte 80 chambres nouvellement décorées et offrant un bon confort. On loue des pédalos aux clients de l'hôtel pour 5$ l'heure.

Sayabec

L'Hôtel et le camping du Lac-Malcolm
35$ chambre
20$ emplacement de camping
ℜ, bar
123 rte du lac Malcolm
☎/⇄536-3004

L'Hôtel et le camping du Lac-Malcolm disposent d'une superbe terrasse flottante avec vue sur le lac; pédalos, diverses embarcations et équipement de pêche y sont proposés en location. On pratique la pêche à la truite sur le lac. Trois quarts des emplacements du camping offrent les trois raccords.

On trouve sur les lieux un dépanneur, un restaurant, une plage ainsi qu'une laverie et un terrain de jeu. Le camping ouvre du 15 mai à la fin octobre, mais l'hôtel est ouvert toute l'année. En hiver, l'hôtel devient un relais pour les motoneigistes, car la Trans-Québec (555) ne passe qu'à deux pas d'ici. On organise des compétitions de motoneige sur le lac et des courses de chiens tout autour.

Les affaires vont tellement bien que le propriétaire prévoit organiser un championnat québécois de courses de chiens. Des promenades en traîneau à chiens sont organisées si le temps le permet. Des forfaits de randonnée équestre sont proposés, été comme hiver, par un centre équestre situé tout près. Les motoneiges en location sont des modèles récents. On y trouve également 10 km de sentiers pédestres.

Saint-Damase

Camping de la Base de plein air de Saint-Damase
16$
ℜ, dépanneur, bar, laverie
☎776-2828
⇄776-2670

Le camping de la Base de plein air de Saint-Damase compte une centaine d'emplacements dotés des trois raccords et plus de 70 autres sur des terrains boisés, semi-boisés ou déboisés. On y fait la location d'embarcations et de planches à voile.

Base de Plein Air de Saint-Damase
50-60$
bar, ℜ, ℂ, ℝ, laverie
à 20 km de St-Moïse
302 rte 297 Nord, G0J 2J0
☎776-2828
⇄776-2670

La Base de Plein Air de Saint-Damase propose en location sept chalets construits en bordure du lac Blanc. Selon la saison, vous aurez accès à une plage animée ou à de grands espaces blancs et sereins. On y loue aussi canots, kayaks, planches à voile et pédalos.

De nombreuses activités peuvent également être pratiquées sur la terre ferme : basketball, volley-ball, badminton, pétanque, fer à cheval, croquet, vélo de montagne (sentiers aménagés). En hiver, la base devient un rendez-vous pour les motoneigistes. On y fait alors du camping d'hiver, de la pêche sur la glace (pêche blanche), du ski de fond, de la marche en raquettes et... l'on y joue à divers jeux de société. La base possède un **Snow**, c'est-à-dire un véhicule à chenilles avec habitacle pouvant transporter un petit groupe de personnes, l'ancêtre de la fameuse motoneige inventée par le Québécois Joseph-Armand Bombardier; offrez-vous une balade pour remonter dans le temps. Au printemps, des excursions conduisent à une cabane à sucre.

Restaurants

Causapscal

Cantine Linda
$
6h à 22h
rte 132
391 rue St-Jacques N.
☎756-5022

Si vous avez une fringale, rendez-vous à La Cantine Linda car on y sert des plats simples.

La Coulée Douce
$$
tlj le matin de 7h à 10h, le midi à partir de 11h30, le soir de 17h30 à 21h30
☎**756-5270**
L'auberge La Coulée Douce présente un menu rempli de mets délicieux tels que la bouillabaisse gaspé sienne et de nombreux plats à base de saumon frais. Le service est très sympathique et amical. Vous apprécierez l'ambiance de cette auberge. Essayez le potage aux crosses de fougères (têtes de vio lon). Il faut réserver pendant la basse sai son.

Amqui

Cantine Fortier
$
verrière
rte 132
320 boul. St-Benoît
☎**629-3535**
À l'extrémité ouest d'Amqui, vous pouvez vous procurer le meilleur sandwich mixte (sous-marin) de la Gaspésie à la Cantine Fortier.

Au P'tit Moulin
$
avr à mi-sept
424 rte 132 O.
☎**629-5563**
Non loin de la Cantine Fortier, la cantine Au P'tit Moulin vous invite à goûter à sa délicieuse pizza roulée (prête en 6 min), tout en étant confortablement installé sur la terrasse. Les frites et les sous-marins sont très bons.

La Gourmandise
$
terrasse
dim-mer 7h à 23h et jeu-sam 7h à 1h
boul. St-Benoît
☎**629-3500**
Au restaurant La Gourmandise, vous pourrez prendre un repas en vitesse et à peu de frais (menu du jour). Ce lieu de restauration se spécialise dans la pizza cuite sur feu de bois.

Le Cachet
$
340 boul. St-Benoît
☎**629-2241**
Le restaurant Le Cachet de l'hôtel Val-Moni sert de généreuses portions de fruits de mer à bon prix. Cet établissement offre une vue sur la rivière Matapédia.

La Romance
$$
≡
17h à 22h
tournez à droite près du camping provincial et traversez le pont de bois, tournez ensuite à gauche; 799 Anse-Saint-Jean
☎**629-5331**
Encore à l'extrémité ouest d'Amqui, environ 3 km après la ville sur la route 132 Ouest, vous trouverez, de l'autre côté du pont couvert, le restaurant La Romance.

Dans un cadre verdoyant, tout en regardant le soleil descendre sur le lac, vous pourrez choisir parmi une dizaine de tables d'hôte se composant de plats de fruits de mer, de grillades, de saumon au court-bouillon et de filet d'agneau aux fines herbes, suivis de succulents desserts faits maison. La qualité et la finesse des mets, ainsi que l'accueil sympathique, vous raviront. La réputation de ce restaurant n'étant plus à faire, il est sage de réserver.

Saint-Damase

Restaurant de la Base de plein air de Saint-Damase
$
302 rte 297
☎**776-2828**
Le restaurant de la Base de plein air de Saint-Damase dispose d'une terrasse et sert des repas de style cafétéria.

Sorties

Amqui

Théâtre du Quidam
adulte 14$
étudiant 12$
55 Carrefour sportif
☎**629-5712**
Le Théâtre du Quidam vous invite à venir vous divertir au Centre récréatif d'Amqui le mardi, le mercredi, le vendredi ou le samedi soirs à 20h30 de juillet à la mi-août. Les pièces qui y sont présentées ont été majoritairement créées et mises en scène par des gens de la Vallée. Elles sont interprétées par des comédiens locaux.

Au Vieux Chemineau
209 boul. St-Benoît
☎629-5531
Un bar chouette, Au Vieux Chemineau, a été aménagé dans la gare d'Amqui. On y voit beaucoup de touristes.

Saint-Damase

La Pente Douce
adulte 15$
enfant 8$
fin juin à fin août mar-sam à 20h30
bar
depuis Baie-des-Sables, empruntez la rte 297 jusqu'à St-Damase de Matane, à 10 km; tournez à droite dans le rang 6 Ouest et faites 1 km jusqu'au numéro 64; de St-Moïse, prenez la rte 297 également, à 16 km
réservations :
☎776-2333
Le théâtre La Pente Douce présente des pièces à saveur locale. La monologuiste chanteuse Denise Guénette, installée dans ce petit village depuis déjà une dizaine d'années, produit et interprète, dans son propre théâtre, des pièces où l'humour est toujours au rendez-vous.

Les savoureux monologues théâtralisés de Denise Guénette sont entrecoupés de chansons douces. Denise Guénette, très souple, versatile et polyvalente, incarne elle-même de nombreux personnages. Les pièces visent toujours à refléter les réalités gaspésiennes, et c'est d'ailleurs l'un des buts de la chanteuse actrice : faire en sorte que les gens se reconnaissent. Il est recommandé de réserver sa place. En plus d'aller au théâtre, vous pouvez, chaque été, voir des œuvres artistiques en tout genre. Bien qu'il soit situé à quelques kilomètres à peine de la route 132 depuis la Vallée ou la Côte, ce qui le rend facilement accessible, le théâtre offre un agréable dépaysement grâce à un cadre unique où se retrouvent trembles, mélèzes et érables.

Achats

Causapscal

Kiosque d'Artisanat de la Matapédia
tlj 9h à 21h
51 rue St-Jacques S.
☎756-3062
Le Kiosque d'Artisanat de la Matapédia dispose d'un grand choix de tissus, étoffes et tri-

cots de toutes sortes, d'émaux sur cuivre, de jouets, de dentelles, de bijoux, de mouches à saumon, de toiles, de confitures de fruits des champs maison, d'objets de cuir, de ponchos, de catalognes, de couvertures de laine, de robes, de nappes, de bérets, de foulards, de bonnets, d'articles en céramique et de bien d'autres souvenirs à rapporter. Les artisans de la région unissent leurs efforts pour vous proposer des objets authentiquement traditionnels et locaux. On tient boutique du 1er juin à la mi-octobre.

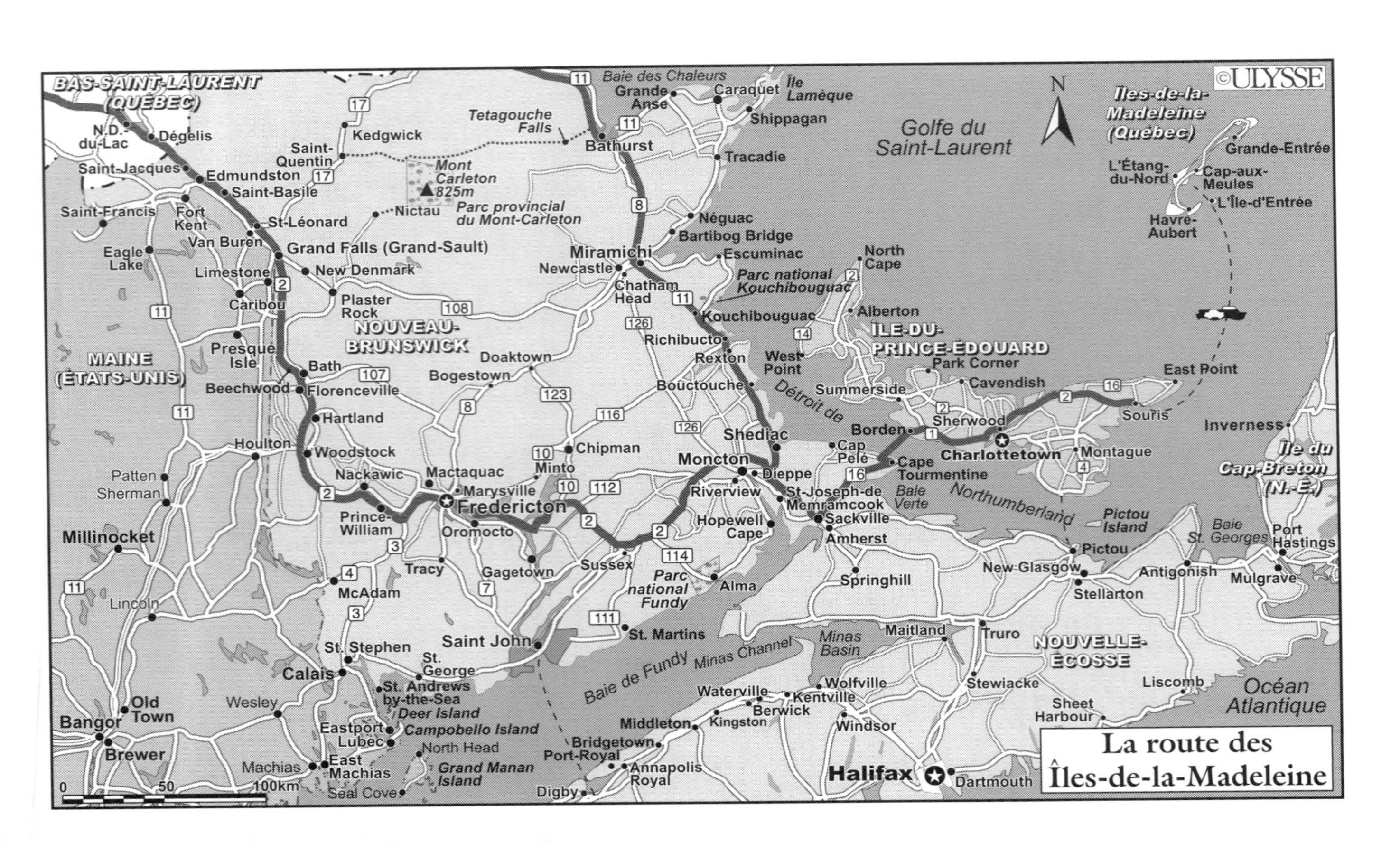
La route des Îles-de-la-Madeleine
©ULYSSE
BAS-SAINT-LAURENT (QUÉBEC)
Îles-de-la-Madeleine (Québec)
Golfe du Saint-Laurent
NOUVEAU-BRUNSWICK
MAINE (ÉTATS-UNIS)
ÎLE-DU-PRINCE-ÉDOUARD
NOUVELLE-ÉCOSSE
Île du Cap-Breton (N.-É.)
Océan Atlantique
Baie des Chaleurs
Détroit de Northumberland
Baie de Fundy
Minas Channel
Minas Basin
Baie Verte
Baie St. Georges
Île Lamèque
Parc national Kouchibouguac
Parc provincial du Mont-Carleton
Parc national Fundy
Mont Carleton 825m
Tetagouche Falls
N.D.-du-Lac
Dégelis
Saint-Jacques
Edmundston
Saint-Basile
Saint-Francis
Fort Kent
St-Léonard
Van Buren
Eagle Lake
Grand Falls (Grand-Sault)
Limestone
New Denmark
Caribou
Plaster Rock
Presque Isle
Bath
Beechwood
Florenceville
Hartland
Houlton
Woodstock
Patten
Sherman
Nackawic
Mactaquac
Marysville
Fredericton
Prince-William
Oromocto
Millinocket
Tracy
Gagetown
McAdam
Lincoln
St. Stephen
Saint John
Calais
St. George
St. Andrews by-the-Sea
Deer Island
Campobello Island
Eastport
Lubec
North Head
Grand Manan Island
East Machias
Machias
Seal Cove
Wesley
Old Town
Bangor
Brewer
Kedgwick
Saint-Quentin
Nictau
Bathurst
Grande Anse
Caraquet
Shippagan
Tracadie
Néguac
Bartibog Bridge
Miramichi
Newcastle
Chatham Head
Escuminac
Kouchibouguac
Richibucto
Rexton
Bouctouche
Doaktown
Bogestown
Chipman
Minto
Shediac
Moncton
Dieppe
Riverview
St-Joseph-de Memramcook
Sackville
Amherst
Hopewell Cape
Sussex
Alma
St. Martins
Springhill
Cap Pelé
Cape Tourmentine
North Cape
Alberton
West Point
Summerside
Park Corner
Cavendish
Borden
Sherwood
Charlottetown
Montague
Souris
East Point
Inverness
Pictou Island
Pictou
New Glasgow
Stellarton
Antigonish
Port Hastings
Mulgrave
Maitland
Truro
Stewiacke
Liscomb
Sheet Harbour
Wolfville
Kentville
Waterville
Berwick
Kingston
Windsor
Middleton
Bridgetown
Port-Royal
Annapolis Royal
Digby
Halifax
Dartmouth
Grande-Entrée
L'Étang-du-Nord
Cap-aux-Meules
L'Île-d'Entrée
Havre-Aubert
0
50
100km

Les Îles-de-la-Madeleine

Les Îles-de-la-Madeleine représentent une destination vacances par excellence. En effet, que pourrait-on demander de plus?

Un milieu pittoresque et isolé, des activités sportives à profusion, un accueil des plus chaleureux... On est assuré d'y trouver une grande quiétude et un dépaysement absolu.

Les Îles, c'est d'abord et avant tout la mer. Peu importe où vous vous trouvez dans cet archipel, vous sentirez partout sa présence, que ce soit lors de vos activités ou en contemplant les paysages. Le littoral rocheux est d'une très grande beauté; il se partage entre des plages de sable fin et des falaises rouges et grises.

On y dénombre plus de 4 000 ha de côtes parsemées d'une magnifique végétation riche en plantes herbacées. Les paysages se composent aussi de dômes volcaniques, de masses de gypse et d'entonnoirs, de prairies verdoyantes, de forêts rabougries aux formes étranges et, surtout, de chaînes de dunes.

En plus d'y trouver des lieux d'hébergement diversifiés et très convenables (16 hôtels et «logements chez l'habitant», et six terrains de camping), sans oublier d'excellentes tables (20 restaurants), vous serez comblé par la chaleur et l'accueil des Madelinots et Madeliniennes; leur hospitalité est proverbiale. Vous vous sur-

Pluvier siffleur

prendrez sûrement à discuter pendant plusieurs heures avec quelqu'un à qui vous n'aviez demandé qu'un petit renseignement. Par ailleurs, ne vous étonnez pas si l'on vous invite, sans façon, à prendre un verre ou un repas; cela fait partie des habitudes des gens des Îles.

Les îles de la Madeleine sont situées au milieu du golfe du Saint-Laurent, à près de 100 km de l'île du Prince-Édouard et à plus de 200 km de Gaspé. L'archipel compte huit îles d'importance, dont six sont reliées par des cordons de sable. Ce sont, du nord au sud, l'île de la Grande Entrée et la Grosse Île, les îles du Havre aux Maisons, aux Loups, de Cap aux Meules et du Havre Aubert.

Elles forment un arc d'environ 100 km dont le centre se trouve à peu près à l'emplacement de l'île d'Entrée. L'île Brion, la seule à être inhabitée, gît à quelque 10 km au large de la Grosse Île. La population totale des Îles atteint presque 14 000 habitants.

Pour s'y retrouver sans mal

En avion

Les lignes aériennes **Air Alliance** *(☎800-361-8620)* et **Inter-Canadien** *(☎800-665-1177)* desservent quotidiennement les Îles-de-la-Madeleine depuis la Gaspésie, Québec et Montréal. Certains vols font une escale à Québec, à Mont-Joli et à Gaspé (quatre heures de vol).

D'autres jours, vous devez prendre une correspondance à Québec pour ensuite vous rendre directement à Havre-aux-Maisons, aux Îles-de-la-Madeleine. Plus vous réservez tôt, plus les prix sont bas. On accorde parfois des rabais allant jusqu'à 50% sur le prix du billet. Les départs ont lieu, de façon générale, en matinée.

Le traversier

Il faut d'abord se rendre à **Souris** (Île-du-Prince-Édouard). De là, vous pouvez monter à bord du ***Madeleine***, qui vous emmènera à Cap-aux-Meules, après cinq heures en mer. Le tarif pour adultes est de 35$. Pour faire monter votre véhicule à bord, vous devrez débourser 67$ (personnes en sus).

Il est recommandé de réserver très tôt *(☎888-986-3278)*. Assurez-vous d'avoir laissé un numéro de carte de crédit lors de la réservation pour votre dépôt. On oublie parfois de vous le mentionner et, si cela vous arrive, votre réservation sera annulée sans préavis.

Pour se rendre à Souris, il y a deux itinéraires possibles. Si vous êtes en Gaspésie, vous pouvez prendre le traversier de Miguasha, près de Nouvelle. Le ***Dalhousie Marine*** effectue la traversée Miguasha-Dalhousie en moins de 20 min *(13$)*. Ce voyage vous donne l'occasion d'observer ou photographier les falaises fossilifères du parc de Miguasha (sur la gauche), alors qu'à droite vous apercevrez la terre rouge des autres falaises. Miguasha veut dire «terre rouge» en langue micmaque.

Ce service de traversier est l'œuvre d'une vingtaine de personnes de Miguasha et de Dalhousie. Il est en activité du 15 juin au 15 septembre, de 9h30 à 19h30, heure du Québec, et de 8h30 à 20h, heure du Nouveau-Brunswick. Il part toutes les demi-heures.

Avant la mise sur pied de ce service de traversier, les gens devaient franchir le pont de Campbellton.

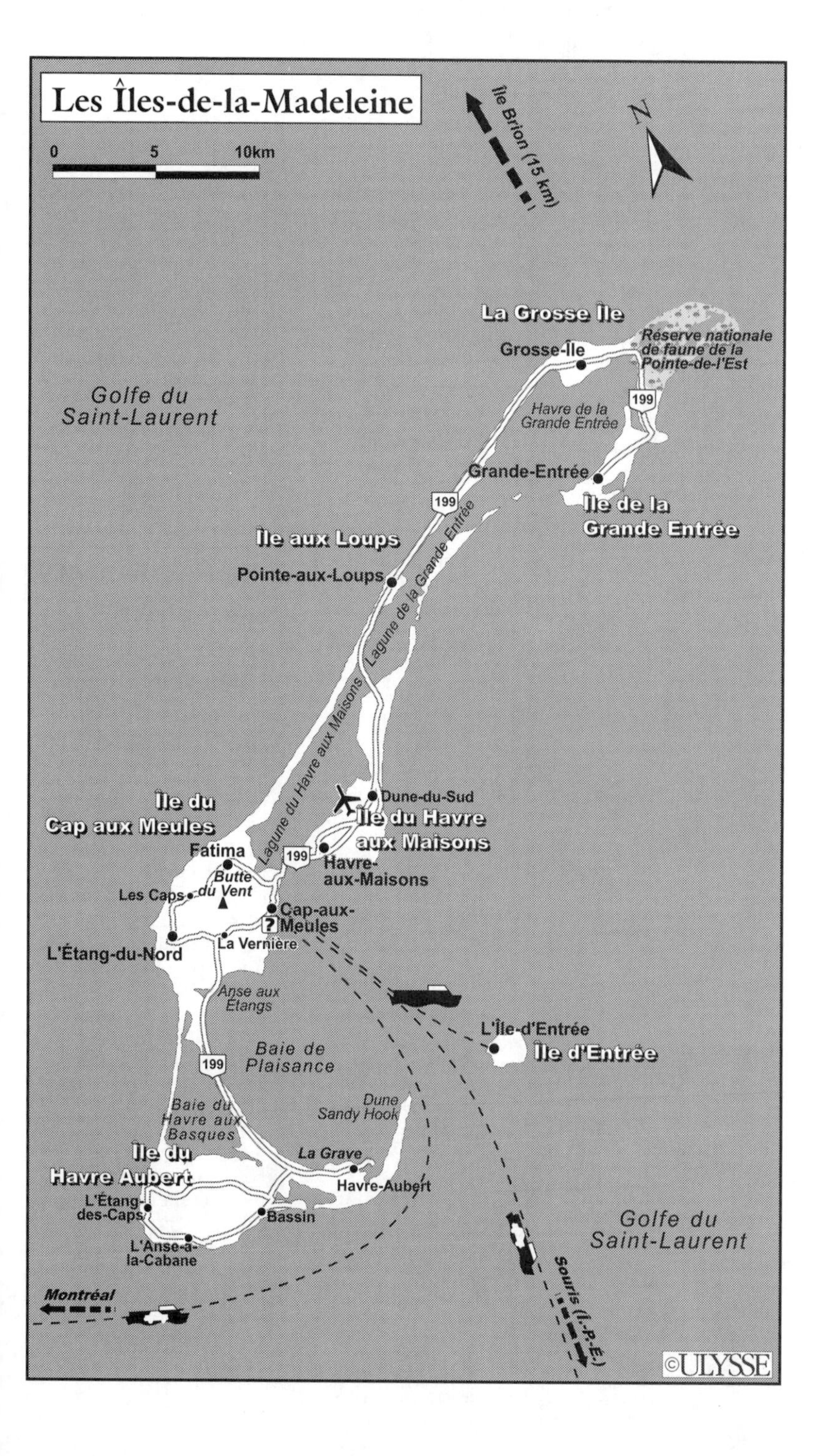
Les Îles-de-la-Madeleine
0
5
10km
Île Brion (15 km)
N
La Grosse Île
Réserve nationale de faune de la Pointe-de-l'Est
Grosse-Île
Golfe du Saint-Laurent
199
Havre de la Grande Entrée
Grande-Entrée
Île de la Grande Entrée
199
Lagune de la Grande Entrée
Île aux Loups
Pointe-aux-Loups
Lagune du Havre aux Maisons
Dune-du-Sud
Île du Cap aux Meules
Île du Havre aux Maisons
Fatima
199
Havre-aux-Maisons
Butte du Vent
Les Caps
Cap-aux-Meules
L'Étang-du-Nord
La Vernière
Anse aux Étangs
L'Île-d'Entrée
Île d'Entrée
Baie de Plaisance
199
Dune Sandy Hook
Baie du Havre aux Basques
Île du Havre Aubert
La Grave
Havre-Aubert
L'Étang-des-Caps
Bassin
Golfe du Saint-Laurent
L'Anse-à-la-Cabane
Montréal
Souris (Î.-P.-É.)
©ULYSSE

Le trajet de Dalhousie à Cape Tourmentine est assez monotone. La route est toutefois très bien entretenue, peu encombrée et droite. Au cours des quatre heures que dure le voyage, vous aurez quelques percées sur la côte et croiserez quelques restaurants et stations-service.

Il vous faut d'abord prendre l'autoroute 11 jusqu'à Bathurst. Ensuite, empruntez la 8 jusqu'à Miramichi, puis empruntez de nouveau la 11 jusqu'à Shediac. De là, prenez la 15, direction Port Elgin, qui vous mènera à la 16, laquelle aboutit directement au pont de la Confédération.

Depuis mai 1997, le Nouveau-Brunswick est relié à l'île du Prince Édouard par le pont de la Confédération (14 km). Pour traverser l'île du Prince Édouard jusqu'à Souris, roulez sur la route 1, qui mène à Charlottetown, et continuez ensuite sur la route 2 en suivant les indications vers Souris. Le trajet de deux heures est agrémenté de très beaux paysages champêtres. Cette portion du trajet est idéale pour les cyclistes.

En partant de Québec ou de Montréal, vous pouvez emprunter l'autoroute 20 jusqu'à Rivière-du-Loup. Suivez ensuite la signalisation pour vers, et prenez alors la route 185. De là, la route 2 vous mènera à Moncton. La route 15 aboutit à Cap Tourmentine.

Le ***S.P. Bonaventure*** part de Cap-aux-Meules *(16$ aller-retour; lun-sam 8h et 15h; ☎ 986-5705)* et se rend à l'île d'Entrée. De l'île d'Entrée, les départs ont lieu à 9h et à 16h10.

Location de véhicules

Voitures

Vous pouvez louer une voiture chez **Cap-aux-Meules Honda** *(45$ par jour; 199 rue La Vernière, ☎986-4085)*. Il est nécessaire d'avoir une carte de crédit en sa possession. Ce commerce est ouvert du lundi au vendredi, de 8h30 à 17h30, et le samedi, de 9h à midi. De plus, à l'aéroport de Havre-aux-Maisons, vous trouverez un comptoir de **Tilden** *(☎969-2590)*.

Vélos, motos et cyclomoteurs

Bien que le climat y soit très venteux, l'un des meilleurs moyens de transport pour visiter les Îles reste sûrement le vélo. Vous pouvez en louer chez le **Pédalier de Cap-aux-Meules** *(14$ par jour, 40$ par semaine; 365 ch. Principal, Cap-aux-Meules, ☎986-2965)*.

Chez Cap-aux-Meules Honda, on loue des vélomoteurs entre 35$ et 43$ par jour. On fournit les casques protecteurs, et l'on offre une journée gratuite à ceux qui louent à la semaine. Il est nécessaire d'avoir en sa possession une carte de crédit. Les motos et les voitures se louent 45$ par jour. Vous trouverez également des motos en location chez Budget, à l'aéroport de Havre-aux-Maisons.

Renseignements pratiques

Renseignements touristiques

Vous trouverez le bureau d'information touristiques à la sortie du traversier, au **port de Cap-aux-Meules** *(128 ch. du Débarcadère, ☎986-2245, ⇌986-2327)*. Il est ouvert du 24 juin jusqu'au premier lundi de septembre, tous les jours de 7h à 21h, et de la fête du Travail au 23 juin, de 9h à midi et de 13h à 17h, du lundi au vendredi.

Notez qu'un service de réservation pour votre hébergement est offert du début mars à la mi-septembre. De plus, tous les menus des restaurants des Îles y sont affichés en permanence. Pour toute documentation, vous

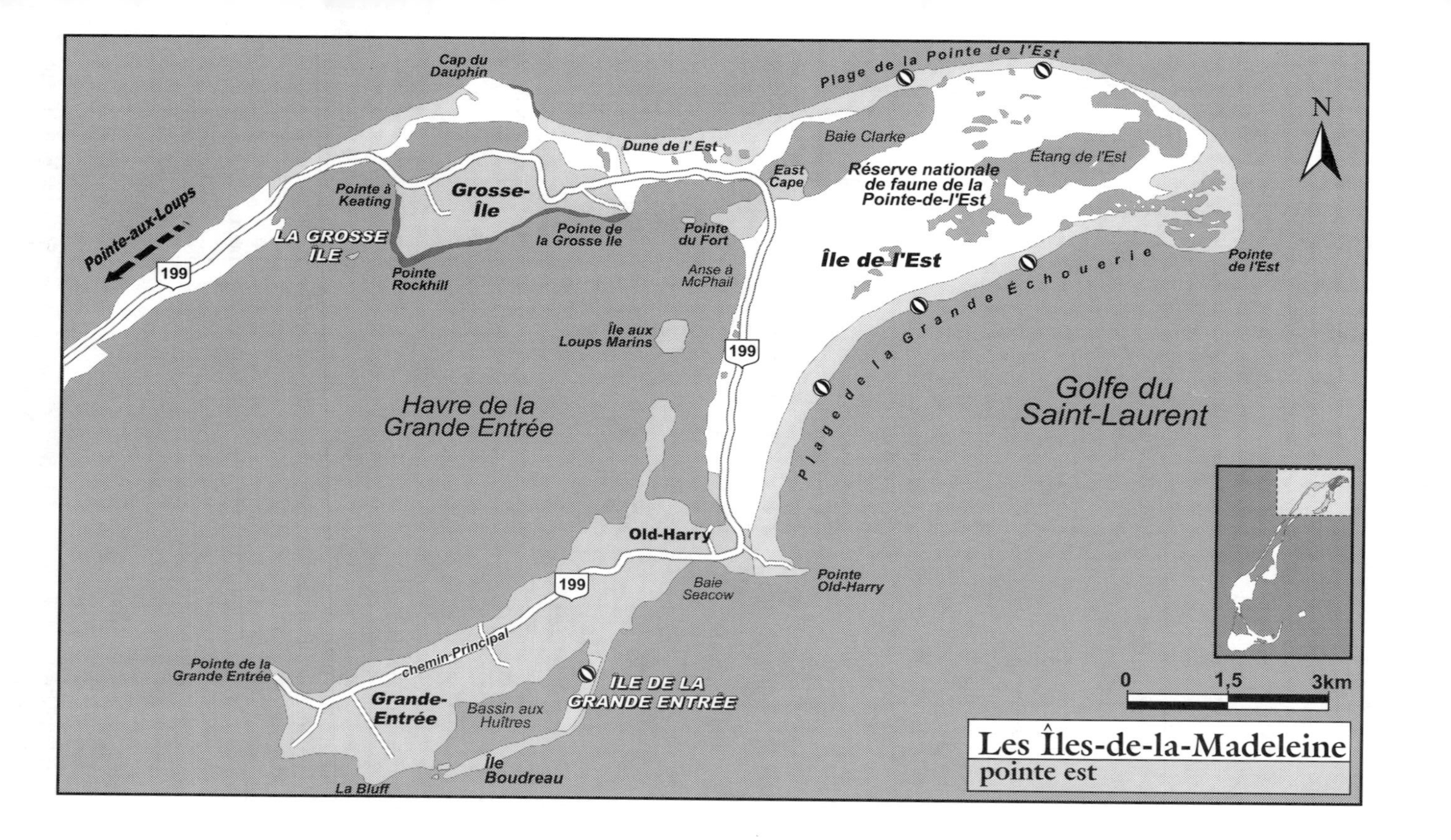
Les Îles-de-la-Madeleine
pointe est
N
0
1,5
3km
Golfe du
Saint-Laurent
Havre de la
Grande Entrée
Plage de la Pointe de l'Est
Plage de la Grande Échouerie
Cap du
Dauphin
Dune de l' Est
Baie Clarke
Étang de l'Est
East
Cape
Réserve nationale
de faune de la
Pointe-de-l'Est
Île de l'Est
Pointe
de l'Est
Pointe-aux-Loups
199
Pointe à
Keating
Grosse-
Île
LA GROSSE
ÎLE
Pointe
Rockhill
Pointe de
la Grosse Ile
Pointe
du Fort
Anse à
McPhail
Île aux
Loups Marins
Old-Harry
Pointe
Old-Harry
Baie
Seacow
chemin-Principal
Pointe de la
Grande Entrée
Grande-
Entrée
Bassin aux
Huîtres
ÎLE DE LA
GRANDE ENTRÉE
Île
Boudreau
La Bluff

pouvez écrire à l'Association touristique des Îles-de-la-Madeleine, C.P. 1028, Cap-aux-Meules, Îles-de-la-Madeleine (Québec), G0B 1B0.

L'heure des Maritimes

Si vous arrivez de Souris, vous aurez sûrement déjà avancé votre montre d'une heure, c'est-à-dire l'avoir mise à l'heure des Maritimes. Cependant, si vous arrivez par avion ou par bateau, directement de Québec ou de Montréal, n'oubliez pas d'ajuster votre montre à l'heure locale, soit une heure de plus que celle du Québec continental.

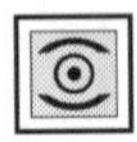

Attraits touristiques

La Grosse Île et île de la Grande Entrée

L'île de la Grande Entrée constitue, avec la flèche de sable de la pointe de l'Est qui s'y adosse, l'extrémité nord-est du croissant de l'archipel madelinot. La route 199, qui raccorde les six îles, débute au port de Grande-Entrée pour se terminer à près de 100 km plus au sud sur l'île du Havre Aubert. La meilleure façon de visiter les Îles est de parcourir cette route à partir de laquelle tous les attraits ne sont qu'à quelques minutes de voiture. L'île de la Grande Entrée est surtout réputée pour la culture des moules.

La municipalité de **Grande-Entrée** existe depuis 1924. Son port était alors très fréquenté. Aujourd'hui, c'est le port de Grande-Entrée qui rapporte le plus grand nombre de prises de homard. À l'autre bout de l'île se trouve le pittoresque quai d'**Old-Harry**, qui tire son nom d'un vieil Écossais, Harry Clark, longtemps le seul habitant de l'endroit.

La pointe Old-Harry vous réserve des paysages splendides. Chaque soir, des embarcations multicolores rentrent au quai. Les commerçants attendent patiemment leur arrivée pour se procurer, en saison, des caisses remplies de homards.

Les compatriotes de Clark peuplèrent d'ailleurs l'île voisine, la **Grosse Île**. Au fil des années, se sont ajoutés les rescapés de nombreux naufrages. On peut d'ailleurs voir une carte détaillée de tous ces naufrages (plus de 400) au Musée de la mer de Havre-Aubert. D'East Point à Wide Road, les habitants, toujours anglophones, conservent l'intonation typique des Provinces maritimes.

La plupart sont restés pêcheurs, bien qu'une mine de sel soit située à la jonction de l'île et du début du grand corridor plat et longiligne de la dune du Nord. La Grosse Île est séparée en maint endroit par le sable, l'eau et le pré salé. L'île Brion, située à 15 km, fait partie de la municipalité de Grosse-Île.

En sortant du pont de Grosse-Île, vous verrez sur votre gauche la mine de sel Seleine. En mai 1995, elle causa tout un émoi chez les Madelinots, lorsque, à la suite d'une fuite d'eau dans un puits, on fut forcé de bloquer la route principale et de fermer la mine. Les fuites furent colmatées; la mine devrait avoir repris ses activités.

Le petit **musée Old Harry School** *(en saison lun-sam 9h à 16h et dim 11h à 16h; ☎985-2116 ou 985-2298)*, géré par le Conseil des anglophones madelinots (C.A.M.I.), est la reconstitution d'une école anglophone d'autrefois. À l'intérieur, vous pourrez voir deux ou trois pupitres avec des mannequins. On aperçoit également des ustensiles de cuisine anciens et des photographies d'époque.

La visite du musée ne dure que quelques minutes. Vous pouvez vous y procurer des produits d'artisanat.

Le **Centre d'interprétation du Phoque** *(5,50$; juin à sept, tlj 11h à 18h, sam-dim 10h à 17h; mars selon un horaire variable; ☎985-2833)* constitue la plus importante banque de données au Québec sur ce mammifère marin. Réparties sur deux étages, les expositions interactives sont proposées. Au rez-de-chaussée, on présente le mammifère et son habitat (habitudes alimentaires), tandis qu'à l'étage on explique sa transformation pour les besoins de l'homme.

Île du Havre aux Maisons

Passé la mine de sel de la Grosse Île, on entre dans un paysage plat et longiligne : la dune. Enserrée entre la mer à l'ouest et la lagune de Grande-Entrée, la **dune du Nord** relie la Grosse Île à Pointe-aux-Loups. Après quelques maisons, la route franchit la lagune pour traverser les sillons de la **dune du Sud**.

On dit qu'un homard énorme vit sous le pont. Les sillons sont une succession de dunes longitudinales entre lesquelles pousse une végétation rabougrie. On entre à l'île du Havre aux Maisons en longeant l'aéroport. L'île, en forme de triangle allongé dont la côte est plonge souvent à pic dans la baie de Plaisance, offre des paysages parmi les plus charmeurs.

Havre-aux-Maisons ressemble beaucoup à Fatima en ce qui a trait à ses installations. Vous remarquerez cependant l'absence de zone résidentielle. L'**île aux Loups**, la plus petite île habitée de l'archipel, émerge, tel un morceau de grès rouge, de la dune du Nord, entre Fatima et la Grosse Île.

Si vous arrivez du sud, après avoir franchi le pont qui relie l'île de Cap aux Meules à l'île du Havre aux Maisons, vous trouverez une petite agglomération ayant pour centre le **Vieux Couvent** et le **presbytère**, l'église ayant été incendiée en 1973. Le presbytère est un beau bâtiment décoré de bois et doté de tourelles, de pignons et de lucarnes. Le Vieux Couvent, quant à lui, est la seule construction en pierre de taille aux Îles. Il s'agit d'un bâtiment à trois étages découpé de fenêtres françaises en bois et couronné d'une toiture de style «pavillon».

En empruntant le chemin de la **Pointe-Basse**, au sud de l'île du Havre aux Maisons, vous découvrirez une très belle architecture. Se dressant çà et là, des maisonnettes parfois percées de lucarnes, mais toujours recouvertes de clins de cèdre, s'agencent bien au paysage composé de plateaux, de caps et de falaises.

Vous trouverez, entre le cap à Adrien et le cap à Alfred, un chemin de gravier descendant vers la mer jusqu'à un havre naturel, Pointe-Basse. En chemin, vous verrez, bordant la route, de grands fumoirs gris et rouges, réminiscences de l'activité qui y régnait jadis.

C'est aussi à Havre-aux-Maisons qu'Hydro-Québec dressa une **éolienne expérimentale**. Malgré la constance et la force des vents, elle ne produisit jamais d'électricité commercialement.

À la suite de la tentative infructueuse de faire

Phoque et blanchon

Le dernier d'une série de naufrages

Les îles sont des soulèvements d'un plateau sous-marin beaucoup plus vaste, parsemé de récifs dangereux pour la navigation.

C'est dans la nuit du 16 au 17 décembre 1990 que le *Nadine*, un bateau de pêche, coulait au large de l'île de la Grande Entrée. Ce naufrage, qui a coûté la vie à huit personnes, est, selon les conclusions du coroner, attribuable à une série d'erreurs humaines. L'appareil de direction serait tombé en panne après que la cale se fut remplie d'eau. Les portes d'étanchéité, situées entre la cambuse et la salle des machines, n'auraient pas été fermées, ce qui aurait déséquilibré le navire. Sans gouvernail et sous l'emprise de grands vents et de fortes vagues, le *Nadine* devait sombrer en ne laissant que deux survivants, dont le capitaine; il furent les seuls à réussir à enfiler les vêtements isothermiques.

fonctionner cette éolienne à axe vertical, Hydro-Québec mettra sous peu en œuvre la construction d'un parc d'une quinzaine d'éoliennes à axe horizontal au coût de 10 millions de dollars.

La Méduse ★ *(mai à sept, lun-sam 9h à 17h; à droite en arrivant de Cap-aux-Meules; 35 ch. de la Carrière, Havre-aux-Maisons, ☎969-4245)* est un centre de fabrication de verre soufflé. Dans l'atelier, vous pourrez observer des souffleurs de verre en pleine action devant leurs deux fourneaux. Ensuite, vous aurez l'occasion de passer à la boutique pour examiner les œufs, les vases et les autres pièces en vente.

Île du Cap aux Meules

Appelée ainsi, selon certains, parce que son cap a la forme d'une meule de foin, et selon d'autres parce que le rocher renferme des pierres à meule, l'île du Cap aux Meules, qui a la plus grande concentration d'habitants, regroupe les principaux services des Îles.

On y trouve en effet l'hôpital, l'école secondaire, le campus du cégep de la Gaspésie et la centrale thermique, qui connaît d'ailleurs de sérieux problèmes depuis sa mise en activité en 1991 et qui a coûté 210 millions de dollars. L'île du Cap aux Meules réunit trois municipalités : L'Étang-du-Nord, Fatima et Cap-aux-Meules. C'est dans cette dernière municipalité qu'arrive le traversier de Souris (Île-du-Prince-Édouard).

L'Étang-du-Nord regroupait, en 1921, plus de la moitié de la population des Îles. À cette époque, cet endroit, qui était le seul aux Îles à mériter le nom de village, était le plus important bourg de pêcheurs de l'archipel. Il s'y trouve d'ailleurs un havre superbe. C'est à la suite de la création de Cap-aux-Meules (1959) et de Fatima (1954) que ce village vit la proportion de sa population descendre à 19% dans les années soixante. **Gros-Cap** et **La Martinique**, situées dans cette municipalité, attirent énormément de touristes durant la période estivale. Vous y verrez de nombreux chalets; certains sont proposés en location, alors que d'autres sont habités par des Madelinots.

Cap-aux-Meules est le centre industriel et commercial des Îles. C'est aussi le point de liaison maritime avec le continent et le seul endroit où vous verrez un feu de circulation (!).

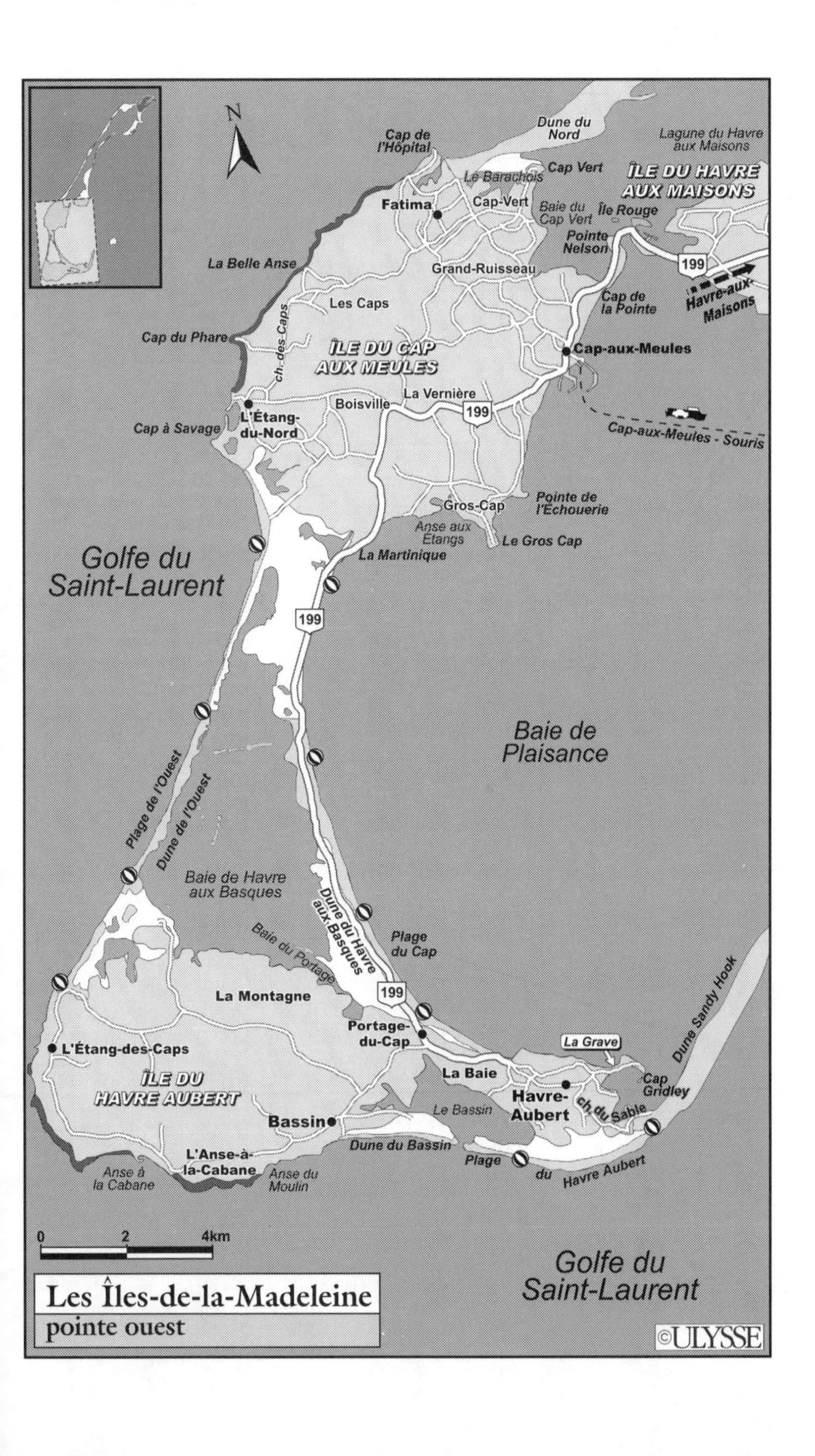

Les Îles-de-la-Madeleine
pointe ouest

Fondée en 1954, **Fatima** compte quelques installations telles qu'une patinoire, une église et une école. **Belle-Anse**, sise dans cette municipalité, présente des falaises sculptées par la mer.

En vous promenant sur l'île du Cap aux Meules, vous remarquerez sûrement la diversité et la vivacité des couleurs des maisons. Certains avancent que les capitaines se fiaient aux couleurs afin de reconnaître leur maison en mer; elles étaient tout simplement des points de repère pour les marins et les pêcheurs. Les maisons sont d'autant plus visibles que les îles sont presque dénuées d'arbres.

Du côté ouest de l'île, à L'Étang-du-Nord, vous trouverez un havre ceinturé d'une route d'où partent perpendiculairement toutes les autres routes, convergeant ainsi vers le port. Toutes les maisons sont orientées vers le port. On pourrait croire qu'il en est ainsi pour mieux accueillir les marins.

Au carrefour du chemin de L'Étang-du-Nord et du chemin des Caps, vous verrez un ensemble de bâtiments anciens, à savoir une ancienne école, une ferblanterie, des magasins, une forge et des fumoirs à harengs désaffectés. Remarquez la dimension des fumoirs par rapport au reste des bâtiments; elle témoigne de l'importance économique et sociale qu'avait jadis la pêche au hareng à L'Étang-du-Nord.

Centrale thermique

La centrale thermique de 70 mégawatts de L'Étang-du-Nord, en activité depuis octobre 1991, a coûté 202 millions de dollars. Elle remplace une centrale électrique au diésel vétuste, construite au milieu des années cinquante. Cette centrale est la seule source d'approvisionnement en électricité des Îles.

Cap-aux-Meules est la seule agglomération urbaine de l'archipel. Comme dans plusieurs villages québécois, la route nationale se confond avec la rue principale de la ville. C'est un endroit qui fut, plus qu'ailleurs aux Îles, marqué par un progrès rapide. Vous ne manquerez d'ailleurs pas de noter les constructions très hétéroclytes et les différents styles qui s'y retrouvent.

Toutefois, quelques maisons traditionnelles subsistent encore. Parmi celles-ci, mentionnons le complexe Sumarah, un ensemble d'entrepôts et de boucaneries à caractère traditionnel; vous le verrez en bordure de la mer en face de la Banque Nationale.

Cette île est l'endroit idéal pour la découverte des Îles-de-la-Madeleine. En vous rendant à la **Butte du Vent ★★**, vous aurez une vue d'ensemble, par temps clair, de toutes les îles.

Au sud de Cap-aux-Meules, la **route panoramique du chemin de Gros-Cap ★★** vous fera découvrir des paysages splendides donnant sur la baie de Plaisance. Sur cette route, vous trouverez la **Pêcherie Gros-Cap**, où vous pourrez, à travers une vitre, observer comment on transforme le poisson.

L'**église de La Vernière ★** demeure l'église de bois la plus majestueuse des Îles et un point de repère entre L'Étang-du-Nord et Cap-aux-Meules. En plus de présenter une architecture toute particulière, elle est à l'origine d'une légende fort connue aux Îles. Cette église brûla jadis, et l'on attribua l'incendie au fait qu'elle avait été construite avec le bois d'un bateau naufragé. Or, ce même bateau avait été maudit par le capitaine lors du naufrage. Les citoyens se rassemblèrent alors à l'église et prièrent. Celle-ci, reconvertie en école, n'a jamais été détruite par le feu.

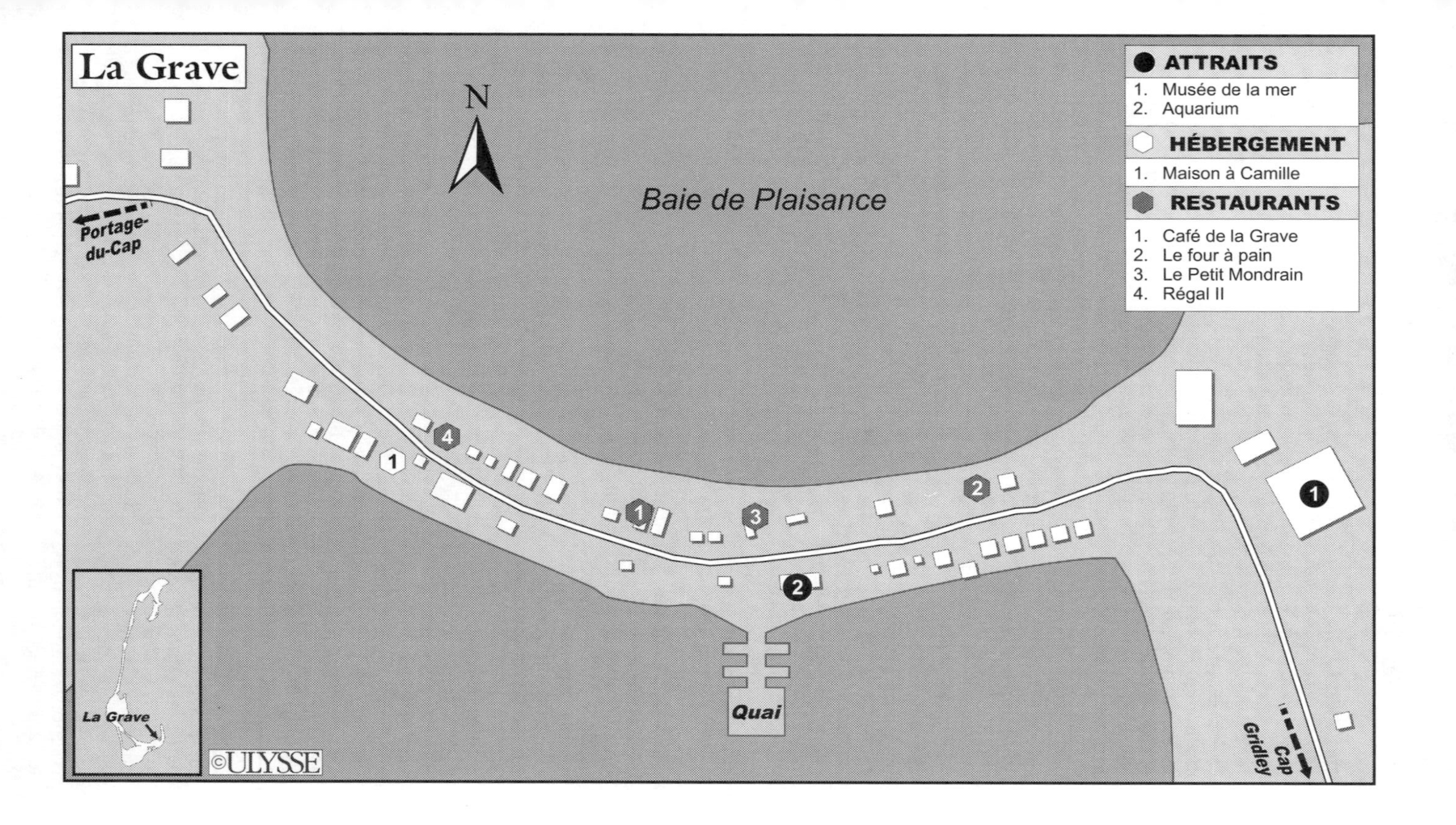

La Grave
N
Baie de Plaisance
ATTRAITS
1. Musée de la mer
2. Aquarium
HÉBERGEMENT
1. Maison à Camille
RESTAURANTS
1. Café de la Grave
2. Le four à pain
3. Le Petit Mondrain
4. Régal II
Portage-du-Cap
Quai
Cap Gridley
La Grave
©ULYSSE

Explorivage *(2,50$, excursions de 2heures 20$; juin à sept; L'Étang-du-Nord, ☎986-3225)* vous convie à participer à l'une de ses sorties en canot pneumatique. Lors de ces expéditions, il vous sera donné de percer tous les secrets quant à la formation géologique des îles. Vous entendrez l'écho des vagues dans la magnifique grotte appelée «La Cathédrale».

Les **falaises de Belle-Anse** ★★, au nord, sont parmi les plus belles des îles. On comprend ici la lutte constante que doivent mener les îles contre l'élément marin. Évitez de trop vous approcher du bord des falaises car la terre est très friable.

Le **port de L'Étang-du-Nord** est un endroit très agréable pour faire une promenade. S'y trouve une place publique où l'on peut admirer une imposante sculpture.

Le **Salon Nadeau** *(1731 ch. de L'Étang-du-Nord, G0B 1E0, ☎986-4330)* vous propose un type de détente unique aux Îles. Une cure d'un jour vous coûtera 115$. Le massage global est accompagné d'un bain d'algues très chaud. On vous fait ensuite un traitement facial avec pulvérisation de phytoplanctons et un masque aux algues. Tous ces traitements dégagent des parfums de girofle, de lavande, d'ail, d'oignon, de menthe, de cannelle, de thym, de cyprès, de sauge et, bien sûr, d'algues. Le tout ce termine par un drainage lymphatique, si désiré.

On propose également plusieurs autres services tels que balnéothérapie, soins capillaires, maquillage et recouvrement d'algues. Le centre met surtout l'accent sur des cures de plusieurs jours. Le centre est doté d'un salon de coiffure.

Île du Havre Aubert

Les deux localités principales de l'île du Havre Aubert sont **Bassin** (où se trouve la plus grande réserve forestière des Îles) et **Havre-Aubert**. Elles sont subdivisées en ce qu'on appelle ici des «cantons».

Ces cantons sont L'Anse-à-la-Cabane, Portage-du-Cap, La Baie, La Montagne et L'Étang-des-Caps. Vous y verrez des rivages découpés d'anses, de havres et de baies. On s'y rend pour se balader sur ses longues plages sablonneuses ou sur ses buttes arrondies, appelées «demoiselles».

L'île du Havre Aubert, comme toutes les autres, fut le site de nombreuses carrières, mais plusieurs sont maintenants fermées. Ces carrières minent le paysage des îles; on est en train de mettre sur pied un projet pour les recouvrir de terre et les ensemencer.

L'île est aussi très riche en histoire, car c'est en ce lieu que débuta l'histoire socioéconomique des Îles. On peut voir des vestiges du commerce d'autrefois à La Grave, où furent trouvées des pointes de flèche utilisées par les Amérindiens pour chasser et pêcher. L'île bouillonne aujourd'hui d'activités culturelles.

La **route pansoramique** ★★ qui va de la pointe à Marichite à L'Étang-des-Caps est vraiment très belle, surtout à la tombée du jour. Rendu à L'Étang-des-Caps, vous apercevrez au loin une île, le Corps Mort. En route, vous verrez le **phare de L'Anse-à-la-Cabane**.

La Grave ★★★ présente une série de constructions typiques. En arrivant, vous remarquerez immédiatement, près de la route, des constructions traditionnelles recouvertes de clins de cèdre. Certaines sont en fait d'anciens magasins, entrepôts ou salines. Elles témoignent toutes de l'activité qui y règnait au temps de la pêche artisanale. Le site est aujourd'hui pourvu d'une infrastructure touristique.

En vous rendant sur le Chemin d'en-haut, sur l'île du Havre Aubert, vous trouverez une agglomération de mai-

Règlements du concours de châteaux de sable

1. Construire un château et rien d'autre.
2. Utiliser des moules si désiré, mais le château ne devra contenir que du sable à la fin.
3. Le château devra avoir 1 m et plus de hauteur.
4. Les équipes doivent compter un maximum de sept personnes, et jamais plus de cinq personnes ne doivent travailler en même temps.
5. N'utiliser aucun outil motorisé.
6. Les équipes travaillent de 8 h à 16 h, le jour du concours.

sons traditionnelles érigées sur la **colline des Demoiselles**. Ici plus qu'ailleurs sur les îles, on reconnaît la disposition linéaire typique de l'urbanisme québécois. Toutefois, la construction des maisons reste bien unique aux Îles : structure en bois, parements de clins et fenêtres à guillotine. Notez que les installations situées à l'arrière de ces maisons (magasins, étables et granges) témoignent de l'importance qu'avait jadis l'agriculture pour les Madelinots.

Sur le plateau côtier sud, quelque peu en retrait de la route principale, un chemin serpente entre des bâtiments à l'architecture très pittoresque en surplomb sur le bassin. Remarquez le caractère très agricole de l'endroit. Les constructions sont, ici aussi, très typiques des Îles : lucarnes, tambours, revêtements à clins, galeries, etc. Avec ses deux tours carrées, l'**église Saint-François-Xavier** représente un bon point de repère. Vous verrez également dans ce chemin un presbytère en bois à toiture en mansarde ainsi qu'une école.

Le **concours des châteaux de sable** ★★ a lieu chaque année le premier ou le deuxième samedi d'août. Vous pouvez vous inscrire en envoyant 25$ à l'adresse suivante : Les artisans du sable, C.P. 336, Havre-Aubert, Îles-de-la-Madeleine (Québec) G0B 1J0. La date limite des inscriptions est le 6 août. Si vous avez la chance de vous trouver aux Îles lors de ce concours et même si vous ne désirez pas y participer, vous devez vous rendre à Havre-Aubert pour admirer

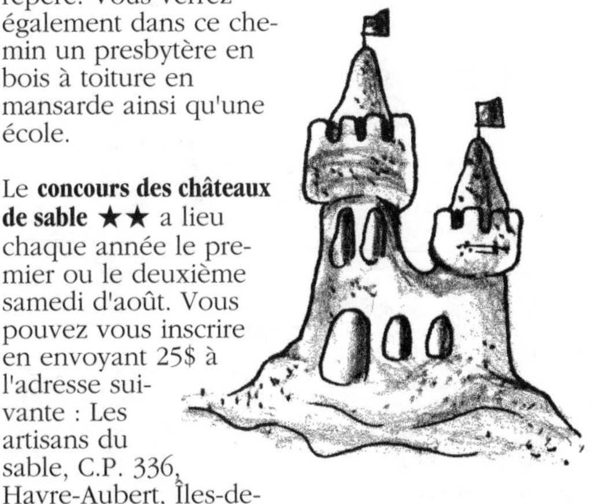

ces merveilles. C'est une occasion toute spéciale pour prendre des photos qui en feront «jaser» plus d'un. De plus, la mer et le vent qui viennent détruire lentement ce que les participants ont édifié avec tant d'ardeur la veille offrent un spectacle unique au monde.

Le concours a lieu sur la plage de Havre-Aubert. Il attire des milliers de concurrents et de visiteurs pour l'occasion. D'une valeur variant entre 35$ et 400$, de nombreux prix sont offerts. La boutique **Les Artisans du Sable** vous fournira un document contenant les règlements détaillés ainsi que des conseils pour la construction de châteaux de sable.

L'**Aquarium des Îles-de-la-Madeleine** *(adulte 4$, étudiant 2$, famille 9$; juin à mi-oct tlj 10h à 18h; ch. de la Grave, Havre-Aubert, ☎937-2277)* est disposé sur deux étages dans un ancien hangar de gréements de pêche et un entrepôt de salaison du poisson. Au rez-de-chaussée, on retrouve les bacs présentant la faune marine. Les deux réservoirs du centre sont ouverts, et l'on peut manipuler les spécimens. On y trouve des homards, des crabes, des pétoncles, des buccins, des oursins, des moules et des myes dans un bassin, et des anguilles, une raie et des plies dans l'autre. Ces deux cuves étaient autrefois utilisées pour la salaison du poisson. Les autres bassins présentent un vaste échantillonnage de la faune marine de la région.

On peut y voir des crustacés tels que des homards aux couleurs étranges (bleu et jaune), des crabes araignées et des crabes communs. S'y trouvent également des anémones et des concombres de mer, ainsi que plusieurs bivalves et une grande variété de poissons : morue, maquereau, requin (chien de mer), épinoche, loquette, crapaud de mer (chaboisseau), etc.

À la suite des nombreux naufrages qui se sont produits au large de leurs côtes, les îles de la Madeleine sont tristement célèbres pour être le deuxième cimetière marin après l'île au Sable, en Nouvelle-Écosse. La carte des naufrages affichée au Musée de la mer est très éloquente à ce sujet.

Au premier étage, on vous explique l'importance qu'eut l'industrie de la pêche aux Îles. On parle, entre autres, des casiers à homards, de la «cannerie» et du fumage du hareng. Il y a des expositions audiovisuelles, et des programmes éducatifs sont organisés pour les groupes d'enfants du 15 septembre au 15 octobre. Ils ont pour but de mieux faire connaître le monde marin. On y présente alors les espèces communes trouvées autour des îles et quelques algues.

Le **Musée de la mer ★** *(3,50$; 24 juin au 24 août, lun-ven 9h à 18h, sam-dim 10h à 18h; 25 août au 23 juin, lun-ven 9h à midi et 13h à 17h, sam-dim 13h à 17h; à l'extrémité de la route 199, ☎937-5711)*, avec son thème «L'homme et la mer», raconte l'histoire des îles en relation intime avec la mer. On y retrace l'histoire des premiers arrivants, pêcheurs ou naufragés. Vous pouvez y voir, entre autres, des casiers à homards; on y explique qu'une bouée numérotée avec un drapeau relie 10 de ces casiers et que chaque pêcheur en utilise en moyenne 300.

On y démontre également le principe de la seine à hareng, du chalut et du filet à morue, du filet à maquereau en surface ainsi que des lignes mortes pour la morue et d'autres poissons. On explore en fait le monde de la pêche, côtière et hauturière, de la navigation, des communications ainsi que des mythes, des légendes et des naufrages.

Une mémoire de cheval

À l'hiver de 1923, Richard McLean, un habitant de l'île d'Entrée, vendit son cheval à Centis Quinn, un résidant de la Grosse Île. Au cours de l'été 1923, le cheval en question disparut de la Grosse Île. Il parcou-rut les champs jusqu'à Sandy Hook, à Havre-Aubert, et se rendit à la nage jusqu'à l'île d'Entrée. M. McLean garda donc son cheval et remboursa M. Quinn.

Île d'Entrée

L'île d'Entrée a toujours été réunie à la municipalité de Havre-Aubert, sur l'île du Havre Aubert. Elle ne s'est détachée de cette dernière qu'en 1965. Elle a connu très peu de changements, et son paysage est resté intact. On y dénombre près de 200 anglophones.

Situées au sud de l'archipel, ces deux îles sont cependant d'apparence bien différente. Alors que l'île du Havre Aubert, très grande, est boisée et peuplée de francophones, l'île d'Entrée est dénuée d'arbres et habitée par des anglophones.

L'île d'Entrée est la seule île habitée qui ne soit pas reliée aux autres îles de l'archipel. Environ 150 résidants de descendance écossaise l'habitent toute l'année. Ils y vivent presque exclusivement de la pêche.

C'est la première île qui apparaît aux visiteurs quand ils arrivent aux îles par traversier. Ils doivent, pour se rendre au port de Cap-aux-Meules, traverser La Passe, un bras de mer de 3 km séparant la dune Sandy Hook de l'île d'Entrée.

Sillonnée de routes de terre et desservie par l'électricité et le téléphone, l'île d'Entrée vous offre des vues magnifiques depuis la **Big Hill**, un lieu de rêve pour la photo. Il y règne une sérénité déconcertante.

Observez sa petite église anglicane, son phare, son bureau de poste et sa quarantaine de maisons clôturées dans le pâturage. Le charme champêtre est rehaussé d'un soupçon de liberté. Les vaches errent d'ailleurs librement entre la mer et les clôtures des maisons.

Les gens sont accueillants et acceptent, à l'occasion, de vous emmener autour de l'île d'Entrée dans leur camion pour quelques dollars. Ils ont par contre horreur des gens bruyants qui viennent troubler le calme de l'île.

Vous pouvez vous y rendre par bateau lors de l'une des nombreuses excursions proposées par différentes entreprises, ou encore prendre du lundi au samedi le ***S.P. Bonaventure*** à Cap-aux-Meules en face de l'édifice de la Garde côtière, qui part à 8h et 15h pour revenir, depuis le port de l'île d'Entrée, à 9h et 16h10 *(environ 9$; ☎985-2148)*. Le voyage dure près d'une heure.

Érigée en mémoire des soldats morts au combat, une église fut construite en 1949 par les gens de l'île avec le bois de l'ancienne église.

Parcs

La Grosse Île et île de la Grande Entrée

★ Réserve nationale de faune de la Pointe-de-l'Est

Dans la mer, la Pointe-de-l'Est avance tout en adoptant la forme d'un cône recourbé. On y a constitué la réserve, qui présente des paysages marins typiques des Îles. Le sable et la mer y sont omniprésents. Dernier lieu de nidification du pluvier siffleur au Québec, cet endroit représente une halte stratégique lors de la migration des oiseaux de rivage.

Macareux

On peut y observer de nombreuses espèces telles que la grèbe, le canard pilet, le grand morillon, le faucon émerillon, la bécassine des marais, le goéland argenté, le guillemot à miroir, le martin-pêcheur d'Amérique, le pic flamboyant, l'alouette cornue, le macareux moine et la sterne pierregarin.

Écosystème unique au Québec, cette réserve propose aux visiteurs de nombreuses activités, entre autres la randonnée pédestre et l'observation d'oiseaux.

Plages

La Grosse Île et île de la Grande Entrée

La **plage de la grande Échouerie ★★**, longue d'une dizaine de kilomètres, est parmi les plus belles et les plus sauvages des îles. Vous pourrez y voir, entre autres, le pluvier siffleur.

Si vous avez de la chance, vous apercevrez peut-être des phoques au large. Une épave est encore présente dans la mer. Le Club vacances nationale «Les Îles» organise des randonnées guidées le long de cette plage où l'on peut se baigner sans problème.

Île du Havre aux Maisons

La **plage de la Dune-du-Sud ★**, qui prolonge les sillons, vous offre des kilomètres de plage propre à la baignade. Il y a une épave au sud.

Île du Cap aux Meules

La **plage de l'Hôpital**, située le long de la dune du Nord, est un autre endroit pour observer des phoques tout en se baignant. On peut également y voir une épave. Il est à noter que les courants deviennent dangereux du côté de Pointe-aux-Loups. Il est donc prudent de rester plus près de l'île du Cap aux Meules. L'anse de l'Hôpital, le cap de l'Hôpital, la plage de l'Hôpital et L'Étang-de-l'Hôpital tirent tous leur nom du bateau qui entra à l'intérieur de l'anse avec, à son bord, des occupants affligés d'une maladie contagieuse (le typhus). Le bateau fut mis en quarantaine, et seuls les médecins et les infirmières eurent le droit de monter à bord.

Île du Havre Aubert

La **dune Sandy Hook ★★★** offre sûrement la plus belle plage des îles. Ses kilomètres de sable fin en dépayseront plus d'un. C'est la seule plage des îles où se pratique le nudisme sans problème, et l'on peut s'y baigner sans danger.

La **plage de l'Ouest** ★ s'étend du nord-ouest de l'île du Havre Aubert jusqu'au sud-ouest de l'île du Cap aux Meules, le long de la dune de l'Ouest. On peut s'y baigner et faire la cueillette de coquillages. En face de l'étang des Caps, complètement au sud, une épave est visible. C'est à cet endroit que les couchers de soleil sont les plus beaux. Au loin, on aperçoit le Corps Mort, une petite île.

Activités de plein air

Les îles sont situées sur des hauts-fonds. Elles bénéficient ainsi d'une eau plus chaude (17°C en août et en septembre, parfois 24°C dans les lagunes) que les autres lieux de villégiature du golfe au grand plaisir des baigneurs et des véliplanchistes. Ces derniers sont d'ailleurs d'autant plus choyés que l'archipel est balayé par des vents constants et sans turbulence.

On évalue à 15% la proportion des touristes qui viennent aux Îles pour pratiquer la planche à voile. On y trouve des dizaines d'endroits pour la mise à l'eau, et les chances d'y rencontrer du vent sont meilleures que partout ailleurs au Québec.

Les hauts-fonds favorisent également une faune et une flore sous-marines abondantes, de sorte que la plongée constitue une autre activité très divertissante. Enfin, les fervents de la plage seront heureux d'apprendre que les Îles en possèdent quelque 300 km.

Parmi les autres activités de plein air, on compte la randonnée pédestre, la randonnée équestre, le vélo, le ski de fond, marcher en la raquettes, la voile et l'observation d'oiseaux.

Randonnée pédestre

La Grosse Île et île de la Grande Entrée

Le Club vacances «Les Îles» organise, le mardi et le samedi, la randonnée de «L'échourie». Lors de cette excursion dans la réserve nationale de faune de la Pointe-de-l'Est, le guide donne une interprétation du couvert végétal, sensibilise les visiteurs à la fragilité du milieu naturel et explique l'importance des milieux humides.
Parmi les écosystèmes étudiés, retenons le bas marais, la forêt, la tourbière, la lande à camarines et la dune mobile. Les plantes qu'on retrouve ici sont nombreuses : bleuet, genévrier commun, hudsonie tomenteuse, saracenie pourpre (plante insectivore)...

Vous y trouverez également le faux-péplus, une plante poussant au bord de la mer. On vous expliquera en outre l'importance du fameux foin de dune, une plante ammophile. Une fois sur la plage vierge, vous pouvez vous reposer tout en appréciant l'espace, le calme et la tranquillité.

Vous aurez alors une vue sur l'île aux Loups-Marins, où niche une colonie d'oiseaux marins. Vous pouvez consulter l'encadré expliquant la chasse aux vaches marines (morses), jadis pratiquée par les Américains, dans la section «Histoire» (voir p 25).

Le dimanche et le jeudi, le même club organise la randonnée «Les marais salés». Cette excursion est surtout axée sur la connaissance de la tourbière et l'importance des milieux humides. Le mardi et le jeudi à 13h45, on se rend aux marais salés. On prend le goûter dans les marais.

D'autres randonnées thématiques vous sont proposées dans le même centre

Île du Cap aux Meules

Le camping La Martinique entretient des sentiers aménagés.

Ornithologie

La Grosse Île et île de la Grande Entrée

Lors de la randonnée «ornithologie» du Club vacances «Les Îles» (mar-ven 9h15), vous aurez l'occasion d'observer des nids de pluviers siffleurs, une espèce menacée. Il ne faut pas s'approcher des nids pendant plus de 10 ou 15 min afin de ne pas perturber la nidification. Arrivé sur la plage, vous pouvez observer les guillemots en vol.

Île d'Entrée

La pointe de la Cormorandière, sur le versant nord de Big Hill, réserve de belles surprises à ceux qui aiment les oiseaux.

Photographie

La Grosse Île et île de la Grande Entrée

À 8 km du port de Grande-Entrée, le petit port d'Old Harry se prête particulièrement bien à une très belle photo-souvenir. En arrivant au port, remarquez la quantité importante de «dollosses»; ces structures tétrapodes en béton que l'on retrouve partout aux Îles ont été empilées en guise de brise-lames. Ce port jouxte la plage de la grande Échouerie. On peut y photographier de belles falaises.

En entrant à Grosse-Île, en venant d'East Cape et de Grande-Entrée, tournez à gauche à la station-service Irving, et montez le chemin de terre Wide vers l'intérieur de la forêt. Une fois arrivé au sommet de la colline, vous aurez une vue imprenable sur la dune du Nord.

Île du Havre aux Maisons

Les **collines pelées**, situées dans l'est de l'île, ont un profil tout à fait unique. Ses falaises et ses prés verts ont des airs d'Irlande. Pour vous y rendre, tournez à droite dans le chemin de la Pointe-Basse en arrivant à Havre-aux-Maisons. Continuez sur cette route puis bifurquez à droite vers le chemin des Montants, passé le grand virage. Vous n'avez qu'à garer votre voiture ou votre vélo et contempler le paysage. Les petits monticules ronds qu'on peut y voir, appelés «pieds de vache», sont formés par le gel et le dégel. La halte routière est située tout près de **belles grottes**. Suivez le chemin Dune-du-Sud; les grottes se trouvent à Dune-du-Sud, en bordure de la mer, près des collines pelées.

Île du Havre Aubert

L'un des meilleurs endroits pour prendre des photos inoubliables est le chemin du Petit-Bois, à Havre-Aubert. Pour vous y rendre, tournez à droite dans le chemin du Bassin après avoir traversé la dune de Havre-aux-Basques (en arrivant de Cap-aux-Meules).

Bifurquez encore à droite vers le chemin de la Montagne; c'est le premier chemin à votre gauche. En continuant sur cette même route, après le croisement avec le chemin Alpide, vous verrez, à gauche, un sentier; il mène au lac Solitaire, le seul lac des îles. Le trajet offre de très beaux paysages à immortaliser sur pellicule.

À L'Étang-des-Caps, vous verrez, le long du chemin du Bassin, les plus hautes falaises des îles.

Île d'Entrée

Les sentiers le long des falaises offrent des points de vue saisissants près du phare.

Croisières

Île du Havre aux Maisons

Les **Excursions de la Lagune** *(20$; bar; début juin à fin sept, trois départs : 11h, 14h et 18h; ☎969-4550, 969-2088 ou 969-2727)* vous proposent une balade à bord de leur bateau à fond de verre, ***Le Ponton II***. On y fait une démonstration de pêche au homard. Le monde sous-marin y est interprété à mesure qu'il défile sous vos yeux. C'est une bonne occasion d'observer des crustacés dans leur habitat naturel. On voit parfois des phoques se prélasser sur la plage. Le voyage dure deux heures.

Plongée

Île du Cap aux Meules

Votre expérience de l'été *(1748 ch. Étang-du-Nord, ☎986-3698)* organise des excursions de plongée-tuba et de plongée sous-marine; on y fait aussi la location ainsi que la vente d'équipement.

Île de la Grande Entrée

Le **Club vacances «Les Îles»** *(25$; tlj 9h30, 13h30 et 16h30; ☎985-2833)* organise une visite des grottes en flottaison (habits isothermiques).

L'Istorlet *(60$; ☎937-5266)* propose, une fois par semaine, une heure de plongée-tuba parmi les phoques. L'excursion en canot pneumatique de type Zodiac au Corps-Mort dure six heures.

Chasse

Île du Cap aux Meules

On peut chasser la sauvagine dans la partie nord de la baie du Havre-aux-Basques du 26 septembre au 26 décembre. Ces dates pouvant varier, il est toujours prudent de se renseigner auprès du Service canadien de la faune *(☎648-7225)*.

Vous devez vous procurer au préalable un permis de chasse au petit gibier auprès du ministère de l'Environnement et de la Faune du Québec *(résident 12$, non-résident 55,25$; ☎800-561-1616)* ainsi qu'un permis de chasse aux oiseaux migrateurs *(12$)*, disponible dans tous les bureaux de poste.

Vélo

Île du Cap aux Meules

Les Îles comptent de nombreux coins idéals pour le vélo. Si vous n'avez pas apporté le vôtre, rendez-vous au **Pédalier** *(365 ch. Principal, Cap-aux-Meules, ☎986-2965)*. On y loue de bons vélos hybrides, de route et de montagne. Vu l'important inventaire de vélos, il n'est pas nécessaire de réserver. On fournit un service d'entretien et de réparation. Le coût de location est de 14$ par journée et de 40$ par semaine.

Location de vélos

Fred à Vélo
30$ la journée
☎986-4148

Île du Havre Aubert et île d'Entrée

La Montagne *(île du Havre Aubert)* se prête

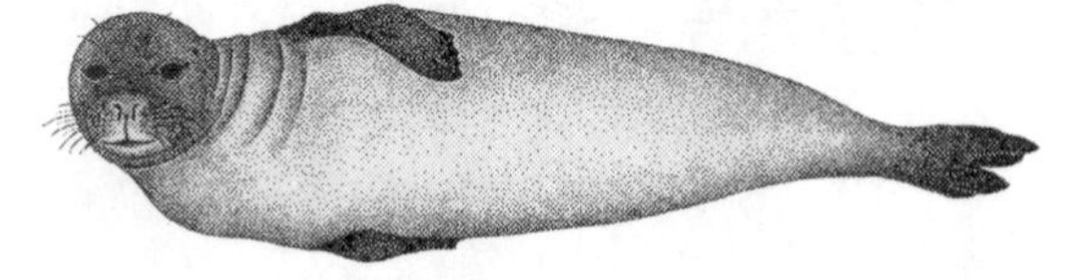

particulièrement bien au vélo de montagne. Vous pouvez vous y rendre en tournant à droite dans le chemin Emmanuel, une fois arrivé à L'Anse-à-la-Cabane.

Location de vélos

L'Istorlet
15$ la demi-journée
☎937-5266

Pêche

Île du Cap aux Meules

Les **Excursions de pêche des Îles** *(marina du quai de Cap-aux-Meules, ☎986-4745)* ont lieu du début juin à la mi-septembre. Depuis 1979, cette entreprise amène les gens depuis l'île du Cap aux Meules jusqu'à l'île d'Entrée et à l'île du Havre Aubert, et également en voyage de pêche et d'observation de grottes et falaises avec démonstration de pêche au homard.

Des excursions de groupe sont possibles. - En voyage de pêche, les prises sont quasi assurées, et tout le matériel est fourni. De plus, on vous prépare le poisson pour un bon repas. Il faut se méfier des autres petits bateaux de moins de cinq tonnes qui proposent aussi des excursions en mer; ils ont le droit d'embarquer jusqu'à 12 personnes, mais ils ne sont pas inspectés régulièrement et certains n'ont pas d'assurances. Pour vous rendre au quai, tournez à gauche en sortant du port, puis encore à gauche après la station-service Irving.

Si vous désirez vous rendre à l'île d'Entrée *(18$)*, le départ a lieu à 10h30, et le retour s'effectue à 15h30 à Cap-aux-Meules. Vous aurez alors l'occasion de monter sur la Big Hill, le plus haut sommet des îles.

Vous pouvez aller taquiner la morue ou le maquereau. Le départ a lieu à 15h30 et le retour se fait à 18h30 *(18$)*. L'équipement de pêche est fourni.

Il est également possible de visiter les grottes et les falaises avec une démonstration de pêche au homard tous les matins. Le départ a lieu à 9h; le retour est à 10h30 *(15$)*.

Voile et planche à voile

Île du Havre Aubert

Les îles sont balayées par des vents qui connaissent peu de turbulence, ce qui est un avantage certain pour les adeptes de la voile. C'est l'endroit le plus venteux de l'est du Canada.

Le centre nautique **L'Istorlet** *(lun-sam; ☎937-5266)*, situé en bordure du Bassin, propose des cours de voile et de planche à voile, et un service de location. La location d'un voilier coûte 30$ l'heure (deux personnes) et celle d'une planche à voile, 20$ l'heure; pour les cours de voile, on demande 30$ par personne pour deux heures en groupe.

On loue aussi des chaloupes avec rames et des vêtements isothermiques ainsi que des kayaks de mer. Notez que l'eau de la baie, partiellement coupée de l'océan par des dunes, s'avère plus chaude. L'Istorlet est un organisme à but non lucratif, c'est pourquoi ses prix sont très peu élevés.

Avant de vous y rendre, prenez soin d'apporter

tous vos effets personnels tels que serviettes et maillot de bain. Tout l'équipement loué doit être utilisé dans le Bassin. Le centre dispose de canots pneumatiques pour assurer la sécurité des véliplanchistes. Cet endroit convient bien aux débutants.

Les véliplanchistes de catégorie intermédiaire peuvent se rendre dans la baie du Havre aux Basques. Elle offre un plan d'eau beaucoup plus grand dans des conditions plus exigeantes. La dune de l'Ouest est réservée aux experts.

On propose des **Croisières d'initiation** à la voile sur un voilier **Kamsin**. L'excursion dure quatre heures *(40$)* ou six heures *(60$)*.

Kayak de mer

Île de la Grande Entrée

Le **Club vacances «Les Îles»** *(☎985-2833)* organise des excursions en kayak de mer d'une durée de 2 heures 30 min *(22$, 11$ si vous hébergez sur place à forfait)*. On y loue également des kayaks à l'heure *(11$)* et à la demi-journée *(30$)*.

Île de Cap aux Meules

L'entreprise **Aventure Plein Air** *(1252 route 199, L'Étang-du-Nord, ☎986-5781 ou 986-6161)* propose des kayaks en location *(40$ par jour)*. On y organise également des sorties guidées et des forfaits. Il y a des visites guidées des grottes et falaises d'une durée de deux heures *(25$ par pers.)*. Les départs ont lieu à 9h, midi, 15h et 18h.

L'entreprise **Cime Aventure** *(1 000$; ☎800-790-2463)* propose une excursion de six jours en kayak autour des îles. Les départs ont lieu à date fixe.

Île du Havre Aubert

Le centre nautique **L'Istorlet** *(tlj; ☎937-5266)* organise des sorties et des excursions en kayak de mer. Un sortie de trois heures avec moniteur coûte 40$ *(tlj; 10h à 14h)*. On propose aussi des excursions encadrées de six jours *(425$)* autour des îles en camping sauvage.

Équitation

Île du Havre aux Maisons

Au **Sabot d'or** *(15$ l'heure; tlj 9h à 21h; ☎969-4948)* organise des randonnées de une heure à trois heures au cap Rouge.

Île de Cap aux Meules

L'Odyssée chevaline *(15$ l'heure; tlj 9h, 13h30, 15h15 et 18h30; Fatima, ☎986-3177)* propose des randonnées équestres à heure fixe.

Île du Havre Aubert

La Chevauchée des Îles *(15$ l'heure en forêt seulement, 25$ pour deux heures en forêt et sur la plage; juin à sept; L'Étang-des-Caps, ☎937-2368)* organise des randonnées équestres dans la forêt et sur la plage. Il faut réserver. On a aménagé un jardin d'animaux réunissant des espèces exotiques telles que le nandou et la chèvre pygmée.

Loisirs d'hiver

Île du Cap aux Meules

La plus grande activité hivernale aux Îles, ou du moins celle qui jouit de la plus grande popularité, est l'observation des bébés phoques ou blanchons.

Parmi les autres activités figurent des sorties avec un responsable du club d'ornithologie, de l'équitation sur la plage, de la planche à neige sur glace, des randonnées pédestres, de la

Le blanchon : symbole hivernal de l'écotourisme aux Îles

Dès la fin janvier, les glaces ont déjà ceinturé les îles de laMadeleine pour former la banquise. C'est précisément sur celle-ci que viendront chaque année, durant les trois premières semaines de mars, mettre bas les phoques du Groenland ou loups-marins, comme on les appelle aux Îles. On estime à trois millions le nombre de phoques qui descendent le long des côtes de Terre-Neuve et dans le golfe du Saint-Laurent. Après la période de sevrage, les phoques remontent dans l'Arctique, où ils passent l'essentiel de leur vie.

Les phoques amorcent leur descente en septembre, longeant les côtes du Labrador et de Terre-Neuve. En janvier, ils arrivent dans le golfe, où ils demeurent de deux à trois mois. Pendant ce temps, ils mangent beaucoup pour augmenter leur masse adipeuse. En mars, les femelles, présentes par milliers, donnent naissance sur la banquise, non loin des îles, aux merveilleux petits fuseaux de fourrure blanche que leurs grands yeux noirs ont rendu célèbres. Ils reçurent une publicité monstre dans les années soixante-dix, alors que les mouvements écologistes s'opposaient à leur chasse. Les blanchons sont facilement observables, car ils doivent attendre un mois et demi avant leur premier plongeon. Durant cette période, ils connaissent une croissance phénoménale. Durant les 12 jours que dure l'allaitement, le blanchon triple son poids, le lait maternel étant cinq fois plus riche que le lait de vache. Ils passent de 9 kg à 35 kg en l'espace de deux semaines et demie.

Il est probable que le phoque du Groenland entreprenne un tel voyage dans le golfe dans le but d'y trouver plus de nourriture et des températures plus clémentes. Sa présence pousse chaque année les touristes à se rendre par centaines sur la banquise, dans le golfe du Saint-Laurent. Ce sont, en général, des Américains ou des Européens.

Le blanchon n'est plus chassé, mais les jeunes phoques et les adultes le sont toujours. Les Madelinots et les Terre-Neuviens en tuent près de 50 000 chaque année, mais le phoque du Groenland est tout de même loin d'être en voie de disparition. On l'a d'ailleurs blâmé pour la diminuation des stocks de poissons. À la suite de pressions de la part des pêcheurs, le gouvernement fédéral a relancé la chasse en 1992 en fixant les quotas à 200 000 prises par année.

spéléologie, du ski de fond et des descentes en chambre à air.

Le camping La Martinique propose un service de location de skis de randonnée. On peut aussi y faire de la motoneige, marcher en raquettes, du patin, de la glissade ou du traîneau à chevaux. Vous apprécierez sûrement le climat hivernal doux des îles. En effet, les écarts de température comme en connaît le Québec (la «Grande Terre») y sont plutôt rares du fait de la proximité de l'océan et de son effet adoucissant.

Hébergement

Partout dans les îles, vous trouverez des lieux d'hébergement propres et très convenables. Les distances étant courtes, il ne faut surtout pas vous gêner pour chercher ce qui vous convient sans tenir compte des activités que vous pratiquerez; une fois aux îles, tout est accessible à moins d'une heure de voiture depuis votre lieu de séjour. N'oubliez pas que le bureau de l'Association touristique, situé à l'entrée du port de Cap-aux-Meules, fournit un service de réservation du début de mars au début de septembre.

Il dispose aussi d'une liste informatisée recensant de nombreuses chambres *(35$ par jour)*, chalets *(350-400 par semaine)* et maisons *(à compter de 450$ par semaine)* que vous pouvez louer par son entremise.Vous pouvez également vous y procurer un dépliant, le ***Répertoire de l'hébergement chez les Madelinots***, soit une importante liste d'adresses de chalets, de chambres et d'autres lieux d'hébergement. Les chalets et les maisons sont, de façon générale, pourvus de vaisselle et de literie. Il faut toutefois se rappeler que les réservations pour les maisons doivent se faire tôt, et c'est d'autant plus vrai pour la location des chalets. Il n'est parfois plus possible d'en réserver après Noël.

La Grosse Île et île de la Grande Entrée

L'Émergence
45$ pdj
122 ch. des Pealy
Grosse-Île
☎985-2801
L'Émergence vous propose trois chambres dans une maison centenaire où le bois est omniprésent. D'ailleurs, le plafond de la salle de séjour fut construit avec le bois d'un bateau qui fit naufrage pendant la contruction de la maison.

Camping Grande-Entrée
12$, 14$ avec raccords
début juin à mi-sept
Grande-Entrée
☎985-2833
☎888-537-4537
Le camping Grande-Entrée du Club vacances «Les Îles» est doté de huit emplacements pour autocaravanes avec tous les raccords. Les réservations sont fortement recommandées. Une laverie automatique est ouverte 24heures par jour. On met à la disposition des campeurs un dortoir (inclus dans le prix), ainsi qu'un endroit pour cuisiner par mauvais temps (sans gaz ni électricité). On propose aux campeurs de profiter des forfaits à moindre coût (65% du prix normal).

Club vacances «Les Îles»
à compter de 225$ 4 jours et 3 nuits ½p
animation et équipement
bp, service de restauration, bar, laverie
Grande-Entrée
☎985-2833 ou 888-537-4537
www.clubiles.qc.ca
Le Club vacances «Les Îles» vous accueille dans des chambres toutes neuves. Une foule d'activités (avec ou sans forfait) y sont proposées, décrites dans la section «Activités de plein air» (voir p 208). Un encadrement distinct est prévu pour les enfants.

Le Club vacances organise de nombreux forfaits incluant le billet d'avion, l'hébergement, la restauration, l'équipement et l'animation. On propose des tarifs à la semaine pour le camping ou les chambres, billet d'avion inclus. Selon les dates, les prix varient entre 595$ et 1 295$.

Le taxi ou la navette entre l'aéroport et le Club coûte 60$ (gratuit, si forfait). Notez que vous devez régler la moitié du prix du séjour afin de réserver votre place (70% si vous prenez le forfait avion); le solde sera payé sur place. De la mi-mai à la mi-juin, si vous avec opté pour le forfait homard (225$), vous avez droit à deux homards au souper. La plus grande partie de la clientèle est québécoise. C'est un endroit idéal pour faire connaissance avec les insulaires. Le village de Grande-Entrée où est situé le Club vacances, est resté très typique malgré l'affluence touristique. C'est d'abord un village de pêche; remarquez les casiers à homards derrière chaque maison.

Île du Havre aux Maisons

Au Vieux Couvent
35-60
bp
292 route 199, Havre-aux-Maisons, G0B 1K0
☎969-2233
⇄969-4693
L'hôtel Au Vieux Couvent est un des lieux d'hébergement les plus historiques des Îles. Érigé durant la Première Guerre mondiale, il fut d'abord un couvent puis une école.

Vous remarquerez d'ailleurs les emplacements des anciens murs dans les deux salles à manger, alors que les pièces actuelles étaient en fait des classes. C'est aussi le seul bâtiment en pierre des Îles. L'hôtel compte 70 chambres en bordure de mer, dont certaines renferment un canapé et une baignoire. On accepte les réservations de groupe. Préférez les chambres situées aux angles de l'établissement, car elles offrent une vue sur toute la côte, sont plus ensoleillées et ont d'immenses fenêtres. La proximité du bar peut déranger ceux qui ont le sommeil léger. L'atmosphère est agréable et le décor, soigné. Le comptoir d'accueil est garni d'une ancienne machine à écrire et d'autres objets d'époque. En fait, ce qui prime ici, c'est le charme vieillot dont les lieux sont imprégnés.

Deux chalets
50$ par jour
Dune-du-Sud
Havre-aux-Maisons
☎969-4093
Les deux chalets tout équipés que loue Mme Cyr sur le bord de la plage sont également près de la halte routière.

La Petite Baie
70$ pdj
187 route 199
☎969-4073
⇄969-4900
L'auberge La Petite Baie est une maison centenaire tout à fait charmante qui a gardé son cachet d'antan. La propriétaire a donné avec brio une atmosphère et un style tout à fait uniques à cette maison où le bois est omniprésent. D'une propreté impeccable, les cinq chambres sont très bien éclairées et offrent des vues superbes. De l'endroit, on a une très belle vue sur l'île aux Cochons, qui regorge d'oiseaux tels que sternes, hérons bleus, goélands, etc.

Île du Cap aux Meules

Le Barachois
16$
dépanneur, laverie, ℜ
début mai à fin oct
87 ch. du Rivage, Fatima
☎986-6065 ou 986-5678
Le camping Le Barachois est situé dans un petit bois en bordure d'une plage réservée à sa clientèle. La spécialité de son restaurant, le Decker Boy, est la pizza aux fruits de mer. On n'y sert que le déjeuner. Le site est tranquille, et il y a un couvre-feu à 23h.

On vend du bois à brûler et, le samedi, on organise un feu de camp pour les enfants. Les couchers de soleil sur la mer sont magnifiques. On fait la location de canots *(8$ l'heure)* et de pédalos *(6 $ l'heure)* et la visite de grottes en canot pneumatique *(20$ l'heure).*

Auberge chez Sam
35$
tv dans le salon
1767 ch. de L'Étang-du-Nord
L'Étang-du-Nord
☎986-5780
janadeau@camcom.net
L'Auberge chez Sam est une maison en bois presque centenaire. Ses cinq chambres disposent d'un lavabo; il n'y a pas de laverie. C'est très bon marché pour un séjour dans cette maison de style campagnard propre et bien tenue, avec une grande salle de bain et des lits confortables. Il s'agit

sûrement du meilleur rapport qualité/prix dans les Îles. L'accueil y est très chaleureux.

La Maison du Cap-Vert
49 $ pdj
202 ch. L.-Aucoin
C.P. 521, Fatima, G0B 1K0
☎986-5331
L'auberge familiale La Maison du Cap-Vert vous propose cinq chambres tout à fait charmantes dotées de lits douillets dans un décor unique. Cette auberge a vite su se tailler une place très enviable parmi les auberges des Îles. Avec le délicieux petit déjeuner servi à volonté tous les matins, cet établissement représente sans contredit une valeur sûre. L'endroit étant très prisé, il serait sage de réserver.

Madeli
99$
ℜ, ⊕ dans quelques chambres
en face de l'hôpital
485 ch. Principal, Cap-aux-Meules
☎986-2211
☎800-661-4537
L'auberge Madeli se trouve juste après la pharmacie et la Banque Nationale. Les 63 chambres, construites en 1990, se situent sous le même toit que le bar, le bowling et le restaurant. La clientèle est en majorité québécoise. L'auberge propose des forfaits. Le restaurant prépare des plats et des brochettes de fruits de mer. Vous pourrez profiter des services d'un salon de coiffure et d'esthétique.

Château Madelinot
109$
bp, ☎, ⊗, ≈, △, ℜ, laverie, ⊛, tv, ⊘
à droite en sortant du port
323 route 199, Cap-aux-Meules
☎986-3695
☎800-661-4537
⇄986-6437
Le Château Madelinot s'adresse à une clientèle d'affaires et procure un confort hors pair dans les Îles. Sûrement le plus beau lieu d'hébergement de la région (et aussi le plus cher), le Château est doté d'un auditorium et d'un théâtre où sont présentés des spectacles tout l'été.

La propreté impeccable des chambres, ainsi que la verrière entourant la piscine et le bassin à remous qui laissent voir la mer, vous promettent une détente totale. L'hôtel suggère en outre une série de divertissements comme des visites guidées et des spectacles; les prix pour participer à ces activités varient de 8$ à 12$. En tout, 120 chambres et deux suites sont en location.

Martin pêcheur

Île du Havre Aubert

L'Istorlet
10$
cafétéria
mi-juin à début sept
lun-sam 8 h à 17h
suivez la route 199 en direction de Havre-Aubert et tournez à droite dans le chemin de l'Istorlet peu après le chemin menant à Bassin, C.P. 249, Havre-Aubert G0B 1J0
en saison ☎937-5266
⇄937-9028
hors saison ☎937-5261
Le centre nautique et la colonie de vacances de L'Istorlet font office de colonie de vacances et de camping sauvage. L'hébergement se fait essentiellement dans des dortoirs (35 places), quatre studios et trois chambres (40$). Pour le camping «semi-sauvage», on demande, pour deux personnes, 5$ par nuitée ou 30$ par semaine.

Les 17 emplacements sans aménagement offrent la propreté et la simplicité qu'on s'attend à retrouver dans un camp de vacances. Cet endroit est surtout connu pour pour le kayak de mer, de surf, la plongée légère, les cours de voile et de planche à voile qu'on y propose. Pour plus de détails sur ces cours, consultez la section «Activités de plein air» (voir p 201).

Belle Plage
15$ avec les 3 raccords
début juin à mi-sept
445 ch. du Bassin
Havre-Aubert
☎937-5408
Le camping Belle Plage est équipé d'une laverie et situé près d'un restaurant et d'une épicerie. Quatre emplacements sont dotés des trois services (eau, électricité, égouts), et cinq autres n'ont que l'eau et l'électricité. Il faut prévoir amener son papier hygiénique, son papier essuie-mains et son savon. Possibilité de réservation.

Plage du Golfe
15$
terrains gazonnés, plage, épicerie
mi-juin à mi-sept
535 ch. du Bassin, Bassin
☎937-5115
⇄937-5572
Le camping Plage du Golfe compte 100 emplacements pour planter sa tente. Le camping est aussi doté de 35 emplacements avec les trois services (électricité, eau, égouts) et de 75 autres avec prises électriques. On recommande de réserver pour les emplacements d'autocaravanes.

Maison de Camille
45$
juin à sept et mars
946 ch. de la Grave
Havre-Aubert, C.P. 342, G0B 1J0
☎937-2516
Jadis à l'île d'Entrée, la Maison de Camille est désormais située en plein centre du site historique de La Grave. L'établissement dispose de trois chambres à coucher. L'accueil est chaleureux et le site, très reposant.

Marée Haute
60$ pdj
70$ bp

25 ch. des Fumoirs
Havre-Aubert
☎937-2492
La Marée Haute vous accueille dans une vieille maison rénovée tout à fait charmante à 5 min de La Grave. On propose aux visiteurs toutes sortes d'activités telles que la pêche aux palourdes, la randonnée à bicyclette et même des cours de cuisine! L'auberge compte quatre chambres.

La Brise
65$ pdj
juin à oct
Havre-Aubert
☎937-2865
Le gîte La Brise propose en location cinq chambres dans une maison ancienne très bien tenue et située à 10 min de La Grave. Le gîte dispose de trois salles de bain. Les buttes des Demoiselles se trouvent derrière la maison; on prend plaisir à s'y promener. Les petits déjeuners sont copieux.

La Sablière
65$
ℂ, tv
mai à mi-sept
C.P. 26, Havre-Aubert, G0B 1J0
☎/⇄937-5483
☎937-5323
Le motel La Sablière accueille les visiteurs dans un milieu enchanteur : la plage n'est qu'à quelques pas.

Havre sur Mer
75 $-120 $ pdj
bp, porte panoramique
salon avec tv
mai à oct
1197 ch. du Bassin
L'Anse-à-la-Cabane
☎937-5675
⇄937-2540
L'auberge Havre sur Mer vous accueille dans un cadre tout à fait charmant. Située au bord d'une falaise, cette auberge toute garnie de boiseries procure une détente certaine. Le bâtiment neuf et propre contraste agréablement avec l'ameublement à l'ancienne. On y reçoit une clientèle tant québécoise qu'européenne. Le fait qu'il n'y ait que huit chambres et que celles-ci donnent sur une terrasse commune favorise les rencontres, mais cela signifie par ailleurs qu'il faut réserver tôt car un tel endroit suscite l'intérêt de plus d'un. La terrasse offre un panorama splendide englobant le quai de pêche, l'Anse à la Cabane et les falaises. La plage est située à 30 m.

Chez Denis à François
80$
tv dans salon, ⊗, bp, ℜ
ouvert à l'année
sauf de Noël à la St-Valentin
à proximité de la plage
du bout du banc ou Sandy Hook
404 ch. d'en Haut, Havre-Aubert
☎937-2371
⇄937-2148
L'auberge Chez Denis à François a été construite avec la cargaison

de bois d'un bateau qui fit naufrage non loin de là dans les années 1860. Sa clientèle a accès à une laverie, et l'on y prête des vélos.

Île d'Entrée

Chez McLean
45$ pdj
Île d'Entrée, G0B 1C0
☎986-4541
Le *bed and breakfast* Chez McLean vous donne l'occasion de faire la connaissance d'une sympathique dame anglophone des Îles. Construite il y a 65 ans, cette maison où les boiseries sont omniprésentes n'a pas été rénovée. Elle a su conserver son charme d'antan ainsi que sa décoration d'époque. Tout est d'une propreté irréprochable. La pelouse semble artificielle tant elle est bien tondue. Le camping est interdit. Vous pouvez vous servir de la laveuse avec la permission de la propriétaire. La clientèle est aussi bien anglophone que francophone. L'hôtesse vit dans la maison. Pour le petit déjeuner, on sert des crêpes et des muffins maison, ainsi que des œufs.

Restaurants

La Grosse Île et île de la Grande Entrée

Délice de la mer
$
début juin à sept 11h à 21h
au bout de l'île
907 route 199
quai de Grande-Entrée
☎985-2364
Le Délice de la mer se spécialise dans les mollusques et les fruits de mer apprêtés simplement. Les prix sont très abordables et les desserts sont maison. Le homard y est délicieux.

Rankin
$
mi-avr à fin sept
dim-ven 10h à 23h
sam 10h à minuit
11 ch. Old-Harry
Grosse-Île
☎985-2978
Vous trouverez chez Rankin un comptoir de restauration rapide et des prix très abordables. Si vous raffolez du homard, commandez le *lobster club* ou encore le *lobster roll.* Essayez le plateau de fruits de mer.

Chez B&J
$
dim 11h à 23h
lun-jeu 9h à 23h
ven 9h à minuit
sam 10h à 2h
243 route 199
Grosse-Île
☎985-2926
Le restaurant Chez B&J sert des pétoncles frais, du flétan, de la salade de homard et du poisson frais.

Chez Anabelle
$
petite terrasse
avr à oct
dim-jeu 10h à 23h
ven-sam 10h à minuit
☎985-2872
Le restaurant Chez Anabelle offre un menu diversifié : hamburgers, sous-marins, grillades et fruits de mer. Les prix sont très abordables. Commandes à emporter également.

Île du Havre aux Maisons

Eaux Équinoxes
$$
mai à sept
tlj 6h à 22h
☎969-9393
Eaux Équinoxes propose une table d'hôte où figurent des produits frais, principalement des poissons, des fruits de mer et des viandes. Le tout est très bien présenté et succulent. Une très bonne table à très bon prix.

L'hôtel **Au Vieux Couvent** (voir p 208) dispose de deux salles à manger. **La moulière** *($$$; 2 terras-*

ses; ☎*969-2233)*, au rez-de-chaussée, occupe une grande salle qui faisait jadis office de chapelle. On y sert des spécialités de moules et le pot-en-pot dans une atmosphère agréable et animée. Les gens s'y rendent pour discuter tout en prenant le temps de manger. Le **Rest-O-Bar**, situé à l'opposé, au rez-de-chaussée également, est un ancien parloir relié à l'ancienne chambre de la mère supérieure; il est prolongé d'une terrasse donnant sur la mer. Le service est habituellement plus empressé qu'à La moulière, sauf peut-être sur la terrasse. Les repas sont servis entre 11h et 23h; il a un permis de vente d'alcool. Des spécialités telles que le hamburger Gaspard et les moules Alfredo sont très prisées des gens de l'endroit. Il y a aussi une table d'hôte. Les deux salles à manger sont bondées et animées. On prend les réservations. Les plats sont très bons et les Madelinots y retournent souvent.

La P'tite baie
$$$

en saison tlj 17h à 22h
hors saison mer-sam
187 route 199
☎*969-4073*
La P'tite baie sert des mets bien apprêtés tels que grillades, fruits de mer et poissons. Certains plats de bœuf, de porc et de poulet figurent également au menu. On cuisine du loup-marin. En plus de la carte, on trouve une table d'hôte qui propose deux choix de plats principaux. Le service est courtois et le décor, très soigné.

Île du Cap aux Meules

La Factrie
$$
mai à sept
lun-sam 11h à 22h
dim 15h à 22h
521 ch. Gros-Cap
L'Étang-du-Nord
☎*986-2710*
La cafétéria La Factrie sert de généreuses portions de homard, de poisson et de fruits de mer frais. Tout est apprêté simplement. Tout est bon, surtout le prix.

Resto-Pub La Jetée
$$
tlj 6h à 23h
☎*986-6370*
Les petits déjeuners sont servis toute la journée. Le midi et le soir, on propose des viandes, des poissons et des fruits de mer. L'établissement offre un menu pour enfants.

P'tit Café du Château Madelinot
$$
6h à 23 h
☎*986-2130*
Le P'tit Café du Château Madelinot sert un brunch le dimanche de 10h à 13h30. Les grillades de fruits de mer, de viande rouge et de poulet sont une particularité de ce restaurant. Au menu figure un grand choix d'entrées, de potages et de grillades sur charbons de bois. En plus de la vue sur la mer, le décor est agrémenté d'expositions temporaires de peintres locaux et québécois. Il est recommandé de réserver. Carte ($) et service excellent.

Île du Havre Aubert

Le Four à Pain
$
mai à sept
tlj 7h à minuit
La Grave
☎*937-5244*
Le Four à Pain sert, dans une atmosphère très animée, un myriade de sandwichs, de croissants, de pâtés, de soupes, de délicieuses pâtisseries et toutes sortes de plats maison. Les petits déjeuners sont servis jusqu'à 13h la fin de semaine. Essayez les spécialités de la maison aux fruits de mer.

Chez Brophy
$
tlj 11 h à 21 h
☎*937-5077*
Chez Brophy sert un menu simple de poisson et de fruits de mer.

Le Petit Mondrain
$
mai à oct
midi à 21h
La Grave
Havre-Aubert
☎*937-2499*
Le Petit Mondrain est un resto-bar dont le décor se compose de vieilles bouées et d'un plancher de bois. Les

homards et les mollusques en coquille servis sont frais du jour et simplement jetés à l'eau bouillante, selon l'arrivage (donc non apprêtés).

Au quai de l'anse
$$
vin
juin à début sept
tlj 11h à 23h
ch. de L'Anse-à-la-Cabane
Bassin
☎937-5346
Situé dans un bateau rénové, Au quai de l'anse sert de bons desserts maison, des plats de poisson frais servis en généreuses portions ainsi que des soupes et des salades.

Café de La Grave
$$
mai à oct 8h30 à 3h
969 route 199
Havre-Aubert
☎937-5765
Le Café de La Grave, avec son charmant décor de magasin général, son atmosphère plus que chaleureuse et ses gâteaux à faire succomber ceux et celles qui surveillent leur ligne, est un endroit idéal pour se régaler tout en faisant des rencontres dans un cadre on ne peut plus madelinot.

La Grave était en fait le port d'entrée des Îles jusqu'aux années cinquante; il y avait donc ici une forte activité commerciale, d'où la nécessité, pendant plus de 100 ans, d'y tenir un magasin général. On y sert les délicieux gâteaux de M. Painchaud ainsi que des plats de poisson et de fruits de mer. Au menu figurent des mets aussi inhabituels que les galettes de morue salée et la terrine de loup-marin (on cuisine parfois des poissons tels que l'anguille). On y propose des bières importées. Le gâteau au fromage et aux canneberges est divin.

Pour les mélomanes de passage, on a installé un piano; autrement, on fait jouer du Piaf et autres. Les tables sont disposées de telle façon que vous êtes «forcé» de communiquer avec les gens. C'est par conséquent un lieu de rencontre idéal pour discuter avec les Madelinots et les voyageurs. S'il se trouve un endroit aux Îles où a lieu le *happening*, c'est ici.

Régal II
$$
en été 11h à 22h
☎937-9108
Le Régal II se spécialise dans les sandwichs à la saucisse de fruits de mer, de poisson ou de viande. L'établissement présente un menu simple de mets rapides.

Chez Denis à François
$$$
tlj 7h à 21h
vin
Havre-Aubert
☎937-2371
Le restaurant de l'auberge Chez Denis à François propose un choix de tables d'hôte sept jours sur sept pendant la haute saison. Aussi, on sert des plats de jour composés de fruits de mer le midi ***($)***. Deux services ont lieu le soir, l'un à 18h et l'autre à 20h. Le restaurant se spécialise dans les fruits de mer. Essayez le pot-en-pot aux fruits de mer ou le loup-marin braisé. On sert de l'express et du cappuccino. Les desserts, les cretons, les *bagels* ainsi que les fèves au lard sont tous faits maison. Les déjeuners sont servis toute la journée. On sert alors de délicieuses gaufres et crêpes. C'est un des seuls restaurants où vous pourrez manger du loup-marin. L'ambiance est décontractée. En été, le restaurant propose les moules et les frites à volonté.

La Marée Haute
$$$$
tlj
25 ch. des Fumoirs
à droite avant d'arriver à La Grave
☎937-2492
À La Marée Haute, Patrick, le chef français, accommode tous les produits de la mer trouvés aux Îles. Au menu figure un très grand choix d'entrées et de mets à base de poissons et de fruits de mer. L'auberge dispose d'une bonne sélection de vins. Il y a un service à 18h et un autre à 20h30.

Île d'Entrée

Il n'y a qu'un seul petit casse-croûte mal ventilé offrant 24 places assises. On y prépare aussi des plats à emporter.

Sorties

Île du Havre aux Maisons

Chez Gaspard
mai à sept
tlj en période estivale dès 21h
Au Vieux Couvent
Le bar Chez Gaspard occupe un ancien réfectoire et accueille des formations musicales. Il s'en dégage une atmosphère très enjouée et bruyante. Une programmation spéciale est établie de juin à août. Chaque groupe s'y produit habituellement une ou deux semaines, du jeudi soir au dimanche soir. Il faut arriver tôt car l'endroit est très populaire et se remplit vite. Ne manquez pas d'assister aux soirées d'improvisation (le mercredi).

Île du Cap aux Meules

Le **Théâtre de la Parlure** *(17$; juil à sept mer-sam à 20h30; Château Madelinot, Cap-aux-Meules, ☎986-4040)* produit tout l'été des pièces à saveur madeliniennes. On y présente du théâtre de création, des variétés, des humoristes ainsi que des pionniers de la chanson québécoise.

Le bar **Le Barachois** *(Fatima)* est à la fois une discothèque et un bar de rencontre doté d'une grande piste de danse et d'une terrasse vitrée. On y fait jouer de la musique à succès, et c'est toujours bondé de jeunes âgés de 25 à 30 ans. La clientèle gay fréquente beaucoup ce bar.

Le **Bar des Îles** *(L'Étang-du-Nord)* reçoit des groupes *western*. Ce bar plutôt grand est fréquenté tant par les Madelinots que par les voyageurs. On y rencontre des personnes âgées de 25 à 40 ans. Ouvert le mercredi seulement. Ne manquez pas d'assister aux mercredis Molson; c'est à voir!

Île du Havre Aubert

Brophy
tlj 11h à 1h
☎937-5077
Sur La Grave, le pub Brophy sert de la bière de microbrasseries dans un cadre agréable pour gens décontractés.

Vieux Treuil
juil et août
☎937-5138
Situé également sur le site de La Grave, le Vieux Treuil est une salle de spectacle où vous pourrez voir des chansonniers ou encore entendre du jazz et de la musique classique. Les spectacles ont lieu à 21h.

Achats

La Grosse Île et île de la Grande Entrée

Près du port de Grande-Entrée, vous trouverez trois boutiques de souvenirs. Parmi celles-ci figure **Au tour de la terre** *(9h à 21h; ☎985-2805)*, qui dispose d'un stock intéressant d'articles en poterie et en porcelaine faits sur place.

À l'est du fleuve *(448 route 199, Grande-Entrée, ☎985-2233)*, on vend toutes sortes de produits de la mer en conserve (artisanale).

À la **Boutique de la Pointe** *(juin à sept 9h à 21h; sur le quai, Grande-Entrée, ☎985-2833)*, on tient les vêtements de la ligne «Magic Society» et «Attraction». On vent également beaucoup de produits d'entreprises locales telles que les cuirs Ody-C, l'atelier du Bouscueil, des confitures locales, des disques compacts de musique des Îles et des aquarelles.

Chez **Souvenirs Pol des Îles** *(mai à sept 9h à 21h; Grande-Entrée, ☎985-2235)*, on vend un grand assortiment de linge de table, de figurines et de bibelots.

Île du Cap aux Meules

Madelipierre *(tlj 9h à 21h; à droite en sortant du port, ☎986-6949)* est une boutique qui se spécialise dans la fabrication d'objets en albâtre et en sable. On retrouve également cette pierre en Europe, mais celle des îles se présente sous des couleurs très variées. C'est en fait le seul endroit au Canada où l'on peut acheter des objets d'art en albâtre.

On y vend toutes sortes d'objets d'art et d'articles décoratifs. Ainsi, on peut s'y procurer un brûleur en albâtre, œuvre de Norbert Ilhareguy, qui s'inspire d'un brûleur esquimau fabriqué avec des os de baleine. La fabrication comporte huit opérations de polissage et de pénétration de cire. On peut également admirer plusieurs sculptures (horloges, vases, etc.) et des bijoux en coquillages traités en jaspe et en ivoire de défense de morse (ivoire trouvé seulement) ainsi qu'en agate des Îles.

Île du Havre Aubert

La Baraque *(489 ch. Principal, Bassin; ☎937-5678)* vend une panoplie de souvenirs allant des pulls aux objets en albâtre en passant par les châteaux de sable en plastique.

Les Artisans du Sable *(fin juin à mi-sept lun-sam 9h30 à 21h, dim 10h30 à 21h, reste de l'année lun-sam 9h à 17h; à l'entrée du site La Grave, Havre-Aubert, ☎937-2917)* présente, disposées sur plusieurs tablettes, près de 600 variétés de sable provenant de partout dans le monde. En visitant cet endroit, vous apprendrez que le sable est beaucoup plus qu'une poussière de roche. E

n effet, le sable renferme toute une histoire gravée dans sa structure. Vous pourrez, bien sûr, observer à votre guise toutes les pièces fabriquées par des artistes madelinots avec du sable et de la résine selon un procédé unique au monde. De nombreux essais ont mené à la création d'une résine qui permet d'agglutiner le sable de façon permanente.

Cette résine ressemble un peu à la colle Epoxy. On la mélange au sable pour fabriquer une pâte, et l'on fait ensuite des blocs qu'on taille de diverses façons; le mélange est alors cuit dans un four à bois. Le sable de base est le sable beige; les autres couleurs de sable sont des couches collées.

Si vous cherchez un souvenir durable, utile et unique, c'est vraiment là que vous allez le trouver. On y vend, entre autres, des abat-jour et des appui-livres. Toutes les couleurs de sable sont naturelles et sans ajout.

Ainsi, les artisans se servent, par exemple, de sable bleu provenant de l'Arizona. Ce sont également eux qui organisent le concours des châteaux de sable sur la plage Sandy Beach le deuxième samedi d'août.

À la **banquise du Golfe** *(mai à oct tlj 9h à 21h; ☎937-5209)*, on vend de l'artisanat en laiton, des tricots, des livres et des aquarelles.

Index

Bon de commande Ulysse

Guides de voyage

□	Abitibi-Témiscamingue et Grand Nord	22,95 $	135 FF
□	Arizona et Grand Canyon	24,95 $	145 FF
□	Bahamas	24,95 $	145 FF
□	Californie	29,95 $	129 FF
□	Canada	29,95 $	129 FF
□	Charlevoix Saguenay Lac-Saint-Jean	22,95 $	135 FF
□	Chicago	19,95 $	99 FF
□	Chili	27,95 $	129 FF
□	Colombie	29,95 $	145 FF
□	Costa Rica	27,95 $	145 FF
□	Côte-Nord – Duplessis – Manicouagan	22,95 $	135 FF
□	Cuba	24,95 $	129 FF
□	Cuisine régionale au Québec	16,95 $	99 FF
□	Disney World	19,95 $	135 FF
□	Équateur – Îles Galápagos	24,95 $	145 FF
□	Floride	29,95 $	129 FF
□	Gaspésie – Bas-Saint-Laurent - Îles-de-la-Madeleine	22,95 $	99 FF
□	Gîtes du Passant au Québec	13,95 $	89 FF
□	Guadeloupe	24,95 $	98 FF
□	Guatemala	24,95 $	129 FF
□	Hôtels et bonnes tables au Québec	17,95 $	89 FF
□	La Nouvelle-Orléans	17,95 $	99 FF
□	Las Vegas	17,95 $	89 FF
□	Lisbonne	18,95 $	79 FF
□	Louisiane	29,95 $	139 FF
□	Los Cabos et La Paz	14,95 $	89 FF
□	Martinique	24,95 $	98 FF
□	Miami	18,95 $	99 FF
□	Montréal	19,95 $	117 FF
□	New York	19,95 $	99 FF
□	Nicaragua	24,95 $	129 FF
□	Nouvelle-Angleterre	29,95 $	145 FF
□	Ontario	27,95 $	129 FF
□	Ouest canadien	29,95 $	129 FF
□	Ouest des États-Unis	29,95 $	129 FF
□	Panamá	24,95 $	139 FF
□	Pérou	27,95 $	129 FF
□	Portugal	24,95 $	129 FF
□	Provinces atlantiques du Canada	24,95 $	129 FF
□	Puerto Plata–Sosua	14,95 $	69 FF
□	Le Québec	29,95 $	129 FF
□	République dominicaine	24,95 $	129 FF
□	San Francisco	17,95 $	99 FF
□	Seattle	17,95 $	99 FF
□	Toronto	18,95 $	99 FF
□	Tunisie	27,95 $	129 FF
□	Vancouver	17,95 $	89 FF

Guides de voyage

☐	Venezuela	29,95 $	129 FF
☐	Ville de Québec	17,95 $	99 FF
☐	Washington, D.C.	18,95 $	117 FF

Espaces verts

☐	Cyclotourisme au Québec	22,95 $	99 FF
☐	Le Québec cyclable	19,95 $	99 FF
☐	Le Québec en patins à roues alignées	19,95 $	99 FF
☐	Randonnée pédestre Montréal et environs	19,95 $	117 FF
☐	Randonnée pédestre Nord-est des États-Unis	19,95 $	117 FF
☐	Ski de fond au Québec	22,95 $	110 FF
☐	Randonnée pédestre au Québec	22,95 $	117 FF

Guides de conversation

☐	L'Anglais pour mieux voyager en Amérique	9,95 $	43 FF
☐	L'Espagnol pour mieux voyager en Amérique latine	9,95 $	43 FF
☐	Le Québécois pour mieux voyager	9,95 $	43 FF

Journaux de voyage Ulysse

☐	Journal de voyage Ulysse (spirale)bleu - vert - rouge ou jaune	11,95 $	49 FF
☐	Journal de voyage Ulysse (format de poche) bleu - vert - rouge - jaune ou «sextant»	9,95 $	44 FF

Titre	Qté	Prix	Total
Nom :		Total partiel	
		Port	4.00$/16FF
Adresse :		Total partiel	
		Au Canada TPS 7%	
		Total	

Tél : Fax :

Courriel :

Paiement : ☐ Chèque ☐ Visa ☐ MasterCard

N° de carte____________________ Expiration________________

Signature____

Guides de voyage Ulysse
4176, rue Saint-Denis, Montréal
(Québec) H2W 2M5
☎ (514) 843-9447,
sans frais : ☎ 1-877-542-7247
fax (514) 843-9448
info@ulysse.ca

En Europe:
Les Guides de voyage Ulysse, SARL
BP 159
75523 Paris Cedex 11
info@ulysse.ca
☎ 01.43.38.89.50
Fax 01.43.38.89.52
Voyage@ulysse.ca

Consultez notre site : www.guidesulysse.com